D1086663

JEAN PLAIDY
besser bekannt als
VICTORIA HOLT

# DIE TOCHTER DES KÖNIGS

*Roman*

Aus dem Englischen
von Dr. Ingrid Rothmann

Deutsche Erstausgabe

WILHELM HEYNE VERLAG
MÜNCHEN

HEYNE ALLGEMEINE REIHE
Nr. 01/9448

Titel der Originalausgabe
WILLIAMS'S WIFE

Redaktion: Rainer-Michael Rahn


Printed in Germany 1995
Umschlagillustration: Philipp H. Steiner/die KLEINERT, München
Umschlaggestaltung: Atelier Ingrid Schütz, München
Gesamtherstellung: Elsnerdruck, Berlin

ISBN: 3-453-08272-9

*Inhalt*

## Lady Mary



## Prinzessin von Oranien



## Königin von England

*Lady Mary*

## Die frühen Tage

In meinem Leben gab es zwei Menschen, die ich über alles liebte, und es lastete stets schwer auf mir, daß ich genötigt war, mich zwischen ihnen zu entscheiden, und mit meiner Entscheidung für den einen Verrat am anderen beging. Ich tat, was mir mein Herz, mein Glaube und mein Pflichtbewußtsein diktierten. Seither quält mich das Wissen um das Leid, dessen Ursache ich war, und dies wird mich bis ans Ende meiner Tage verfolgen.

Ich möchte bis zu den Anfängen zurückgehen, möchte mich in die Vergangenheit zurückversetzen, um sie klarer sehen zu können als zur Zeit des Geschehens. Ich möchte mich fragen: Wie hätte ich handeln sollen?

Ich wurde im St. James-Palast geboren, zu einem Zeitpunkt, da meine Geburt für niemanden außer für meine Eltern von Interesse war. Ein höchst bedeutsames Ereignis stand damals bevor. König Charles, mein Onkel, nach über zehnjährigem Exil wieder auf den Thron zurückgekehrt, war im Begriff, sich mit der Infantin von Portugal zu vermählen – ein Ereignis, das im ganzen Land mit erwartungsvoller Freude begrüßt wurde. Da ich ohnehin nur ein Mädchen war und meinen Eltern fünfzehn Monate nach meiner Geburt ein Sohn geschenkt wurde, verlor meine Geburt vollends an Bedeutung.

Anfangs erschien mir die Welt als herrlicher Ort; die Tage waren voller Sonnenschein, ich lebte unter Menschen, die mich liebten, und da mir alle zugetan waren, gelangte ich zu der Meinung, die Welt sei allein zu meinem Vergnügen erschaffen worden.

Am schönsten war es, wenn unsere Eltern uns besuchten. Da man ihnen allseits mit großem Respekt begegnete, wurde mir ihre Bedeutung rasch klar. Meine Mutter, die mich oft in die Arme nahm, erschien mir wie ein großes weiches Kissen, in das ich mich mit dem Gefühl behaglicher Sicherheit sinken lassen konnte. Sie liebkoste mich, raunte mir Worte der Liebe zu, steckte mir Naschereien in den Mund und zeigte mir auf hundertfache Weise, wie lieb sie mich hatte. Der Wichtigste von allen war freilich mein Vater. Erschien er im Kinderzimmer und rief: »Wo ist mein Töchterchen? Wo ist Lady Mary?«, dann lief ich sofort auf ihn zu, erst unsicher tappend und wackelnd, später in stürmischem Lauf. Er hob mich hoch und setzte mich auf seine Schultern, damit ich aus luftiger Höhe auf alles hinunterblicken konnte. Ich hatte alle in meiner Umgebung lieb, niemanden aber so sehr wie meinen Vater.

Einmal hörte ich jemanden sagen: »Der Herzog liebt die kleine Mary mehr als alle anderen.«

Das vergaß ich niemals, und ich sagte es mir vor, wenn ich allein in meinem Bett lag, ständig in Erwartung seines Kommens. Überfiel mich in späteren Jahren die Erinnerung an das Schicksal, das ihn ereilte, rief ich mir jene Tage ins Gedächtnis und überdachte, so sehr mich Zweifel und Vorwürfe plagten, die Rolle, die ich in der Tragödie seines Lebens gespielt hatte.

Wie oft sehnte ich mich dann nach den Tagen jugendlicher Unschuld zurück, als mir die Welt als herrlicher, ewiges Glück verheißender Ort erschien.

Besuchte er uns, dann ließ er mich nicht aus den Augen. Ich erinnere mich, daß er einmal einige seiner Offiziere in einer Marine-Angelegenheit empfing und mich bei sich behielt. Damals war er Oberster Lord der Admiralität, und ich weiß noch, daß er mich auf den Tisch setzte, während er mit ihnen sprach. Sie lobten die außergewöhnliche Intelligenz, die Lebhaftigkeit und den Liebreiz seiner Tochter – nur um ihm gefällig zu sein, wie mir jetzt sehr wohl klar ist –, doch sein Entzücken kannte keine Grenzen!

Zuweilen fällt es mir schwer zu unterscheiden, ob mir

bestimmte Vorkommnisse aus jener Zeit tatsächlich im Gedächtnis geblieben sind oder ob von ihnen so häufig die Rede war, daß sich in mir die Überzeugung festsetzte, ich könnte mich an sie erinnern.

Auf einer Miniatur von Nechscher, einem von meinem Vater hochgeschätzten flämischen Maler, bin ich mit einem schwarzen Kaninchen abgebildet. Man sagte mir, mein Vater hätte den Sitzungen beigewohnt und mich liebevoll beobachtet, während der Maler am Werk war. Vor meinem geistigen Auge sehe ich ihn deutlich vor mir – doch war mir seine Anwesenheit damals wirklich bewußt?

An manche Tage aber erinnere ich mich tatsächlich und bin meiner Sache ganz sicher. Ich war fast drei. Es war kalt, wir hatten Februar. Ich wußte, daß etwas Wichtiges bevorstand, da ich Bruchstücke belauschter Gespräche aufschnappte.

»Hoffentlich bekommen Herzog und Herzogin diesmal, was sie sich wünschen.«

»Nun, ich weiß nicht recht... die Söhne sind kränklich, und ich könnte mir denken, daß er Lady Mary nicht für alle Knaben der Welt hergeben würde.«

Als mein Vater mich besuchte, sagte er nach der üblichen stürmischen Begrüßung: »Sicher freut es dich zu hören, mein Kind, daß du ein Schwesterchen bekommen hast.«

Ich entsinne mich noch meiner Verwirrung. Eine Schwester? Ich hatte schon einen kleinen, ständig von Kinderfrauen umgebenen Bruder, der mir wenig bedeutete.

»Sie wird dir hier Gesellschaft leisten«, fuhr mein Vater fort, »und du wirst sie sehr liebhaben.«

»Hast du sie lieb?« fragte ich.

Ich muß meinem Vater wohl gezeigt haben, daß ich befürchtete, sie könnte meinen Anteil an seiner Zuneigung beanspruchen, denn aus seinem Lächeln sprach jäh aufflammendes Verständnis.

»Ich habe sie lieb«, sagte er. »Aber der erste Platz in meinem Herzen wird immer Lady Mary gehören, komme, wer da wolle!«

Es folgte freudige Erregung. Ungeachtet meines jugendlichen Alters war ich als Patin meiner Schwester ausersehen. Anne Scot, die Duchess of Buccleugh, übernahm die zweite Patenschaft. Später sollte ich erfahren, daß ihr diese Ehre zuteil wurde, weil sie vor kurzem meinen Vetter Jemmy geehelicht hatte, der Duke of Monmouth geworden war.

An diesen Anlaß kann ich mich sehr gut erinnern. Gilbert Sheldon, der damalige Erzbischof von Canterbury, nahm die Taufe vor, ein strenger und furchteinflößender Mann, vor dem ich mich geängstigt hätte, wäre nicht mein mächtiger Vater zugegen gewesen, der niemals streng zu mir war und auch niemandem gestattete, mir mit Strenge zu begegnen.

Die Kleine, die nach unserer Mutter Anne getauft wurde, leistete uns im Kinderzimmer von Twickenham bald Gesellschaft.

Das Haus in Twickenham war Besitz des Earl of Clarendon, meines Großvaters mütterlicherseits, eines sehr bedeutenden Mannes, wie ich rasch merken sollte, obwohl ich ihn kaum zu Gesicht bekam. Es gab noch einen zweiten Großvater, einen, von dem nur im Flüsterton gesprochen wurde, weil er tot war. Schon als ich noch ganz klein war, wußte ich, daß seinem Tod etwas besonders Schockierendes anhaftete.
Einige nannten ihn den Märtyrer. Später sollte ich erfahren, daß er König gewesen war und daß böse Menschen ihm den Kopf abgeschlagen hatten. Immer wenn ich in Whitehall am Schauplatz dieser Greueltat vorüberfuhr, schauderte ich.

Ich gewann mein neues Geschwisterchen sehr lieb. Meine Schwester Anne war ein sehr ruhiges Kind, das selten schrie und bereitwillig lächelte. Ihre Mahlzeiten konnte sie kaum erwarten, ein Umstand, der große Freude hervorrief. Ich verbrachte viel Zeit mit ihr und betrachtete sie als mein Baby. Sie schien es zu mögen, wenn ich an ihrer Wiege saß, und ich fand es niedlich, wenn sie mit ihrer Grübchenhand fest nach meinen ausgestreckten Fingern faßte.

Doch dann wurde der Frieden von Twickenham plötzlich erschüttert. Überall war Bewegung: die Menschen rannten hin und her und redeten aufgeregt durcheinander. Ich mußte unbedingt herausfinden, was sich zugetragen hatte.

Da hörte ich, daß man eines der Hausmädchen tot im Bett aufgefunden hatte. Die Todesursache war kein Geheimnis. Die gefürchtete Pest, die in London wütete, hatte uns im angeblich sicheren Twickenham eingeholt.

»Die Pest!« Diese Worte waren auf den Lippen aller.

Meine Eltern eilten herbei. Mein Vater nahm mich in die Arme. Anne und mein Bruder wurden von unserer Mutter untersucht, während mein Vater das gleiche mit mir machte.

»Gott sei gelobt!« rief er aus. »Mary ist gesund. Und Anne und der Junge?«

»Alle sind gesund«, gab meine Mutter zurück.

»Wir dürfen keine Zeit verlieren und müssen unverzüglich aufbrechen.«

Als nächstes weiß ich, daß wir Twickenham verließen und nach York aufbrachen.

Ich war in York glücklich, und die Zeit verging wie im Flug. Dort bekamen wir unsere Eltern öfter zu Gesicht, wiewohl mein Vater des öfteren länger abwesend war – Zeiten, die mir unerträglich erschienen. Damals lag die Flotte vor der Ostküste, und er hielt sich häufig dort auf. Es wütete nicht nur die Pest, es wütete auch ein Krieg. In York merkte man davon freilich wenig, bis sich die Kun-

de von den glorreichen, vor der Küste von Lowestoft und in Solbay erkämpften Siegen verbreitete.
Es waren Namen, die noch viele Jahre glühenden Stolz in mir wachriefen, da sie stets in Zusammenhang mit meinem Vater genannt wurden. Er war Befehlshaber der Flotte, die unsere bösen Feinde, die Holländer, geschlagen hatte. Nichts war mir lieber, als von seinen Erfolgen zu hören. Ich bedauerte nur, daß er so weit von uns entfernt sein mußte, um diese ruhmreichen Taten zu vollbringen.

Ich hörte einen der Bedienten sagen: »Die Siege sind ein kleiner Trost, den wir in diesen schrecklichen Zeiten weiß Gott nötig haben.«

Von der Geißel, die durch das Land fegte und die Hauptstadt verheerte, hörte ich nur wenig. Für mich bedeutete sie nur, daß wir in aller Eile nach York hatten aufbrechen müssen, wo ich meine Eltern öfter sah als in Twickenham. Erst viel später hörte ich von den unzähligen Türen mit den roten Kreuzen und der Inschrift ›Gott erbarme sich unser‹, was heißen sollte, daß die Pest das Haus heimgesucht hatte. Auch von den makabren Totenkarren, die die Straßen abfuhren, sollte ich später erfahren, vom grausigen Ruf ›Schafft eure Toten heraus!‹ sowie von den Leichenbergen, die zu großen Gruben außerhalb der Stadtmauern geschafft und dort verscharrt wurden.

Ebenfalls viel später erfuhr ich von der schrecklichen Tragödie, die dem Pestjahr folgte, als London sich erneut einer gewaltigen Katastrophe gegenübersah und fast zur Gänze ein Raub der Flammen wurde.

Unter den grausigen Einzelheiten des Brandes, die mir zu Ohren kamen, unter all den wehklagenden, ihres Heims beraubter Menschen, die sich mit ihrer Habe in Booten auf dem Fluß drängten, in der Hoffnung, wenigstens etwas zu retten, standen mir vor allem zwei Männer vor Augen, zwei Brüder, die sich ohne Rücksicht auf das

Zeremoniell auf die Straße begeben hatten, ohne Perücke, in Hemdsärmeln, mit schweißüberströmtem Gesicht, um mit Rat und Tat zu helfen und die Sprengung von Häusern zu überwachen, damit das Feuer durch die Lücken gehindert wurde, sich weiter auszubreiten. Es waren der König und sein Bruder, der Duke of York, mein Vater.

Er war ein Held, mein kluger, wunderbarer Vater. Bei Lowestoft und Solebay hatte er das Land vor den Holländern gerettet; und er hatte mitgeholfen, London vor dem allesverzehrenden Feuer zu retten.

Das alles sollte ich erst später erfahren. Bis dahin hielt man mich in meinem Sicherheit gewährenden Kokon in Gewahrsam.

Die Erinnerungen an York sind Erinnerungen an Tage großen Glücks, nur gelegentlich von Wolken getrübt, wenn mein Vater eine Zeitlang verschwand. Und dann hörte ich, daß er fortan noch länger abwesend sein würde, da der König ihn aufgefordert hatte, einen Platz im Parlament einzunehmen, das nun wegen der Zustände in der Hauptstadt in Oxford tagte.

Meine Enttäuschung war groß, doch er tröstete mich, indem er versprach, er wolle mich besuchen, wann immer es sich einrichten ließe.

»Wenn du älter bist, werde ich dir alles darüber erzählen«, sagte er. »Jetzt aber heißt es für dich warten. Sobald ich frei bin, werde ich kommen und meine kleine Lady Mary besuchen.«

»Ich werde mit dir nach Oxford gehen«, sagte ich hoffnungsvoll.

»Ach, wie schön das wäre!« entgegnete er lächelnd. »Aber leider ist im Parlament des Königs kein Platz für kleine Mädchen. Aber eines Tages, sehr bald, werden wir alle zusammen sein… dein kleiner Bruder, deine kleine Schwester, deine Mutter… die gesamte Familie derer von York.«

Es sollte viel Zeit vergehen, bis es dazu kam.

So wuchs ich heran, und es gab Zeiten, da wehte mich eine Ahnung von Unheil an. Ganz plötzlich war mein Großvater Clarendon von der Szene verschwunden. Wir hatten ihn ohnehin nicht oft zu Gesicht bekommen, dennoch erschien es mir sehr sonderbar, daß sein Name nun nicht mehr genannt wurde. Ich wußte, daß er ein bedeutender Mann gewesen war. Lordkanzler und dazu Freund des Königs und meines Vaters, der das Exil beider geteilt hatte. Umso merkwürdiger, daß der Vater meiner Mutter nicht mehr erwähnt werden durfte.

Ich hörte jemanden sagen, er hätte Glück gehabt, ins Exil entkommen zu sein, ehe er seinen Kopf verlor. Es hätte genug gegen ihn vorgelegen, um ihn zu Fall zu bringen, und seine ständige Kritik an der Lebensweise des Königs hätte schließlich dazu geführt, daß der Monarch, obschon selbst leidgeprüft, es kaum erwarten konnte, ihn loszuwerden.

Diese Bruchstücke von Klatsch, die zu verstehen ich mich sehr bemühte, machten mich nachdenklich. Ich hatte einen Großvater, der seinen Kopf eingebüßt hatte. Und jetzt gab es einen zweiten, der eben noch rechtzeitig entkommen konnte, ehe es ihm ebenso ergangen war.

Ich wußte, daß meine Mutter von seinem Verschwinden tief betroffen war, und ich denke, daß mein Vater ähnlich empfand.

Waren sie aber mit uns zusammen, zeigten sie sich als Inbegriff der Liebe und Zuneigung. Meine Schwester Anne war wohl der Liebling meiner Mutter, obwohl Anne, vom Äußeren abgesehen, keine Ähnlichkeit mit ihr hatte. Einmal hörte ich die Äußerung: »Lady Mary ist von Kopf bis Fuß eine Stuart, aber Lady Anne ist eine Hyde.« Ich war groß und in jungen Jahren schlank, dazu dunkelhaarig und mandeläugig, während Anne immer schon zu Rundlichkeit neigte. Ihr Haar war hellbraun mit einem Stich ins Rötliche. Ich war blaß, sie rosig. Sie wäre bildhübsch gewesen, hätte sie nicht an einer leichten Mißbildung der Augen gelitten, einer Verengung der Lider, die ihr einen unbestimmbaren Ausdruck verlieh und ihr Sehvermögen beeinträchtigte.

Anne war gutmütig, selten übellaunig, jedoch von Natur aus träge. Verdruß war ihr zuwider, und dank ihrer sonnigen, gutmütigen Art schaffte sie es sehr gut, jedem Ärger aus dem Weg zu gehen. Wurde sie einer Sache überdrüssig – mit den Jahren vor allem des Unterrichts –, dann entschuldigte sie sich unter dem Vorwand, ihre Augen schmerzten.

Es waren für uns sehr glückliche gemeinsame Tage. Immer lachte sie mich wegen meiner Wißbegierde aus.

»Nur zu, Schwester«, sagte sie, »lerne brav, damit du mir dann alles beibringen kannst.«

Ich merkte rasch, daß meine Mutter als klug galt. Und zu Recht, denn oft war sie diejenige, die bestimmte, was zu geschehen hatte. Mein Vater pflegte zu sagen: »Natürlich hast du recht, meine Liebe.« Sie stand mit vielen bedeutenden Menschen bei Hof auf sehr freundschaftlichem Fuß. Ich hatte gehört, daß der König von ihr als ›meine ernsthafte, kluge Schwägerin‹ sprach. Daß sie Anne, die wenig zu sagen wußte und nicht lernen wollte, so viel Zuneigung entgegenbrachte, war verwunderlich. Ihr einziges gemeinsames Interesse schien ihre Naschhaftigkeit zu sein. Wie oft habe ich sie einträchtig beisammensitzen gesehen, zwischen sich einen Teller mit Süßigkeiten, die sie sich schmecken ließen.

Bald gaben die Ärzte zu bedenken, daß die Fülle meiner Schwester ungesund sei und sie sich sehr schaden könne, wenn sie nicht von der Gewohnheit abließe, bei jeder Gelegenheit Süßigkeiten zu naschen.

Meine Mutter bekam es mit der Angst zu tun. Vielleicht fühlte sie sich schuldig, weil sie zugelassen hatte, daß ihre Tochter ihre Schwäche teilte. So oder so, Anne wurde in Begleitung einer der Damen meiner Mutter eine Zeitlang fortgeschickt. Meine Mutter baute darauf, daß Anne in einem fremden Haus strenger überwacht wurde, da zu befürchten stand, daß sich zu Hause immer wieder jemand fände, der ihren Bitten nach den geliebten Süßigkeiten nachkam.

Ich war sehr betrübt, meine Schwester zu verlieren. Ohne ihr freundliches Lächeln war das Leben nicht mehr wie zuvor. Ich malte mir aus, wie sie, ihrer Naschereien beraubt, eine strenge Diät einhalten mußte. Gut möglich, daß sie alles dank ihrer gutmütigen Wesensart sehr leicht ertrug.

Es war ein glücklicher Tag, als sie zurückkehrte, guter Dinge wie immer und, wiewohl nicht mager, so doch weniger rundlich als zuvor.

Alle erklärten, die Kur hätte ein wahres Wunder vollbracht, doch sollte es sich bald zeigen, daß ein Teller mit Naschereien für sie noch immer eine unwiderstehliche Versuchung darstellte. Wir alle waren jedoch so froh, sie wieder bei uns zu haben, daß uns ihre Schwäche nur ein nachsichtiges Lächeln entlockte.

Anne fehlte mir während ihrer Abwesenheit so sehr, daß meine Eltern beschlossen, mich für den Verlust meiner Schwester mit einer Gefährtin zu entschädigen. Zu meiner großen Freude kam Anne Trelawny in unser Haus, einige Jahre älter als ich und von Anbeginn an meine gute Freundin. Es war herrlich, jemanden zu haben, dem man sich anvertrauen konnte, und Anne war mitfühlend und verständnisvoll, kurzum alles, was ich von einer Freundin erwartete.

Nun wollte meine Schwester Anne stets das haben, was ich hatte, und als sie ins Elternhaus zurückkehrte und sah, daß ich eine Freundin besaß, mußte sie auch eine bekommen.

Sie wandte sich mit diesem Verlangen an unsere Mutter, die sich umgehend auf die Suche nach einer passenden Person machte.

Ihr besonderes Interesse galt seit langem einer ihrer

Damen, einer gewissen Frances Jennings, deren Familie undurchsichtiger Herkunft war. Weshalb sie bei Hof Zutritt hatte, stellte an sich schon ein kleines Geheimnis dar, doch Frances selbst war ungemein gewinnend – nicht schön im eigentlichen Sinn, aber anziehend und von wachem Verstand. Meine Mutter, selbst lebhafter Natur, umgab sich gern mit Menschen ähnlicher Wesensart und zog Intelligenz einem alten Stammbaum vor. Daher galt ihr besonderes Interesse Frances, und als sich eine Verbindung mit dem vornehmen Haus Hamilton anbahnte, half meine Mutter mit, diese Ehe zu fördern.

Frances hatte eine jüngere Schwester, Sarah, die sie zu gern bei Hof eingeführt hätte, und als das junge Mädchen meiner Mutter vorgestellt wurde, fand sie Gefallen an seiner Klugheit. Daß Sarah fünf Jahre älter war als Anne, schien keineswegs ein Nachteil. Meine Mutter war überzeugt, sie würde für unsere träge Anne die richtige lebhafte und unterhaltsame Gesellschaft abgeben.

Es versteht sich, daß die ehrgeizige Frances eine Stellung in unserer Haushaltung für ihre Schwester hocherfreut akzeptierte, und ich bin heute sicher, daß Sarah sich von dem Moment an, als sie unser Haus betrat, der Vorteile, die sich ihr damit eröffneten, bewußt war.

Da sie genau wußte, wie sie mit Anne umzugehen hatte, waren die beiden fast vom Tag ihrer Ankunft an enge Freundinnen. Wir waren ein glückliches Quartett: Anne Trelawny und ich, meine Schwester Anne und Sarah Jennings.

Allmählich erfaßte eine gewisse Angst von mir Besitz. Ich spürte, daß irgend etwas nicht stimmte. Meine Mutter hatte sich verändert. Zuweilen wirkte sie ein wenig geistesabwesend. Sie lächelte und nickte, doch in Gedanken schien sie weit weg zu sein. Trotz ihrer Korpulenz wirkte ihr Gesicht eingefallen. Mir fiel auch auf, daß ihr Teint sich veränderte. Sie nahm eine merkwürdig gelbliche Färbung an, und es kam vor, daß sie zusammenzuckte und sich an die Brust griff.

Zunächst dachte ich, das Verschwinden ihres Vaters mache ihr zu schaffen, denn wenn ich mir vorstellte, wie mir zumute gewesen wäre, wenn ich meinen Vater verloren hätte, konnte ich ihren Kummer nachfühlen. Doch es gab nur einen Duke of York und eine Lady Mary, und es gab keinen Vater und keine Tochter, die einander so liebten wie wir einander. Meine Mutter hatte ihren Vater verloren, der geflüchtet war, um seinen Kopf zu retten. Aber da war noch etwas. Einmal sah ich sie in den Gärten mit Pater Hunt, einem Franziskaner, in ein ernstes Gespräch vertieft. Mein Vater gesellte sich zu ihnen, und zu dritt ergingen sie sich und unterhielten sich angeregt.

Damals dachte ich mir nicht viel dabei, bis ich erfuhr, daß die Ehe meines Onkels mit Katharina von Braganza auf viel Ablehnung stieß, da die katholische Katharina bei den Engländern unbeliebt war.

Dies und die Veränderung im Aussehen meiner Mutter wirkten wie unbestimmte Schatten, so unmerklich freilich, daß sie den warmen Sonnenschein jener glücklichen Tage kaum trübten.

Meine Mutter würde ein Kind bekommen. Ich nahm an, daß dies der Grund für ihr Kranksein war. Sie war schon immer so rundlich gewesen, daß man ihr die Schwangerschaft kaum anmerkte.

Anne und ich konnten es kaum erwarten zu erfahren, ob wir ein Brüderchen oder Schwesterchen bekommen würden. Wir hofften auf eine Schwester. Brüder waren für uns enttäuschend, da sie immerzu krank waren.

Zu unserem Entzücken wurde es ein kleines Mädchen, das zu Ehren der Königin Catherine genannt wurde.

Wir sprachen viel von ihr – vielmehr sprach ich, und Anne hörte zu. Anne zog das Zuhören vor, so daß ich manchmal den Eindruck hatte, sie würde immer träger.

Mein Vater besuchte uns. Es war ein kalter Tag im März, man schrieb das Jahr 1671. Ich war damals fast neun, und Anne schon sechs. Als ich Schmerz und Kummer im Antlitz meines Vaters las, regte sich bei mir sofort Besorgnis.

Er setzte sich, legte einen Arm um jede und zog uns eng an sich, von Schluchzen erschüttert. Meinen unbezwingbaren Helden gramgebeugt zu sehen, erfüllte mich mit Entsetzen und Kummer.

»Meine liebsten Töchter«, sagte er. »Uns ist ein großes Unglück widerfahren. Wie soll ich es euch nur sagen? Eure Mutter... eure Mutter...«

Ich küßte ihn zärtlich, was ihn nur noch heftiger schluchzen ließ.

»Kinder, ihr habt nun keine Mutter mehr«, stieß er schließlich hervor.

»Wohin ist sie gegangen?« fragte Anne.

»In den Himmel, mein Kind.«

»Tot...?« flüsterte ich.

Er nickte.

»Aber sie war doch hier...«

»Sie war sehr tapfer, und sie wußte, daß es nicht lange dauern würde. Ihre Krankheit war hoffnungslos, eine Rettung unmöglich. Meine lieben Kinder, jetzt habt ihr nur noch euren Vater.«

Ich klammerte mich an ihn, und Anne tat es mir gleich.

Er sagte noch, daß er bis zum Schluß bei ihr ausgeharrt hätte und daß sie in seinen Armen gestorben sei... glücklich, so wie sie es sich gewünscht hatte. Wir sollten uns nicht zu sehr grämen. Statt dessen sollten wir sie uns im Himmel vorstellen, von Engeln umgeben, im wahren Glauben geborgen.

Wir waren zutiefst bestürzt und konnten nicht glauben, daß wir unsere Mutter niemals wiedersehen sollten. Wie unser Leben ohne sie weitergehen würde, konnte sich keine von uns vorstellen. Veränderungen waren nun wohl unvermeidlich.

Das sollten wir sehr bald feststellen.

Ja, wir hatten unsere Mutter verloren. Doch da war noch etwas. Damals wußten wir nicht, daß sie auf ihrem Totenbett das *viaticum* der römischen Kirche empfangen hatte und daß mein Vater ebenfalls dem katholischen Glauben zuneigte.

Bedauerlicherweise machte mein Vater kein Geheimnis daraus, da er zu ehrlich war und die Meinung vertrat, er würde Verrat an seinem Glauben begehen, wenn er versuchte, ihn zu verbergen. Allmählich mußte ich feststellen, daß es um sein Urteilsvermögen in diesem Punkt sehr schlecht bestellt war. Den ersten Schritt, der schließlich sein Verhängnis herbeiführen sollte, hatte er bereits getan. Und da er der Erbe seines Bruders war, gewannen auch wir Kinder für den Thron eine gewisse Bedeutung.

Die Veränderungen wurden für uns bald spürbar. Die religiösen Neigungen des Duke of York, aus denen er kein Hehl machte, ließen es ratsam erscheinen, ihm jeglichen Einfluß auf die Erziehung seiner Kinder zu entziehen. Die Position seiner Töchter, ihre Nähe zum Thron, machte es erforderlich, daß der König ihre Erziehung persönlich überwachte.

## Richmond-Palast

Der alte Palast von Richmond wurde zu unserem neuen Heim. Lady Frances Villiers sollte unsere Gouvernante sein und unserem Haushalt vorstehen; unsere Lehrer würde der König auswählen.

Der Palast von Richmond hieß ursprünglich Sheen und wurde nach dem Earl of Richmond umbenannt, nachdem dieser Richard III. bei Bosworth besiegt und als Henry VII. den Thron bestiegen hatte.

An einem Ort, an dem sich viel zugetragen hat, scheint die Vergangenheit noch gegenwärtig und regt bei Menschen wie mir unweigerlich die Phantasie an. Meine Schwester spürte von alldem nichts. Anne Trelawny aber begriff sofort, wie mir zumute war, und ich konnte mit ihr darüber sprechen.

Ich weiß noch, daß ich, als wir uns dem Palast näherten, bei mir dachte: ›Das also soll unser neues Zuhause sein?‹. Der Richmond-Palast bestand aus mehreren Trakten, die irgendwie nicht zueinander paßten, obwohl alle runde Türme und Erker aufwiesen. Doch waren es die zahlreichen Kamine, die mir vor allem auffielen, da sie umgedrehten Birnen glichen.

Einst hatte mein Großvater hier gelebt – jener, den wir alljährlich im Januar betrauerten. Er mußte genau an dieser Stelle gestanden haben, an der ich nun stand und die umgedrehten Birnen betrachtete. Ich glaubte, eine Heimstätte von Geistern und Schatten vor mir zu sehen, und hoffte inständig, mein Vater würde uns hier oft besuchen.

Auch die Begrüßung durch Lady Frances Villiers rief bange Gefühle in mir hervor. Trotz ihres Lächelns spürte ich, daß sie gefährlich sein konnte. Als sie vor mir knickste, hatte ich das Gefühl, sie wolle damit andeuten, daß es nur eine förmliche Geste sei, eine Notwendigkeit angesichts unseres Ranges, daß wir uns aber dessen ungeachtet ihrem Willen zu unterwerfen hätten.

Ich sah mit Verwunderung, daß sie sechs Mädchen bei sich hatte, von denen einige älter als ich waren.

Ein Blick zu meiner Schwester zeigte mir, daß sie völlig unbefangen schien.

»Willkommen im Richmond-Palast«, sagte Lady Frances. »Wir sind überglücklich, Euch hier begrüßen zu dürfen, so ist es doch?« Sie wandte sich an die in knappem Abstand hinter ihr stehenden Mädchen.

Die Größte aus der Schar antwortete: »Wir schätzen uns sehr glücklich, Lady Mary und Lady Anne dienen zu dürfen, Mylady.«

»Zufriedenheit wird unser Hauswesen bestimmen«, fuhr Lady Frances fort, »da es für uns eine Freude ist, hier zu sein. Ich und meine Töchter sind gekommen, um Euch zu dienen, und ich weiß, daß wir alle gute Freundinnen sein werden. Darf ich Euch nun meine Töchter vorstellen, Lady Mary, Lady Anne?«

Ich nickte so würdig wie möglich, und Anne lächelte breit.

»Meine älteste Tochter Elizabeth...«

Sehr viel später sollte ich mich fragen, warum das Schicksal es versäumt, uns bei folgenschweren Begegnungen ein Warnzeichen zu geben. Ich hätte eine Vorahnung haben müssen, die andeutete, wie dieses Mädchen mein Leben beeinflussen würde. Wie oft habe ich mir später gesagt, daß ich vom ersten Moment an wußte, ich müßte mich vor ihr hüten, weil sie gewitzt und klug war – weitaus klüger, als ich es je sein konnte –, und daß sie mich nicht mochte, weil sie, die sich als die Überlegene fühlte, mir wegen meiner königlichen Herkunft mit Respekt begegnen mußte.

Aber nein, das alles kam mir erst viel später in den Sinn, zu einer Zeit, da ich meiner Sache sicher war. In meiner Jugend und Unschuld brauchte ich geraume Zeit, bis ich ihre Tücke entdeckte, so daß sie sich mir gegenüber lange im Vorteil befand. Nichts wäre für mich leichter gewesen, als sie fortzuschicken, denn ich hätte nur zu meinem Vater sagen müssen: »Ich kann Elizabeth Villiers nicht leiden«, und mein Wunsch wäre erfüllt worden, obwohl mein Vater unserem Haus nicht mehr vorstand. Aber die schlaue Elizabeth verriet sich nicht. Einen Punkt gab es, in dem sie besonders raffiniert sein konnte: Sie verstand es, einen Stachel besonders schmerzhaft zu plazieren, doch hüllte sie ihn stets in süße Worte, so daß nur der Getroffene das Gift zu spüren bekam. Für mich jedenfalls war sie viel zu klug, viel zu raffiniert. So kam es, daß sie stets die Siegerin blieb und ich das Opfer.

Aber ich mache mir selbst etwas vor. Von alldem ahnte ich bei der ersten Begegnung nichts.

Alles andere als hübsch, hatte Elizabeth etwas Ungewöhnliches an sich, das vielleicht auf ihren leicht schrägen Blick zurückzuführen war, den man kaum bemerkte. Ich nahm ihn nur gelegentlich wahr. Ihr Haar hatte einen orangefarbenen Stich. »Ingwer«, nannte Anne Trelawny den Farbton. Anne, meine liebe Freundin, konnte Elizabeth ebensowenig ausstehen wie ich.

Es folgte die Vorstellung der anderen Töchter.

»Meine Damen, meine Töchter Katherine, Barbara, Anne, Henrietta und Maria.«

Alle knicksten. Anne Villiers erinnerte mich mit ihren scharfen Augen und dem durchdringenden Blick an ihre Schwester Elizabeth, doch war sie weniger auffallend – vielleicht weil sie jünger war.

So zogen wir in den Palast von Richmond ein.

Das Leben in London verlief wieder in normalen Bahnen. Die fast vollständig wieder aufgebaute Stadt präsentierte sich schöner und sauberer als zuvor mit ihren stinkenden Gossen und engen Gassen.

Mein Vater und der König hatten am Wiederaufbau größtes Interesse gezeigt und während des Wiederaufbaus oft mit Sir Christopher Wren, dem Architekten, konferiert.

Es war eine Zeit, in der mein Vater nicht glücklich war. Ich vermutete, daß er den Tod meiner Mutter betrauerte und daß die zarte Gesundheit meines Brüderchens Edgar ihm Anlaß zu großer Sorge gab.

Damals sprach er sich oft bei mir aus, und ich erfuhr mehr von ihm als je zuvor, weil er in seinem Kummer nicht auf seine Worte achtete und sich zuweilen so ausdrückte, als hielte er Zwiesprache mit sich selbst.

Irgendwie war ich froh, zugleich aber auch traurig, weil ich die Vorgänge um mich herum nun allmählich erfaßte.

Einmal zeigte er sich besonders ungehalten.

»Bischof Compton wird zu euch kommen«, sagte er zu mir.

»Zu uns? Warum denn?«

»Der König hat ihn bestellt. Er soll dir und deiner Schwester Religionsunterricht geben.«

»Und das ist dir nicht recht?«

»Nein. Es ist mir nicht recht.«

»Warum läßt du ihn dann kommen?«

Er umfaßte mein Gesicht mit beiden Händen und bedachte mich mit einem melancholischen Lächeln.

»Liebes Kind, in dieser Angelegenheit muß ich mich den Wünschen des Königs fügen.« Mit steigendem Unwillen fuhr er fort: »Ich muß mich fügen oder…«

Er ließ mich los, wandte sich um und starrte vor sich hin. Ich wartete.

»Das könnte ich nicht ertragen«, murmelte er. »Ich könnte es nicht ertragen, euch zu verlieren.«

»Uns verlieren!« rief ich erschrocken aus.

»Nun ja, ihr würdet mir weggenommen werden. Oder aber… man würde unsere Zusammenkünfte einschränken. Meine eigenen Kinder… mir genommen… Man sagt, ich sei ungeeignet, eure Erziehung zu leiten. Und alles nur, weil ich die Wahrheit erkannt habe.«

Das ging über mein Fassungsvermögen. Ich konnte nur daran denken, daß man mich ihm wegnehmen würde – für mich das größte vorstellbare Unglück. Er spürte meine Betroffenheit und zeigte sich sofort wieder als liebevoller Vater.

»Ach, nun habe ich dich erschreckt. Nein, es gibt nichts zu fürchten. Das jedenfalls nicht. Ich werde euch besuchen... wie immer. Ich würde eher allem zustimmen, als daß ich zuließe, daß ihr mir weggenommen werdet.«

»Wer sollte mich dir wegnehmen? Der König, mein Onkel?«

»Er sagt, es wäre zum Wohle des Landes... um des Friedens willen. Er fragte mich, wie es käme, daß ich diese Dinge nicht geheimhalte... warum ich sie öffentlich mache. Aber du darfst dir nicht deinen kleinen Kopf zerbrechen...«

»Mein Kopf ist nicht klein, und ich möchte ihn mir zerbrechen«, sagte ich mit Nachdruck.

Er lachte und wechselte unvermittelt den Ton.

»Es ist nichts... gar nichts. Bischof Compton wird kommen und dich in dem Glauben unterweisen, dem du nach den Gesetzen dieses Landes und dem Befehl des Königs anhängen mußt. Du mußt auf den Bischof hören und ein gehorsames Mitglied der Kirche von England werden. Compton und ich waren nie Freunde, aber das ist unwichtig. Er arbeitet hart und kann sich der Gunst des Königs rühmen. Er wird seine Pflicht tun.«

»Aber wenn er nicht dein Freund ist...«

»Ach, unser Zwist liegt lange zurück. Er hat die Dreistigkeit besessen, den Sekretär deiner Mutter zu entlassen.«

»Hat meine Mutter nicht gewollt, daß er entlassen wird?«

Er nickte.

»Warum dann? Hättest du nicht...«

»Compton war Bischof von London, und der Sekretär Katholik. Es ist vorbei. Deine Mutter war alles andere als erbaut. Und ich auch. Aber die Menschen hier – sie sind eines Sinnes und wollen auf keinen anderen hören. Und nun, meine Liebe, Schluß mit solchen Reden. Es war mein Fehler. Bischof Compton wird kommen, um euch zu braven kleinen Mädchen zu erziehen. Er kommt auf Wunsch des Königs, und wir müssen das Beste daraus machen.«

»Aber du bist unglücklich.«

»Aber nein… keineswegs.«

»Du hast gesagt, wir könnten dir weggenommen werden.«

»Ach, habe ich das gesagt? Eines mußt du dir merken… Nichts, nichts auf der Welt wird mir je meine Kinder wegnehmen.«

»Aber…«

»Es waren unbedachte Worte. Ich wollte nicht, daß dieser Compton kommt, aber ich sehe nun ein, daß er ein guter Mensch, ein frommer Mann ist. Er wird den Befehlen des Königs gehorchen und gute Protestantinnen aus euch machen. Das ist es, was der König möchte, und du weißt, daß wir alle dem König gehorchen müssen. Er sagt, es geschehe auf Verlangen des Volkes, und das Volk mußte sehen, daß seinem Verlangen entsprochen würde. Es ist eine Sache von großer Wichtigkeit. Er hat recht. Charles hat immer recht.«

»Dann bist du gar nicht unglücklich?«

»Wie könnte ich in diesem Moment, bei meinem liebsten Kind, unglücklich sein? Du wirst auch einen Lehrer für Französisch bekommen. Das wird dir gefallen. Ich glaube, du bist sehr lernbegierig.«

»Ich möchte vieles wissen.«

»Das ist gut. Und Anne?«

Mein Schweigen brachte ihn zum Lachen.

»Sie macht sich nichts aus Büchern, weil sie ihren Augen weh tun«, sagte ich schließlich.

Er runzelte die Stirn. »Ja, sie neigt zur Augenschwäche. Armes Kind. Aber sie besitzt ein glückliches Wesen, und wir müssen dafür sorgen, daß es so bleibt.«

Als er ging, hatte er meine Ängste beschwichtigt.

Mit der Zeit erfuhr ich immer mehr von den Vorgängen um uns herum. Unter der Dienerschaft wurde ständig geklatscht. Dieser Klatsch kam den Mädchen zu Ohren, und die älteren, wie Elizabeth Villiers und Sarah Jennings, verstanden, um was es dabei ging.

Zwischen diesen beiden hatte sich rasch heftige Abneigung entwickelt. Sarah beherrschte inzwischen Anne so vollständig, daß meine Schwester sich kaum mehr ohne ihre Freundin zeigte. Nun war es nicht so, daß Sarah eine Kriecherin gewesen wäre. Weit gefehlt. Zuweilen hatte man sogar den Eindruck, sie sei die Herrin und Anne die Dienerin.

Ich glaube, Elizabeth Villiers verübelte ihr diese Vertrauensstellung, da es ihr selbst nicht geglückt war, eine so enge Beziehung zu mir herzustellen. Dazu kam, daß sie in Sarah wohl eine verwandte Seele erkannt haben mußte. Beide waren sehr ehrgeizig und hatten klar erkannt, daß die Aufnahme in eine königliche Haushaltung die erste Sprosse auf der Leiter zur Macht bedeutete.

Sie erkannten auch weitaus klarer als wir, welche Position uns winkte, und daß wir im Falle gewisser Eventualitäten eine – wenn auch sehr entfernte – Chance hatten, die Thronfolge anzutreten. Da sie sich gegenseitig als Rivalinnen um die Macht durchschauten, mußten sie zwangsläufig zu Feindinnen werden. Auf ihre Weise war jede gefährlich, wenn sich auch ihre Methoden unterschieden. Sarah sagte offen ihre Meinung, während die durchtriebene Elizabeth ihre Worte stets mit viel Bedacht wählte. Im großen und ganzen zog ich Sarah vor.

Eines Tages setzten wir uns mit Näharbeiten zusammen. Ich machte Handarbeiten sehr gern, während Anne nur müßig dasaß und gar nicht erst zur Nadel griff. Es schade ihren Augen, sagte sie, eine Behauptung, die Sarah unweigerlich ein Lachen entlockte, ehe sie Annes Handarbeit nahm und sie an ihrer Stelle vollendete. Ich hingegen beschäftigte gern meine Hände, während ich der Musik lauschte, die eines der Mädchen spielte. Manchmal wurde auch vorgelesen.

Bei dieser Gelegenheit ließ sich nun Elizabeth Villiers vernehmen: »Der Bischof wird bald kommen. Er wird dafür sorgen, daß Lady Mary und Lady Anne dem wahren Glauben treu bleiben.«

»Er ist ein sehr kluger Mann«, sagte Sarah.

»Und besitzt die nötige Überzeugungskraft«, fuhr Elizabeth fort. »Eine Eigenschaft, die unbedingt vonnöten ist.«

»Glaubst du, der Herzog ist über diese Entscheidung glücklich?« fragte Anne Villiers.

Elizabeth lächelte überlegen. »Er wird mit der Zeit einsehen, daß es die bestmögliche Entscheidung ist.«

Sarah bemerkte daraufhin, der Herzog wüßte, daß es das sei, was die Leute wollten, und es sei immer ratsam, auf sie zu hören und sie in dem Glauben zu wiegen, sie bekämen ihren Willen.

»In diesem Fall bekommen sie ihren Willen«, sagte Anne Villiers. »Kein Wunder, daß der Herzog den Bischof nicht ausstehen kann.«

Man mußte mir wohl angemerkt haben, daß ich angestrengt lauschte, denn ich sah, daß Elizabeths Blick auf mir ruhte, als sie sagte: »Wir alle wissen, daß der Bischof zu Lebzeiten der Herzogin Edward Coleman nur deshalb aus ihrer Hofhaltung entfernen ließ, weil er Katholik war und der Bischof seinen schlechten Einfluß fürchtete. Der Herzog hatte natürlich nichts gegen Edward Coleman, konnte ihn aber nicht retten.«

Ich dachte an das, was mein Vater zu mir gesagt hatte, und mir fiel auch ein, daß ich ihn gemeinsam mit meiner Mutter in Gesellschaft von Pater Hunt, dem Franziskaner, gesehen hatte. Die Religion war es also, die dieses Ungemach verursachte, und sie war auch der Grund, weshalb Bischof Compton kommen und uns unterrichten würde.

Elizabeth hatte geschickt die Rede auf die großen Familien gebracht. Ohne zu ahnen, daß er es mir selbst anvertraut hatte, führte sie mir vor Augen, daß mein geliebter Vater sich dem Willen des Königs beugen mußte. Und jetzt wollte sie Sarah auf die gleiche hinterhältige Weise angreifen.

Sarahs Einfluß auf Anne wurde ihr zunehmend zum Ärgernis, und ihre Befürchtung wuchs, Sarah würde in unserem Haus mehr Macht erringen als sie, falls sie sich nicht vorsah. Sie ließ nun eine Andeutung über Sarahs niedrige Geburt fallen und wagte sich dann weiter vor, indem sie betonte, daß all jenen, die sich nicht des Vorrechts der Geburt und edlen Abkunft rühmen könnten, ihr großes Mitgefühl gelte.

»Ich hege die allergrößte Bewunderung für alle, die sich darüber erheben«, bemerkte sie mit wohlwollendem Lächeln zu Sarah. »Wir Villiers entstammen natürlich einer uralten Familie, wie schon der Name sagt, und genießen seit vielen Jahrhunderten bei Hof großes Ansehen. Unser Vetter George Villiers, der gegenwärtige Duke of Buckingham, gehört zu des Königs besten Freunden. Ach ja, eine vornehme Abkunft hat ihr Gutes. Meint Ihr nicht auch, Sarah?«

Sarah war gewappnet. »Das kommt darauf an«, erwiderte sie. »Natürlich kann sie von Vorteil sein, aber ebenso kann sie sich in einen Nachteil verkehren. Gibt es in einer Familie einen Skandal, kann ein wenig Anonymität sehr erstrebenswert sein.«

»Nichts vermag dem Ansehen eines glänzenden Namens etwas anzuhaben.«

»Ach… je höher der Rang der Familie, desto tiefer der Fall. An Beispielen ist kein Mangel. Für eine vornehme

Familie wie die Eure muß das Benehmen der ›Lady‹ höchst betrüblich sein.«

Ich sah, wie Anne Villiers' Wangen sich röteten. Elizabeth bedachte Sarah mit einem kalten Blick, der ihren leichten Augenfehler fast bis zum Schielen steigerte.

»Sarah, ich verstehe Euch nicht«, sagte sie.

»Ach, habe ich mich nicht klar genug ausgedrückt? Verzeiht. Ihr habt von Eurem glänzenden Familiennamen gesprochen, und ich sagte, wie bedauerlich es sei, daß ein Familienmitglied den Namen… anrüchig macht.«

»Was… was meint Ihr damit?« stammelte Anne Villiers.

»Ich meine damit natürlich Barbara Villiers. Sie ist doch Eure Kusine, oder nicht? Keine Geringere als Lady Castlemaine, über die auf der Straße Spottverse im Umlauf sind.«

»Sie verkehrt in den allerhöchsten Kreisen«, wandte Anne Villiers ein.

»Ja, das tut sie allerdings.« Um Sarahs Zurückhaltung war es geschehen. »Deshalb ist sie ja so bekannt geworden – nicht nur bei Hof, nicht nur in London, sondern landauf, landab.«

»Viele würden die Freundschaft des Königs als hohe Ehre ansehen.«

»Als Ehre?« fuhr Sarah fort. »Mitunter fällt die Unterscheidung zwischen Ehre und Unehre sehr schwer. Jeder muß sie für sich allein treffen.« Sarah lächelte triumphierend. Elizabeth Villiers hatte ihre verdiente Strafe bekommen.

Dieses Gespräch sorgte bei mir für tiefe Verwirrung, so daß ich Anne Trelawny bei erster Gelegenheit dazu Fragen stellte.

»Für mich haben sie in Rätseln gesprochen«, sagte ich.

»Aber für sie selbst war es ganz klar. Elizabeth Villiers kann Sarah Jennings nicht ausstehen, deshalb hält sie ihr ihre dunkle Herkunft ständig vor und gibt ihr zu verstehen, daß ihre Stellung in diesem Haus ein reiner Glücksfall ist. Sarah wiederum ist nicht gewillt, dies auf sich beruhen zu lassen. Sie hält dagegen, daß auch Mitglieder vornehmer Familien sich skandalös benehmen können. Barbara Villiers, die berüchtigte Lady Castlemaine, ist die Kusine der Villiers-Töchter.«

»Anne«, sagte ich nun, »mir scheint, man möchte vor mir einfach alles geheimhalten. Bitte, tu es nicht. Ich bin kein Kind mehr.«

»Wenn du eines Tages bei Hofe bist, wirst du in allen diesen Dingen nur zu gut Bescheid wissen. Du würdest auch bald entdecken, daß Lady Castlemaine die Mätresse des Königs ist. Die beiden machen auch kein Geheimnis daraus. Er verbringt sehr viel Zeit mit ihr, und sie ist überaus indiskret. Alle Welt weiß, was zwischen ihnen vorgeht.«

»Aber der König ist verheiratet!«

Mein Einwand entlockte Anne ein Lächeln. »Das spielt keine Rolle. Nicht bei hochgestellten Personen.«

»Aber nicht bei meinem Vater«, erwiderte ich hitzig.

Anne schwieg still, ehe sie fortfuhr: »Der König ist sehr viel mit Lady Castlemaine zusammen.«

»Und was ist mit der Königin? Weiß sie davon?«

»Die Königin weiß es gewiß.«

»Die Ärmste.«

»Ja, das sagen viele. Aber so ist nun mal das Leben.«

»Ich mag meinen Onkel so gern. Er ist so fröhlich… und lieb.«

»Er ist sehr beliebt.«

»Ich kann nicht glauben, daß er das tut.«

»Die Menschen besitzen verschiedene Seiten. Das ist die eine Seite des Königs. Lady Castlemaine ist beileibe nicht seine erste Geliebte. Du weißt doch von deinem Vetter, dem Duke of Monmouth? Er ist, obwohl Sohn des Königs, nicht Thronerbe.«

»Das begreife ich nicht.«

»Er wurde geboren, als der König im Exil weilte. Daß er der Sohn des Königs ist, steht zweifelsfrei fest, und der König erkennt ihn auch an. Doch ist er kein legitimer Sohn und daher von der Thronfolge ausgeschlossen. Wenn du einmal erwachsen bist, wirst du lernen, diese Dinge zu akzeptieren.«

»Wie gut, daß mein Vater nicht so ist.«

Sie sah mich ein wenig traurig, aber mit großer Zuneigung an.

»Die Königin muß sehr unglücklich sein«, sagte ich. »Es tut mir unendlich leid für sie. Sie ist eine so liebenswürdige Dame. Ich werde den König nie wieder so liebhaben wie früher.«

Der Bischof war eingetroffen. Ich schätzte ihn auf Anfang vierzig, für uns also uralt. Er war nicht unfreundlich und auch nicht sehr streng, jedoch fest entschlossen, aus uns gute Protestantinnen zu machen.

Später wurde mir klar, daß er nicht sehr gelehrt war und daß die akademische Seite unserer Erziehung bis zu einem gewissen Grad vernachlässigt wurde. Hingegen war er gewillt, uns den richtigen geistlichen Weg zu weisen, denn angesichts der religiösen Neigungen unserer Eltern war es sehr wichtig, einer drohenden Ansteckungsgefahr entgegenzuwirken.

Genau dies hatte man ihm aufgetragen, und später begriff ich, daß es eine sehr vernünftige Übereinkunft war. Mein Vater war damals Thronerbe, da Königin Catherine aller Wahrscheinlichkeit nach unfruchtbar bleiben würde. Meine Mutter war im katholischen Glauben gestorben, mein Vater neigte dem Katholizismus stark zu. Und die Engländer waren entschlossen, keinen Katholiken als König zu akzeptieren.

Mir kam auch zu Ohren, daß der König über die religiöse Einstellung meines Vaters empört war. Aber mein Vater war ein guter und ehrlicher Mensch. Er konnte seinen

Glauben nicht leugnen, ähnlich den Märtyrern, die in ihrem Erdenleben viel Leid erfuhren und nach ihrem Tod verehrt wurden. Mein Vater wäre für seinen Glauben gestorben – oder er hätte es hingenommen, eine Krone zu verlieren, auch wenn die Menschen ihn deswegen einen Narren nannten. Aus ihrer Sicht mochte er einer sein, doch war er ein guter Narr.

Man hatte ihm gedroht, daß man ihm die Kinder entziehen würde, falls er versuchte, sie katholisch zu erziehen. Aus diesem Grund wurde Bischof Compton beauftragt, uns zu unterrichten.

Mich freute es, daß unserer Erziehung nun mehr Gewicht beigemessen wurde. Zwar brauchten wir uns nie wegen Überarbeitung zu beklagen, und wenn wir keine Schulstunde wünschten, dann wurde uns auch keine aufgedrängt. Anne nahm ohnehin kaum am Unterricht teil und hatte deshalb in späteren Jahren große Mühe, auch nur einen Brief abzufassen. Ich hingegen war anders. Mir machte das Lernen Spaß, ganz besonders mit meinem Französischlehrer, der über meinen Eifer hocherfreut war.

Anne und ich nahmen auch Malunterricht. Unser Zeichenlehrer Richard Gibson, ein Zwerg von drei Fuß zwölf Zoll Größe mit einer Frau passenden Formats, lieferte uns anfangs viel Grund zur Belustigung. Er war ein begnadeter Miniaturmaler, sehr würdig und auf Etikette bedacht.

Ich mochte Gibson gern und genoß die Stunden mit ihm. Er und seine Frau waren ein sehr ungewöhnliches Paar. An Jahren schon ziemlich vorgerückt, hatten sie die Regentschaft meines ermordeten Großvaters erlebt, die Zeit unter Oliver Cromwell sowie die Restauration meines Onkels Charles. Bei Hofe erfreuten sich beide großer Beliebtheit.

Zu ihrer Hochzeit, die am Hofe meines Großvaters gefeiert worden war, hatte der Hofpoet Waller ein Gedicht verfaßt, und an der Festtafel hatten sogar der König und meine Großmutter Königin Henrietta Maria teilgenommen. Die Gibsons boten Anlaß zu viel Staunen und Verwunderung, da sie schon an die Sechzig sein mußten und neun Kinder hatten, von denen alle normal gewachsen waren.

Sogar Anne genoß die Malstunden unter Richard Gibsons Anleitung.

Schließlich fand mein Vater sich damit ab, daß der König die Erziehung seiner Töchter in die Hand genommen hatte.

Im Jahr nach dem Tod meiner Mutter starben sowohl die kleine Catherine als auch mein Brüderchen Edgar, das in seinem kurzen Leben immer gekränkelt hatte. Für meinen Vater, der schon viel Unglück hatte hinnehmen müssen, war es Anlaß zu großem Kummer.

Das Zusammensein mit Anne und mir bedeutete ihm nun eine umso größere Freude, und unsere anhaltend gute Gesundheit war ihm ein großer Trost.

Edgars Tod hatte eine große Veränderung bewirkt, und da ich allmählich heranwuchs, nahm ich sie deutlich wahr. Etwas war anders geworden. Anne und ich hatten an Bedeutung gewonnen, insbesondere ich. Und der Grund war klar.

Die arme Königin Catherine war kinderlos geblieben. Mein Vater, der nächste in der Thronfolge, hatte seine Gemahlin verloren; keiner der Söhne aus dieser Ehe war am Leben geblieben. Und nach ihm kamen seine Töchter.

Über die Vorliebe meines Vaters für den katholischen Glauben, die sich immer stärker bemerkbar machte anstatt abzunehmen, wurde viel geflüstert.

Einmal hörte ich jemanden sagen: »Wenn er schon so sein muß, warum läßt er zu, daß alle Welt es weiß?«

Weil er ein ehrlicher Mensch ist, lautete die Antwort. Es war kein Falsch an ihm.

Den Leuten war dies nicht geheuer, und es ließ sie seine glorreichen Siege zur See vergessen, die ihm einst so viel

Beliebtheit eingebracht hatten. Mein Vater sollte endlich begreifen, daß ein katholischer König auf dem englischen Thron inakzeptabel war.

Aus diesem Grund war es nicht damit getan, daß Anne und ich die Riten der englischen Kirche befolgten. Wir mußten es in aller Öffentlichkeit tun.

Ja, der Tod meiner Mutter und jener des kleinen Edgar hatten Anne und mir neue Bedeutung verliehen.

Mir ganz besonders.

Ich war jetzt elf und lernte mit jedem Tag mehr, und ich war vom Klatsch nicht mehr ausgeschlossen wie früher. Unter den Mädchen unserer Haushaltung gab es davon mehr als genug. Sarah Jennings war an allem Geschehen sehr interessiert – und Elizabeth Villiers ebenso. Ich glaube, daß sie es ziemlich aufregend fanden, in einem Haus wie dem unseren zu leben, das im Mittelpunkt des Geschehens stand, mag es auch uns, die wir darin lebten, nicht so erschienen sein.

Es versteht sich, daß dem Thronfolger immer ein gewisses Maß an Aufmerksamkeit zuteil wurde, doch hatte es lange Zeit so ausgesehen, als würde der König ganz sicher einen Sohn in die Welt setzen. Er hatte genug illegitime Söhne – kräftige obendrein, lebende Beweise dafür, daß das Unvermögen, einen Erben zu bekommen, nicht seine Schuld war. Welch Ironie des Schicksals, daß er imstande wahr, so viele seiner schönen Untertaninnen zu schwängern, nicht aber seine Königin. Nun, das gehörte zu den Launen des Lebens. Arme Königin Catherine! Wie gut ich ihr jetzt alles nachfühlen kann.

Ein Intrigenspiel setzte ein. Die Königin konnte keinen Erben bekommen, und der Duke of York wurde verdächtigt, Katholik zu sein. Natürlich gab es da noch den Duke of Monmouth, illegitim, gewiß, aber Protestant, jung, stattlich, beim Volk beliebt und zweifellos in der Lage, gesunde Söhne zu zeugen. Deshalb war man geneigt, dem rechtmäßigen, katholischen Erben einen illegitimen Protestanten vorzuziehen.

Das war die damals geltende und mir nicht unbekannte Meinung.

Sie veränderte die Einstellung unserer Mädchen, die nun viel offener redeten und klatschten. Elizabeth Villiers behielt Anne und mich speziell im Auge. Anne war völlig besessen von Sarah Jennings. Immer hieß es nur ›Sarah sagt…‹ oder ›Sarah macht es anders‹, ›Ich muß Sarah fragen‹. Es sah aus, als würde Sarah Annes Herz und Verstand beherrschen. Und dann gab es noch mich und meine teure Freundin Sarah Trelawny. Ich hatte keines der Villiers-Mädchen zu meiner Vertrauten gemacht, wenngleich es ihrer sechs waren.

Erst später wurde mir klar, daß Elizabeth gern über mich die gleiche Macht ausgeübt hätte wie Sarah über Anne, denn es war nicht ausgeschlossen, daß ich mit der Zeit zu einer wichtigen Persönlichkeit aufrücken würde.

Sie war eifersüchtig auf mich, wie mir jetzt klar ist und wie ich es damals nicht durchschaute, und wäre zu gern an meiner Stelle gewesen! Ich glaube, Elizabeth Villiers wünschte sich Macht mehr als alles andere. Jetzt weiß ich, was hinter ihrem eindringlichen Blick lag, den ich so oft auf mich gerichtet fühlte. Sie dachte bei sich: Dieses Mädchen, dieses dumme Ding könnte eines Tages Königin von England werden, wenn alles sich in jene Richtung entwickelt, die sich jetzt andeutet. Und ich, die brillante, kluge, fähige Elizabeth Villiers werde nichts sein… oder – wenn ich Glück habe – in *ihrer* Hofhaltung eine Person von geringer Bedeutung.

Ein Mensch von Elizabeth Villiers' Wesensart mußte darob Erbitterung empfinden. Zuzeiten warb sie um meine Gunst, dann wiederum gewann die Eifersucht über die Vernunft die Oberhand, und sie trachtete, mich zu kränken.

Da sie von der Liebe zwischen mir und meinem Vater

wußte, versuchte sie, diese zu untergraben. Sie wußte sehr wohl, daß mein Vater für mich der Held vieler siegreicher Seeschlachten war, der Mann, der in London beim Großen Feuer die Flammen bekämpft hatte, der liebende Vater, den seine Kinder vergötterten; und sie wollte mir zeigen, daß mein Idol ganz anders war, als ich glaubte. Auf die ihr eigene, für ein junges und unschuldiges Mädchen meines Alters schwer zu durchschauende Weise machte sie sich ans Werk.

Als wir wieder einmal mit Handarbeiten beschäftigt beisammensaßen, brachte sie die Rede auf eine gewisse Arabella Churchill. Es war das erste Mal, daß ich den Namen der Frau hörte.

»Es ist wirklich höchst skandalös«, sagte Elizabeth. »Wie kann sie nur so schamlos sein? Das ist schon das dritte, und alle sind sie unehelich geboren. Diesmal soll es ein Junge sein, und gesund dazu. Das sind diese Kinder immer. Ist das Schicksal nicht gemein? Die ehelichen Söhne sterben einer nach dem anderen, und die kleinen Bastarde bleiben am Leben.«

»Und dabei heißt es, daß sie keine Schönheit ist«, setzte Anne Villiers hinzu.

Elizabeth lachte auf. »Nun, das gefällt so manchem. Zweifellos verfügt sie über andere Reize.«

»Stimmt es, daß ihre Beine der größte Reiz sind?«

»So ist es«, erwiderte Elizabeth. »Sie ist beim Reiten gestürzt und hat dabei viel Bein präsentiert. Eine gewisse hochgestellte Persönlichkeit wurde Zeuge des Vorfalls... und verliebte sich in die Beine.«

»In ein Beinpaar!« kicherte Henrietta.

Ich hörte nur mit halbem Ohr zu, da ich annahm, daß es sich um eine der Amouren des Königs handelte, der Damen bei Hof, Schauspielerinnen, Frauen aller Arten und Klassen beglückte. Diese Arabella Churchill mußte eine von ihnen sein. Mir war es immer unangenehm, wenn die Moral des Königs bekrittelt wurde. Schließlich war er mein Onkel. Er selbst wußte sehr wohl, daß über ihn geklatscht wurde, fand dies aber dank seiner gutmütigen Natur höchst amüsant.

Ich hörte, wie Anne Villiers nun sagte: »Sie ist sehr groß und nichts als Haut und Knochen – von hübsch kann keine Rede sein.«

»Nur ein großartiges Paar Beine«, sagte Elizabeth und verdrehte mit einem Ausdruck des Erstaunens den Blick nach oben. »Und doch hat sie die Phantasie eines hochgeborenen Herrn beflügelt.«

Sarah sagte nun, bei Hof gäbe es so viel Schönheit, daß es vielleicht erfrischend sei, mit einem Mangel an solcher konfrontiert zu werden.

»Der betreffende Gentleman«, fuhr Elizabeth mit einem Blick zu ihren Schwestern, von denen einige ihr Gekicher nicht zügeln konnten, fort, »soll bei Frauen einen sonderbaren Geschmack haben.«

Mein Aufmerksamkeit war erwacht. Die vielsagenden Pausen und die Blicke riefen Beklemmung in mir hervor. Plötzlich hatte ich das deutliche Gefühl, es sei von meinem Vater die Rede. Aber glauben konnte ich es nicht. Diese Arabella Churchill hatte drei Kinder geboren, von denen das erste schon zu Lebzeiten meiner Mutter zur Welt gekommen war. Es mußte sich um unsinnigen Klatsch handeln. Aber der Argwohn blieb.

Als wir allein waren, sagte ich zu Anne Trelawny: »Wer ist Arabella Churchills Geliebter?«

Ich sah, wie sie errötete. Sie gab zunächst keine Antwort.

»Ist es mein Vater?« fragte ich weiter.

»An einem Hof wie dem unseren kommt derlei vor«, sagte sie, peinlich berührt.

Es wollte mir nun nicht mehr aus dem Sinn, daß er eine Liebschaft mit Arabella Churchill gehabt hatte, während meine Mutter im Sterben lag. Ich entdeckte, daß Arabellas erstes Kind 1671 geboren worden war ... im Todesjahr meiner Mutter –, und jetzt gab es dieses dritte Kind.

Ich entsann mich der Trauer meines Vaters über den Tod meiner Mutter. Wie hatte er geweint und wie war der Verlust ihm nahegegangen, und die ganze Zeit über hatte er es mit Arabella Churchill getrieben. Und ich hatte geglaubt, der Tod meiner Mutter hätte ihm das Herz gebrochen. Wie wäre das aber möglich gewesen?

Das Leben war voller Heuchelei. Die Menschen logen. Sie betrogen. Auch mein edler Vater.

Elizabeth Villiers hatte erreicht, was sie wollte. Aber sie beließ es nicht dabei.

Sie besaß große Geschicklichkeit darin, einem Gespräch die gewünschte Wendung zu geben. Als ich noch naiv und unschuldig war, glaubte ich, dies geschähe ganz natürlich, nun aber sah ich es allmählich in einem anderen Licht. Sie war klug, sie war raffiniert, sie war fünf Jahre älter als ich, und wenn man erst elf ist, dann ist das sehr viel.

Diesmal war es ihr Ziel, die Beziehung zwischen mir und meinem Vater zu vergiften. Vielleicht glaubte sie, er würde mich doch noch zur Katholikin machen und so meinen Weg zum Thron gefährden, was sie, meine Gesellschafterin, um die Vorteile einer solchen Position gebracht hätte. Oder aber ihre Abneigung gegen mich war so groß, daß es ihr unerträglich war mitanzusehen, wie ich das Glück einer Liebe erlebte, das ihr versagt geblieben war.

Als einer der Höflinge sich immer merkwürdiger benahm und man schon munkelte, er sei dem Wahnsinn nahe, bemerkte Elizabeth, daß er sie an Sir John Denham erinnere.

Eines der jüngeren Mädchen fragte, wer Sir John Denham sei.

Das war genau das, was Elizabeth offensichtlich erwartet hatte, und sie beeilte sich zu sagen: »Ach, das liegt schon lange zurück. Es war sehr unappetitlich und sollte am besten vergessen werden, obschon es immer Leute geben wird, die sich erinnern.«

»Wie wahr«, sagte darauf Anne Villiers. »Den Menschen wird es bei Nennung von Sir Johns Namen immer einfallen.«

»So erzähl uns doch, was passierte«, bat Henrietta.

Und dann erfuhr ich die Geschichte von Sir John Denham.

Angefangen hatte es 1666, kurz nach dem Großen Feuer. Sir John hatte plötzlich den Verstand verloren und hielt sich für den Heiligen Geist. Er hatte sich sogar zum König begeben, um es ihm zu melden.

Die Vorstellung brachte Henrietta und Maria Villiers zum Lachen, und meine Schwester stimmte in ihr Gelächter ein.

Elizabeth schalt sie streng.

»Das ist kein Scherz«, sagte sie. »Es war eine ernste Sache, und ihr sollt über das Unglück anderer nicht lachen.«

»Seine Frau war schuld, so ist es doch?« sagte Anne Villiers. »Er hatte sie geheiratet, als sie erst achtzehn war, und er schon uralt. Man kann sich denken, was daraufhin passierte. Sie legte sich natürlich einen Liebhaber zu.«

Elizabeth bedachte mich mit einem verstohlenen Blick, so daß ich mir denken konnte, was nun folgen würde.

»Sir John war so aufgebracht«, fuhr sie fort, »daß er verrückt wurde. Und dann starb sie. Es hieß, sie wäre vergiftet worden. Zuerst gaben die Leute Sir John die Schuld. Sie strömten zu seinem Haus und riefen, er solle herauskommen, damit man ihm zeigen könne, wie man mit Mördern verfahre. Aber die Menschen sind wankelmütig. Als er seiner Gemahlin eine schöne Beerdigung ausrichtete und den Menschen, die gekommen waren, um zu sehen, wie sie begraben wurde, auf seine Kosten Wein ausschenken ließ, wandten sie sich nicht gegen ihn, sondern riefen plötzlich laut, er sei ein guter Mensch, seine Frau müsse ein anderer auf dem Gewissen haben.«

»Wer denn?« fragte Henrietta.

»Ich glaube, davon sollten wir nicht sprechen«, sagte nun Elizabeth. »Es ist wirklich kein angenehmes Thema.«

»Aber ich möchte es wissen«, drängte Henrietta.

»Du sollst nicht…« Elizabeth tat nun so, als sei ihr alles sehr peinlich und als dürfe sie keinesfalls mehr verraten.

Ihr Zaudern brachte ihr einen zynischen Blick Sarahs ein, die viel gewitzter als wir anderen war. Aus diesem Grund waren Elizabeth und sie voreinander auch so auf der Hut. Ich fragte mich, ob sie den Fall Sir Johns unter vier Augen mit meiner Schwester besprach. Anne war sonst zu gleichgültig, um Fragen zu stellen, doch schien mir jetzt, daß sie mit Interesse lauschte. Vermutlich kam es darauf an, ob Sarah wollte, daß Anne es erfuhr.

Ich wollte die Sache mit Anne Trelawny besprechen. Ihr vertraute ich voll und ganz, und ich besprach mit ihr gern alles, weil sie nie versuchte, mir ihren Willen aufzuzwingen.

»Kannst du dich noch an das Gerede über Sir John Denham erinnern, der sich für den Heiligen Geist hielt?«

»Ach ja.« Anne schien zu zögern. »Das ist schon lange her.«

»Etwa um die Zeit des Großen Feuers.«

»Ich glaube, es hieß, daß sie im Jahr nach dem Brand starb.«

»Seine Frau hatte einen Geliebten.«

»Das wurde behauptet.«

»Wer war es?«

»Ach, es wird so viel geredet!«

»War es mein Vater?«

Anne errötete, und ich fuhr fort: »Nach der Art, wie Elizabeth Villiers davon sprach, ist es anzunehmen.«

»Eine gerissene Person, diese Elizabeth. Da ist mir Sarah noch lieber, obwohl ich sagen muß, daß *sie* auch eine Plage sein kann und ich gut ohne sie auskommen könnte.«

»Was ist geschehen? Hat es einen großen Skandal gegeben?«

»Ich glaube, so könnte man es nennen.«

»Und mein Vater?«

Sie zog dic Schultern hoch.

»Jetzt weiß ich von Arabella Churchill«, sagte ich. »Sie ist doch noch mit ihm zusammen?«

»Sowohl der König als dein Vater halten denen die Treue, die ihnen viel bedeuten. Der König war jahrelang Lady Castelmaine sehr zugetan, und doch gibt es daneben diese Schauspielerin, diese Nell Gwynne.«

»Bitte, wechsle nicht das Thema, Anne. Ich sagte, daß ich es wissen möchte. Eines der Villiers-Mädchen behauptete, man hätte einem anderen den Mord angelastet, nachdem Sir John Wein ausschenken ließ.«

»Jemandem mußte man die Schuld geben.«

»Meinem Vater?«

»Nein... nicht deinem Vater.«

»Wem denn?«

»Nun ja... man sagte... deine Mutter!«

»Meine Mutter! Nie hätte sie so etwas getan.«

»Natürlich nicht. Tatsächlich ergab die Autopsie, daß Lady Denham gar nicht vergiftet wurde. Es war alles nur ein Haufen Lügen.«

»Aber nicht ganz«, wandte ich ein. »Ich glaube, Sir John hat den Verstand verloren, und seine Frau hat sich einen Liebhaber genommen, und der war...«

»Liebe Lady Mary«, sagte meine Freundin Anne. »Du mußt die Welt so sehen, wie sie wirklich ist. Man kann die Augen nicht vor der Wahrheit verschließen. In diesem Punkt ist dein Vater dem König nicht unähnlich. Ihnen ist angeboren, die Frauen zu lieben. Es gehört zu ihrer Natur. Mitunter glaubte ich, der König ist just wegen dieser Schwäche so beliebt. Er ist für das Volk der charmante, ein wenig unstete, liebenswerte König. Seine zahlreichen guten Eigenschaften lassen die Menschen diese eine Torheit vergessen. Und was deinen Vater anbelangt, so liebt er dich innig, und du liebst ihn. Diese Liebe zwischen euch ist eine Kostbarkeit, die größte, die dir zuteil wird, ehe du einen Ehemann bekommst, der dich liebt. Akzeptiere, was im Leben gut ist. Laß nicht zu, daß andere deine Gefühle für jene beeinflussen, die du liebst.«

»Anne, ich wollte, daß er vollkommen ist.«

»Das ist niemand. Das Leben ist nur selten vollkommen und wenn, dann nie sehr lange. Wenn du etwas vom Leben haben willst, dann finde dich mit Unabänderlichem ab und genieße alles, solange du kannst. Wenn du das einmal gemeistert hast, dann hast du eine Lektion gelernt, die mindestens ebenso wertvoll ist wie alles, was dich Bischof Compton lehrt.«

## Die Stiefmutter

Als mein Vater mich besuchte und mit mir allein sein wollte, wußte ich, daß er mir etwas Wichtiges zu sagen hatte.

»Teuerste Tochter«, sagte er. »Ich muß etwas sehr Ernstes mit dir besprechen. Du bist zwar noch sehr jung, aber ich möchte, daß du die Lage begreifst, in der ich mich befinde.«

Ich schmiegte mich enger an ihn. Mochte ich auch noch so schlimme Geschichten über seine Amouren gehört haben, ich liebte ihn unverändert. Für mich war er immer der liebevolle, zärtliche Vater, und was er für diese Frauen empfand, das berührte uns nicht.

»Du weißt gewiß, daß der König kinderlos bleiben wird«, setzte er an.

Ich furchte die Stirn. Wie oft hatte ich gehört, daß diese oder jene Frau vom König guter Hoffnung sei.

Es entging ihm nicht, und er fuhr fort: »Er hat jedenfalls kein Kind, das ihm auf den Thron nachfolgen könnte. Es scheint, daß die Königin keine Kinder bekommen kann – für uns ein höchst bedeutsamer Umstand. Ich bin der Bruder des Königs und im Falle seines Todes... Mach doch kein so entsetztes Gesicht... Er hat noch viele Jahre vor sich. Er ist gesund und kräftig. Nun gibt es aber jene, die sagen: ›Schon gut, aber nehmen wir an, er hätte einen Reitunfall... oder es gäbe ein anderes Unglück. Wer kann schon in die Zukunft sehen?‹ Und wenn dein Onkel stürbe, nun, dann wäre ich König. Wir müssen darauf vorbereitet sein.«

»Das weiß ich.«

»Nun ja, ich habe zwei reizende Töchter und liebe sie weiß Gott über alles, aber das Land verlangt nach Söhnen. Die Menschen haben von alters her diese Vorliebe für das männliche Geschlecht, und zu den Pflichten eines Thronerben gehört es, nach Möglichkeit Söhne in die Welt zu setzen.«

»Meine Mutter ist tot.«

Er machte ein trauriges Gesicht. »Leider«, murmelte er. »Aber deshalb erwartet man ja von mir...« Er hielt inne und umfaßte fest meine Hand, ehe er fortfuhr: »... daß ich wieder heirate.«

»Heiraten? Wen solltest du heiraten?«

»Ja... das ist die Frage. Man wird sich der Angelegenheit annehmen. Glaube mir, meine Liebe, es gibt viele Frauen, die den Erben des englischen Thrones zur Welt bringen möchten. Deshalb muß ich meine Vergangenheit hinter mir lassen und mir eine Gemahlin wählen. Damit zeige ich, daß ich mein Bestes tue, um dem Land einen Erben zu schenken.«

Unwillkürlich ging es mir durch den Sinn: Das wirst du mit Leichtigkeit schaffen. Wäre Arabella Churchill mit den verführerischen Beinen deine Frau, könntest du schon etliche Erben haben. Ich ließ es unausgesprochen. Es hätte ihn tief verletzt, denn er hätte nicht gewollt, daß ich diese Dinge wußte. Doch ich mußte ständig an meine Mutter denken, an ihre schmerzliche Miene kurz vor dem Tod, und daran, daß er schon damals Arabellas Geliebter war.

Diese Gedanken verfolgten mich weiter, und mir fiel ein, was ich über jene Zeit gehört hatte, als beide jung waren und am Hofe der Prinzessin von Oranien im Exil lebten, wo mein Vater sich in meine Mutter verliebte und sie um ihre Hand bat. Dann war die Restauration gekommen, der Duke of York war kein exilierter Heimatloser mehr, und die Heirat, die zuvor akzeptabel gewesen sein mochte, war für den Bruder des Königs nicht mehr standesgemäß. Widerstand hatte sich geregt, mein Vater aber war seinem Wort treu geblieben. Diese Geschichte hatte mir gefallen. Sie paßte zu dem Bild, das ich mir von ihm gemacht hatte.

Und jetzt wollte er sich wieder vermählen, damit er einen Thronerben in die Welt setzen konnte, obwohl er schon mich und meine Schwester hatte, aber Knaben genossen Vorrang.

»Du siehst also, meine Teuerste«, sagte er, »daß dein Vater seine Pflicht tun muß. Hoffentlich wird dir deine neue Mutter gefallen.«

»Eine andere Mutter könnte ich nicht haben. Ich hatte eine, und die habe ich verloren.«

Trotz seines bekümmerten Nickens hatte ich den Eindruck, daß die Aussicht, eine neue Frau zu bekommen, ihm nicht ganz unwillkommen war, doch war es immerhin möglich, daß ich schon zum Zynismus neigte.

Und wenn sie jung und hübsch war, dann würde er die vielen anderen vielleicht nicht mehr brauchen.

Die geplante Vermählung des Duke of York war in aller Munde. Auch die Mädchen redeten völlig ungeniert darüber. Eine Notwendigkeit, Diskretion zu wahren, weil er Annes und mein Vater war, schien nicht mehr zu bestehen, da am Hofe offen davon gesprochen wurde.

Die Herzogin von Guise hätte eine höchst passende Wahl abgegeben. Ob sie es werden würde? Aber es gab ja noch die Prinzessin von Württemberg. Und Mademoiselle de Rais.

»Ich bin wirklich neugierig«, sagte Elizabeth Villiers. Ich konnte mir denken, daß sie es keiner der Genannten gönnte. Und wenn eine Heirat schon unvermeidlich war, dann sollte die Braut häßlich und unfruchtbar sein. Gut möglich, daß sie sich erhoffte, ich würde eines Tages – möglicherweise eines sehr fernen Tages – Königin von England werden.

Mir erschien dies so absurd, daß ich mir nicht vorstellen konnte, es würde jemals dazu kommen. Es war ein Gedanke, der mich mit Entsetzen erfüllte. Aber wenn mein Vater sich vermählte und einen Sohn in die Welt setzte, würde die kleine Hofhaltung in Richmond in Bedeutungslosigkeit versinken.

Arme Elizabeth! Wie traurig für sie!

Dann tauchte plötzlich eine weitere Anwärterin auf eine Verbindung mit dem Haus York auf. Es war Prinzessin Maria Beatrice von Modena.

Mein Vater hatte den Earl of Peterborough auf den Kontinent entsandt, damit er sich einen Eindruck von den Kandidatinnen verschaffen und diesen an meinen Vater weiterleiten konnte, wie es hieß. Außer dem Duke of York persönlich sollte niemand sein Urteil erfahren. Aber irgendwie sickerte durch, was in diesen Berichten stand.

Die Herzogin von Guise war sehr klein und von mäßig eleganter Figur, auch ließ es ihre nicht übermäßig kräftige Konstitution unwahrscheinlich erscheinen, daß sie den ersehnten Erben bekommen würde. Und Mademoiselle de Rais und die Prinzessin von Württemberg? Ganz ansehnlich, aber mittlerweile hatte mein Vater ein Porträt der jungen Maria Beatrice von Modena zu sehen bekommen.

Ich erinnere mich daran, daß er als erstes zu mir kam, nachdem er seine Wahl getroffen hatte.

»Sie wird deine Gefährtin sein«, sagte er. »Peterborough hat mir einen sehr günstigen Bericht geschickt. Sie ist mittelgroß, was von Vorteil ist, da ich zwar keine kleine Frau nehmen würde, aber auch keine möchte, die auf mich herabsieht. Ihre Augen sind grau, ihre Bewegungen voller Anmut. Und sie ist von süßer Unschuld, da sie noch ein Kind ist, gesund und sehr jung. Sie wird mir Söhne schenken, diese junge Dame. Peterborough berichtet, daß sie trotz ihrer Sanftheit und großen Bescheidenheit sehr lebhaft Konversation zu machen versteht. Ich glaube, dir wird meine kleine Braut aus Modena gefallen.«

»Nicht mir, sondern dir soll sie gefallen«, gab ich zur Antwort.

»Du hast recht, aber mir liegt an der Zustimmung meiner teuren Tochter, die mir diese auch geben wird, da sie weiß, daß es mein Wunsch ist. Mein Kind, ich werde dir eine kleine Gespielin ins Haus bringen.«

Sie war jung und schüchtern, und sie gefiel mir auf den ersten Blick. Mein Vater war stolz auf sie und muß sich für sehr glücklich gehalten haben, weil er eine so schöne Braut bekommen hatte.

Natürlich gab es eine Partei, die gegen diese Verbindung war. Man sprach von einer papistischen Hochzeit und versuchte, sie zu hintertreiben. Und als es sich herumsprach, daß sie bereits stattgefunden hatte, wurde der Vorschlag laut, mein Vater möge sich zurückziehen und das Leben eines Landedelmannes weitab vom Hof führen. Der König weigerte sich, dies ernst zu nehmen.

Damals ahnte ich nicht, wie sehr sich die Stimmung im Volk gegen meinen Vater gewandt hatte. Wenn er nur nicht so offen und ehrlich gewesen wäre. Wenn er sich wie der König verhalten hätte, der zwar dem Katholizismus zuneigte, aber so klug war, es vor seinen Untertanen zu verheimlichen, wie anders hätte alles kommen können! Aber mein Vater war kein Heuchler. Seinen Glauben zu leugnen, war für ihn eine Todsünde.

Damals konnte ich mich nur darüber freuen, daß er eine so bezaubernde Braut bekommen hatte. Ich verstand vollkommen, warum er sich zu einer Ehe hatte überreden lassen. Und obwohl ich meine Mutter nicht vergessen konnte, ließ der heiße Schmerz über ihren Tod allmählich nach, und meine Zuneigung zu meiner Stiefmutter wuchs.

Mein Vater hatte gesagt, er verschaffe uns eine Gespielin, und das traf in gewisser Weise wirklich zu. Sie war etwa so alt wie Elizabeth Villiers und Sarah Jennings, wirkte aber viel jünger, und es mangelte ihr, obschon sie einem vornehmen Geschlecht entstammte, an dem Hochmut, der diesen beiden eigen war. Mit fünfzehn Jahren ist man freilich für die Ehe zu jung, zumal wenn man zwei Stieftöchter bekommt, die nur vier und sechs Jahre jünger sind als die Braut!

Ich spürte, daß sie sehr unglücklich war, weil sie aus ihrem Elternhaus herausgerissen und in ein fremdes Land verpflanzt worden war, an die Seite eines Mannes, der ihr uralt vorkommen mußte. Mein Vater war fünfundzwanzig Jahre älter, aber, so sagte ich mir, sie würde bald entdecken, was für ein wundervoller Mann er war – der beste auf der Welt –, und dann würde sie ihre Heirat nicht mehr bedauern und auch nicht mehr den Umstand, daß sie nicht Nonne hatte werden können, das Leben, das sie selbst für sich gewählt hätte.

Weil ich so viel Verständnis zeigte und wir uns im Alter so nahe waren, vertraute sie sich mir an.

»Der Gedanke an eine Ehe war mir nicht angenehm«, sagte sie in ihrer wohltönenden Stimme mit dem fremdländischen Akzent zu mir. »Mein Herzenswunsch war es, ins Kloster zu gehen.«

Sie tat mir sehr leid, weil ich mich an ihre Stelle versetzte und mir vorstellte, wie es wohl sein mochte, meinen Vater zu verlassen und in ein fremdes Land zu gehen.

Als ich jedoch ein wenig mehr von ihrem Leben erfuhr, kam es mir nicht mehr so tragisch vor, daß sie zu uns gekommen war. Ihre Kindheit war nicht so glücklich gewesen wie meine.

Die arme Maria Beatrice, hineingeboren ins edle Haus Este, das wegen seiner Ritterlichkeit und Heldenhaftigkeit, wegen seiner Förderung von Kunst und Literatur sowie von Errungenschaften der Zivilisation im allgemeinen gerühmt wurde!

Leider war ihr gichtgeplagter und verkrüppelter Vater Alfonso völlig auf seine energische Frau, die Herzogin

Laura, angewiesen, die nicht nur ihren Mann, sondern das Land beherrschte. Maria Beatrice konnte sich an ihren Vater kaum erinnern, da sie ihn in früher Kindheit verloren hatte. Das Herzogspaar hatte zwei Kinder. Maria Beatrice und ihren um zwei Jahre jüngeren Bruder Francisco.

Rinaldo d'Este, der Bruder ihres Vaters, wurde nach dem Tod Alfonsos zum Vormund der Kinder bestellt, doch war es in Wahrheit Herzogin Laura, die die Erziehung bestimmte.

»Meine Mutter ist eine vortreffliche Frau«, sagte Maria Beatrice zu mir. »Als Kinder haben wir das nicht immer verstanden, da sie uns sehr hart erschien, doch das kam daher, daß sie immer nur das Beste für uns wollte. So glaubte sie, wir dürften nie Schwäche zeigen, damit wir groß und stark würden.«

»Sie ist also sehr streng mit euch umgesprungen.«

»Zu unserem Wohl«, beharrte Maria Beatrice. »Ich habe Suppe immer gehaßt; einmal wurde mir sogar übel davon, und ich wollte sie fortan nicht mehr essen. Meine Mutter sagte, das sei Schwäche. Suppe sei gut und nahrhaft. Ich müßte meine Torheit und mein Zaudern überwinden. Ich müßte lernen, Suppe zu mögen, weil sie gut für mich sei. Deshalb mußte ich täglich bei Tisch sitzen und Suppe essen. Für mich gab es immer Suppe.«

Mich schauderte, während ich plötzlich vor mir sah, wie meine Mutter dasaß, neben sich meine Schwester Anne, einen Teller mit Süßigkeiten in Reichweite. Ich hörte die Stimme meiner Mutter, die lachend sagte: »Kind, du naschst zuviel. Ich fürchte, du hast für Süßes dieselbe Schwäche wie deine Mutter. Also, Schluß jetzt, ja? Wir wollen standhaft sein, sonst wird es womöglich für uns zu eng im Palast. Sieh dir dieses gepolsterte Händchen an…« Sie nahm Annes Hand und küßte sie. Und wenig später langte das rundliche Händchen wieder nach Naschwerk, und meine Mutter, die es bemerkte, lachte und schalt Anne scherzhaft, während sie selbst zugriff.

Wie anders mußte Maria Beatrices Mutter gewesen sein!

»Ich durfte vom Tisch nicht aufstehen«, fuhr sie fort, »bis die Suppe nicht bis auf den letzten Tropfen aufgegessen war. Aber ich lernte, gegen die Übelkeit anzukämpfen. Meine Mutter ist eine sehr starke, gute Frau.«

»Mir wäre es zuwider gewesen, wenn man mich gezwungen hätte, das zu essen, was ich nicht will«, sagte ich.

»Die Suppe war meist mit meinen Tränen verdünnt. Meine Mutter hatte natürlich recht. Man muß lernen, Dinge zu tun, die man nicht mag. Dann fällt es einem leichter, der Welt zu trotzen.«

Ich fragte mich, ob das Auslöffeln der verhaßten Suppe es ihr erleichtert hatte, nach England zu kommen. Ich glaubte es keinen Moment und dachte voller Kummer an den Verlust unserer lieben und klugen Mutter, während ich Herzogin Laura in sehr kritischem Licht sah.

»Auch unsere Schulstunden waren nicht leicht«, sagte Maria Beatrice. »Wie oft wurde ich geschlagen, weil mir einer der Psalmen nicht einfiel. Unsere Mutter wollte für uns das Beste, mußt du wissen. Sie wollte, daß wir klug werden und auf alle Wechselfälle des Lebens vorbereitet sind. Es war alles zu unserem Wohl. Einmal sagten die Ärzte, mein kleiner Bruder sei zu schwach, um so lange über seinen Lektionen zu sitzen; er müsse mehr an die frische Luft. Aber meine Mutter erwiderte, sie hätte lieber gar keinen Sohn als einen Dummkopf. Der arme kleine Francisco mußte mit seinen Lektionen weitermachen.«

Wie anders es bei uns zugegangen war! Wie gut konnte ich mich an Anne erinnern, die völlig desinteressiert auf ihrem Stuhl lümmelte. »Heute will ich nichts lernen, sonst schmerzen meine Augen wieder.« Und alle sagten, sie dürfe ihre Augen nicht überanstrengen. Unterricht gab es nur, wenn wir ihn wollten. Niemandem im Haus wäre es eingefallen, Lady Anne zum Lernen zu zwingen, wenn sie nicht wollte.

Arme, arme Maria Beatrice – obwohl es sehr interessant gewesen sein mußte, so viel zu lernen, wie man ihr offenbar zugemutet hatte.

»Du wirst feststellen, daß mein Vater sehr gütig ist«, versicherte ich ihr, doch konnte ich ihr ansehen, wie unsicher und unbehaglich sie sich fühlte, obwohl der König sie bereits in seinen Bann gezogen hatte.

Ich war ein wenig verstimmt, weil ich spürte, daß sie sich eher den König als meinen Vater als Bräutigam wünschte – aber nicht wegen seiner hohen Stellung. Wie oft hatte ich gehört, daß der Charme des Königs unübertroffen sei. Es war ein Charme, der sich auf natürliche Freundlichkeit gründete, und ihrer Jugend und vielleicht auch ihrer Schönheit wegen hatte er es sich angelegen sein lassen, seiner neuen Schwägerin mit Zuneigung und Wärme zu begegnen.

Er erschien oft im St. James-Palast, der offiziellen Residenz meines Vaters, und mit ihm kamen viele Höflinge, so daß diese Zusammenkünfte immer sehr lebhaft verliefen.

Mein Onkel hatte Maria Beatrice offensichtlich in sein Herz geschlossen. Schönheit hatte ihn immer schon angezogen, und mir ist jetzt klar, daß er sie wegen der mangelnden Popularität, die diese Ehe genoß, so offen mit seiner Gunst auszeichnete. Er wollte die Befürchtungen der Leute ausräumen. Aber gleichzeitig beklagte er die Vorliebe meines Vaters für den katholischen Glauben – oder vielmehr seine Weigerung, diese geheimzuhalten.

Diese Gunstbezeigungen verfehlten ihre Wirkung auf Maria Beatrice nicht, und das melancholische Mädchen, das sie bei ihrer Ankunft gewesen war, gehörte bald der Vergangenheit an.

Der Schock der ersten Begegnung mit einem so viel älteren Ehemann ließ allmählich nach. Mein Vater weckte in ihr die Einsicht, daß er kein Unmensch war. Ich hatte sogar den Eindruck, daß sich in ihr Zuneigung regte, doch war ihre Scheu noch nicht ganz geschwunden.

Elizabeth Villiers brachte bei Gelegenheit die Rede auf die große Aufregung, die am 5. November, dem Guy-Fawkes-Tag, kurz vor Maria Beatrices Ankunft in England herrschte.

»In diesem Jahr waren die Feuer größer als sonst«, sagte Elizabeth. »Und es gab besonders groteske Nachbildungen von Guy Fawkes. Gräßlich sahen sie aus. Gewiß, er hat versucht, das Parlament in die Luft zu jagen, und deshalb kann man verstehen, daß die Menschen ihn nicht vergessen. Und an allem war nur diese papistische Verschwörung schuld. Sie wird nie vergessen werden, solange es noch Katholiken im Land gibt.«

Sie stimmte das Lied an:

»Den fünften November vergeßt nie und nimmer.
Und bedenket wohl immer,
Wieviel Unglück, Tücke und Verrat
Samt dem Pulver er gebracht.«

»Das ist es, was man singt!« Ihr Blick hätte nicht unschuldiger sein können. »Wie kommt es, daß man in diesem Jahr diesen Tag besonders begeht?«

Das war Elizabeths Art, darauf hinzuweisen, daß die Heirat meines Vaters beim Volk nicht auf Zustimmung stieß.

Um so mehr freute es mich, als deutlich wurde, daß Maria Beatrice meinen Vater nicht mehr so fürchtete wie anfangs. Mit den Jahren wurde mir klar, daß seine große Erfahrung im Umgang mit Frauen und sein beträchtlicher Charme – der sich jedoch mit dem des Königs nicht messen konnte – ihm ihre Zuneigung gewannen. Mir fiel auf, wie sie einander zulächelten, und daß die Melancholie, die sie bei ihrer Ankunft nicht hatte verhehlen können, geschwunden war. Daß sie sich in ihr neues Leben gefügt hatte, wurde mit jedem Tag spürbarer.

Das Kartenspiel gehörte zum beliebtesten Zeitvertreib bei Hof, und man erwartete, daß Maria Beatrice daran teilnahm. Nun vertraute sie mir an, daß sie Karten nicht mochte und ein Gewinn sie kalt ließ, obwohl sie es haßte zu verlieren.

»Warum hast du gespielt, wenn du nicht wolltest?« fragte ich.

»Man sagte mir, daß es von mir erwartet wird, und die Gesellschaft schien zu mißbilligen, daß ich für das Spiel keine Begeisterung zeigte.«

»Aber es ist ja so amüsant!« rief ich aus. »Ich spiele auch hin und wieder. Sogar meine Schwester spielt sehr gern. Wir alle schätzen das Kartenspiel.«

Maria Beatrice schüttelte den Kopf. Aber es handelte sich nur um eine geringfügige Verstimmung.

In den folgenden Monaten wuchs in Maria Beatrice die Liebe zu meinem Vater, da er sich ihr gegenüber als der fürsorgliche und liebevolle Mann zeigte, der er war. Das müßige Treiben unseres Hofes muß ihr jedoch als großer Gegensatz zum Leben am Hof ihrer Mutter erschienen sein. Sie ließ sich weiterhin von den Aufmerksamkeiten des Königs bezaubern und verwandelte sich allmählich in ein unbeschwertes Mädchen von sechzehn Jahren.

Zwei der vier Damen, die sie aus Modena mitgebracht hatte, waren sehr jung. Die eine war Anne, die Tochter von Madame Montecuculi, welche allen diesen Damen vorstand, die andere Madame Molza, nur wenig älter als Maria Beatrice selbst. Und Madame Turenie, die vierte, war schon seit deren frühester Kindheit bei Maria Beatrice.

Dank der Andeutungen Elizabeth Villiers, der geistreichen Kommentare Sarah Jennings' und einiger der älteren Mädchen vertiefte sich bei mir das Verständnis für die Stellung meines Vaters.

Zuzeiten hatte er sich einer Beliebtheit erfreut, die sich fast mit jener des Königs messen konnte. Seine Tändelei mit Arabella Churchill und seine Kontroverse mit Sir John Denham wurden als romantische Abenteuer abgetan, die bei einem Mann von Welt zu erwarten waren. Was ihm allerdings nicht nachgesehen wurde, war seine Anhänglichkeit an den katholischen Glauben und nun seine Ehe mit einer Katholikin. König und Thronfolger mochten so ausschweifend sein, wie es ihnen beliebte, aber bei der Religion hörte die Nachsicht auf. England hatte Mary die Katholische erlebt, die bigotte Tochter Henrys VIII., und war entschlossen, nie wieder einen katholischen Monarchen auf dem Thron zu dulden, wenn es sich irgendwie verhindern ließ.

Und mit der Zeit wurde es immer wahrscheinlicher, daß mein Vater den Thron erben würde. Vergessen waren die siegreichen Seeschlachten, die ihn zum Helden gemacht hatten. Das erste Grollen des bevorstehenden Ungewitters war zu hören, und ich sollte bald erfahren, wie bedeutsam dies war.

Dann kam der Tag, an dem Maria Beatrice eine aufregende Neuigkeit zu vermelden hatte.

»Ich werde ein Kind bekommen«, verkündete sie, strahlend vor Glück.

Wir alle waren darüber sehr glücklich, mein Vater aber ganz besonders. Er umarmte mich mit der Herzlichkeit, die er bei unseren Begegnungen immer an den Tag legte.

»Ich bin ja so froh, daß du und deine Stiefmutter so gute Freundinnen seid«, rief er aus. »Nichts könnte mich mehr entzücken. Und bald wirst du ein Brüderchen bekommen – oder eine kleine Schwester. Das wird wunderbar sein, nicht?«

Ich stimmte zu, dachte aber unwillkürlich an jene anderen kleinen Brüder, die eine Zeitlang in unserem Kinderzimmer gelebt und viel Anlaß zur Besorgnis gegeben hatten, ehe sie schließlich doch starben.

Ich hoffte, diesmal würde es anders sein.

## Die keusche Nymphe

Unser Haushalt war von Richmond nach St. James verlegt worden, in den uralten Palast, der einst als Hospital für leprakranke Frauen gedient hatte – vor vielen Jahrhunderten, noch vor der Eroberung durch die Normannen. Es wurde dem heiligen Jakob gewidmet, und der Name blieb, als es ein Palast wurde. Wie Richmond war es ein Ort voller Erinnerungen, und als mir das Gemunkel über die Vorliebe meines Vaters für den Katholizismus zunehmend bewußt wurde, dachte ich an meine Namensschwester Mary, die hier gelebt hatte, nachdem Philip II. von Spanien, ihr Gemahl, fortgegangen war. Als Ehemann war er nicht sehr liebevoll gewesen, weil seine Religiosität ihn beherrschte. Offensichtlich sind Menschen seiner Art mit ihren Pflichten Gott gegenüber zu ausgefüllt, um sich zuviel Gedanken über andere Menschen zu machen – vielleicht aus dem Gefühl heraus, daß Menschen nicht wichtig seien. Aber ungeachtet der Tatsache, daß ich neuerdings oft an die traurige, grausame Königin Mary denken mußte, die Menschen auf Scheiterhaufen hatte verbrennen lassen, nur weil sie nicht katholisch werden wollten, war ich glücklich, meinem Vater und Maria Beatrice nahe zu sein.

Um diese Zeit etwa begegnete ich Frances Apsley, deren Vater mit meinem befreundet war. Deshalb hatte sie bei Hof Zutritt erlangt.

Vom ersten Moment unserer Begegnung an stand ich in ihrem Bann. Schon als sie mir vorgestellt wurde, hatte ich das Gefühl, ich hätte ihr ihrer vortrefflichen Eigenschaften wegen, mit denen ich mich nicht messen konnte, die Hand küssen und mit Ehrerbietung begegnen sollen.

Sie war um einige Jahre älter als ich, und als sie mit mir

sprach, war ich zu verwirrt, um aufzunehmen, was sie sagte. Ich merkte mir nur, daß ihr Vater Sir Allen Apsley war.

Mein Vater wäre gut zu ihm gewesen, sagte sie zu mir.

Als sie sich zum Gehen wandte, sagte ich, daß wir uns wiedersehen müßten.

»Ich habe meine Verpflichtungen«, meinte Frances darauf.

»Ich werde Euch schreiben«, entgegnete ich, und Frances antwortete, daß dies für sie eine große Freude bedeuten würde.

Meine Bewunderung war so groß, daß man sie mir angesehen haben muß, und als ich Maria Beatrice begegnete, sprach ich zu ihr von Frances Apsley.

»Ach ja«, sagte meine Stiefmutter. »Ein sehr angenehmes Mädchen, und ein schönes dazu. Dein Vater ist dem ihren sehr zugetan. Sie waren während des langen Exils zusammen. Sir Allen gehörte zu den Getreuen, die sich mit aller Kraft für die Restauration einsetzten.«

Es war der Beginn jener leidenschaftlichen Freundschaft, die mir mein Leben lang im Gedächtnis bleiben wird. Anne Trelawny hatte ich sehr gern; sie war meine Vertraute von Kindesbeinen an – aber dies war etwas anderes. Anne war für mich einfach ein anderes Mädchen, älter als ich, klüger in manchem, meine sehr gute Freundin. Aber Frances glich in meinen Augen einer Göttin.

Ich dachte so viel an sie, daß ich mich entschloß, ihr zu schreiben ihr meine Gefühle mitzuteilen. Das tat ich denn auch, und ihre Antwort kam umgehend. Sie ließ mich wissen, daß sie ähnlich für mich empfinde und daß wir uns treffen müßten, wann immer es sich einrichten ließe. Wenn dies nicht möglich sei, sollten wir einander schreiben.

So begann unser romantischer Briefwechsel, mit dessen Beförderung wir verschiedene Leute beauftragten. Ich bediente mich meist meines Zeichenlehrers, des kleinen Richard Gibson, der meinem Wunsch immer gern nachkam, wie mir überhaupt auffiel, daß die Menschen neuerdings nur allzu bereit waren, mir zu Gefallen zu sein. Gewiß, meine Stiefmutter war guter Hoffnung, und wenn sie einen Sohn bekäme, würde meine Position sich abrupt ändern, doch war der Sohn noch nicht auf der Welt, und königlicher Nachwuchs neigte dazu, entweder weiblichen Geschlechts oder nicht lebensfähig zu sein.

Sarah Jennings war ein guter Kurier, wenngleich ich ihr nicht ganz über den Weg traute und es vorzog, für diese Botengänge meinen Zwerg einzusetzen.

Frances hatte neue Würze in mein Leben gebracht. Allmorgendlich beim Erwachen galten ihr meine ersten Gedanken. Ob ich sie heute sehen würde? Ob ich von ihr einen Brief bekäme? Das Leben war herrlich. Ich liebte und wurde geliebt.

Ich schrieb ihr und eröffnete ihr, daß ich für sie wie für einen Ehemann empfände. Meine Liebe zu ihr war größer als jedes Gefühl, das ich zuvor für jemanden empfunden hatte – sogar für meinen Vater. Ich liebte ihn innig, aber er war nur ein Vater. Dies hier war anders.

Ich war blutjung und völlig unschuldig. Ich wußte, daß dies die Sprache Liebender war – in Theaterstücken beispielsweise. Anders als meine Schwester Anne las ich gern über Romantik und Leidenschaft in Stücken, in denen die Liebenden ein junger Mann und eine Frau waren, doch sah ich keinen Grund, weshalb Liebende nicht gleichen Geschlechts sein sollten.

Frances bekam von mir einen neuen Namen. Ich nannte sie Aurelia nach einer Person in einer der Komödien Mr. Drydens. Darin war Aurelia ein köstliches, von allen geliebtes Geschöpf. Und ich – ich mußte natürlich auch einen besonderen Namen bekommen, doch war es schwierig, einen zu finden, der zu mir paßte. Beaumont und Fletcher hatten über eine junge Schäferin namens Clorine geschrieben, deren Treue alle Arten von Prüfungen überstand.

So wurde aus uns Aurelia und Clorine. Das verlieh unserer Korrespondenz etwas Romantisches, Geheimnisvolles.

Eines Tages kam mein Vater auf Besuch.

»Tochter, du wirst langsam erwachsen«, sagte er zu mir. »Zwölf Jahre immerhin, und Anne nur wenig jünger. Der König ist der Meinung, es wäre an der Zeit, wenn ihr ab und zu bei Hof in Erscheinung treten würdet. Schließlich seid ihr meine Töchter.«

»Und was hätten wir zu tun?«

»Nun, er hat eine Idee. Es wäre interessant, meint er, wenn ihr auftreten würdet. In irgendeinem Stück... ihr sollte darin tanzen und singen und dem Hof zeigen, daß ihr eure Zeit nicht vertrödelt habt.«

»Eine Vorstellung? Meinst du, wir sollen in einem Stück auftreten?«

»Warum nicht? Das wäre sicher amüsant. Es würde euch Spaß machen.«

»Wie Schauspieler auf einer Bühne?«

»Warum nicht? Eure Bühne würde Whitehall sein. Ich habe mir schon einen Plan zurechtgelegt. Ich werde die Bettertons, die großen Schauspieler kommen lassen. Sie werden bei Hof erscheinen und euch beibringen, wie man den Text spricht. Und wir werden dafür sogen, daß ihr hübsche Kleider bekommt. Es wird für euch eine grandiose Einführung bei Hof. Ich werde sehr stolz auf euch sein.«

»Anne und ich sollen auftreten? Glaubst du wirklich, daß wir das können?«

Er strich mir leicht über die Stirn. »Kein Stirnrunzeln, teuerstes Kind. Wenn Mrs. Betterton mit dir geübt hat, wirst du perfekt spielen können. Und es wird dir sehr gefallen. Einige deiner Mädchen könnten mitmachen. Jemmy, der mitspielen möchte, wird euch auch eine Hilfe sein. Er wird kommen und dich besuchen.«

Ich war ziemlich verblüfft und fragte mich, ob Frances bei meinem Auftritt zugegen sein würde. Ich würde mein Bestes geben müssen.

Die Begegnung mit Mrs. Betterton, einer sehr ansehnlichen und respektvollen Frau, die uns bat, ihr den Text zunächst vorzulesen, war sehr interessant. Ich fragte mich, was sie von Anne halten mochte, die kaum lesen konnte. Daß sie mit mir zufrieden war, gab sie mir zu verstehen.

Dann wies sie uns an, ihr den Text nachzusprechen. Mir machte es großen Spaß, schon gar, als Jemmy zu uns kam.

Er war sehr hübsch und neigte zu hochmütigem Gehaben. Aber das störte mich nicht, weil ich Jemmy gern hatte, da er zu mir auch immer sehr nett war. Ich hatte Sarah Jennings sagen gehört, er täte so, als sei er der Thronerbe, und scheine seine illegitime Geburt zu vergessen.

Ich wußte schon längst, was das bedeutete, und daß Jemmy deshalb nicht bekommen konnte, was sein Herz ersehnte. Obwohl er sich betont protestantisch gab, war er meiner Meinung nach in Wahrheit nicht sehr religiös, nahm aber gern an allen kirchlichen Zeremonien teil, um den Leuten seine Frömmigkeit vor Augen zu führen. Er war auch sehr beliebt, wenngleich er damals mit Mrs. Eleanor Needham, der Tochter Sir Robert Needhams, in einen großen Skandal verwickelt war.

Als Jemmy kam, war er unbekümmert wie immer und über den Skandal erhaben. Ich nehme an, eine Situation wie diese war ihm zu vertraut, als daß er davon viel Aufhebens gemacht hätte.

Er war ein sehr guter Tänzer und würde mit uns auftreten, aber erst nach dem Stück, denn dieses war Damen vorbehalten.

Das alles war sehr aufregend. Sogar Anne wurde von unserer Begeisterung mitgerissen, gab sich Mühe, ihren Text zu lernen, und leistete unter Mrs. Bettertons Anleitung sehr viel. Anne sollte im Stück der Nymphe spielen – eine keusche Nymphe wie ich.

Die Geschichte von Calisto, der keuschen Nymphe, war den *Metamorphosen* des Ovid entnommen, und John Crone war beauftragt worden, danach ein Stück zu schreiben.

Jemmy konnte sich über irgend etwas vor Heiterkeit

nicht fassen, und als ich ihn danach fragte, sagte er, daß er es nicht wage, es mir zu sagen, doch merkte ich ihm an, daß er nach ein wenig Drängen nachgeben würde. In der Geschichte verfolgt Jupiter die keusche Nymphe mit dem Ziel, ihr die Keuschheit zu rauben.

Schließlich konnte ich Jemmy überreden, mir anzuvertrauen, was ihn dermaßen belustigte.

»Der edle Herzog wird nicht zulassen, daß seine Tochter entehrt wird, und sei es vom größten der Götter«, sagte Jemmy. »Armer John Crone! Er muß den Schluß ändern. Verlasse dich darauf, teure Kusine, meine keusche Nymphe, du läufst Gefahr, deine Unschuld zu verlieren, aber man wird dich rechtzeitig retten. Diesmal muß der gerissene alte Jupiter sich geschlagen geben, denn Calisto ist in Wahrheit Lady Mary... und für die Tochter des Herzogs muß sich ein Retter finden.«

Das schien sehr komisch zu sein, und alle schütteten sich aus vor Lachen.

Es war eine sehr lustige Zeit, und wir alle waren wegen des Stückes sehr aufgeregt. Natürlich hatte auch Sarah Jennings eine Rolle übernommen, und Jemmy sagte uns, daß Lady Henrietta Wentworth den Jupiter spielen sollte, ein Umstand, der ihm großes Vergnügen bereitete.

Frances würde anwesend sein; ich wollte für sie spielen und mußte daher besonders glänzen.

Sarah Jennings, die den Merkur spielte, hatte keinerlei Bedenken. Sie war überzeugt, sie würde einen hervorragenden Auftritt liefern. Ich hörte, wie sie zu der in ein prächtiges, mit Brillanten besticktes Gewand gekleideten Margaret Blague sagte, sie solle gefälligst nicht so nervös sein. *Sie* sei gar nicht nervös.

Margaret protestierte: »Ich wollte gar nicht spielen. Aber man hat mir gesagt, ich müßte. Ach, du meine Güte, ich werde sicher alles verderben.«

Mrs. Betterton sagte: »Das ist ein Anfall von Nervosität, wie ihn die meisten guten Schauspielerinnen erleben. Es heißt auch, daß man nicht gut spielt, wenn man zuvor nicht etwas nervös ist.«

Ich konnte nicht umhin, zu Sarah hinzusehen. Sie war nie nervös, wie mir schien. Sarah deutete meinen Blick und reagierte nur mit einer abschätzigen Kopfbewegung. Regeln, die für andere galten, berührten sie nicht; ihrer Meinung nach wußte sie besser als jeder andere über jedes Thema Bescheid, und das schloß die Schauspielerei mit ein. Und selbst in Gegenwart einer gefeierten Bühnenkünstlerin verließ Sarah sich auf ihr eigenes Urteil.

Henrietta Wentworth und Margaret Blague standen beisammen und sprachen miteinander. Wie verschieden sie doch waren! Beide waren sie zwei der schönsten Mädchen bei Hof. Henrietta Wentworth's Schönheit hatte etwas Keckes, Verwegenes an sich. Sie würde einen blendenden Jupiter abgeben. Die scheue und zurückhaltende Margaret hingegen war überzeugt, sie würde sich als Diana blamieren. Überdies war sie sehr fromm und hatte das Gefühl, der Schauspielerei hafte etwas Frivoles an.

Henrietta Wentworth bewunderte den schönen Diamanten, den Margaret trug.

»Lady Frances hat ihn mir geborgt«, erklärte Margaret. »Eigentlich möchte ich ihn nicht tragen. Ich hasse es, Dinge auszuborgen. Immer habe ich Angst, sie zu verlieren. Aber Lady Frances drängte darauf. Sie sagte, es passe zu meiner Rolle und zum Kostüm.«

»Warum solltest du ihn verlieren?« rief Henrietta aus. »Ich liebe Schmuck, und das ist ein sehr hübsches Stück.«

Auf der Bühne war alles bereit. Mrs. Betterton, die ständig um uns war, gab uns letzte Anweisungen.

»Nicht vergessen, Lady Anne, Ihr müßt mehr Gefühl in Euren Text legen. Und Ihr, Lady Henrietta, denkt daran, daß Jupiter ein großer Gott ist, der Göttervater. Er umwirbt Calisto. Und Lady Mary, Ihr müßt seinen Annäherungsversuchen mit Entschiedenheit entgegentreten... so wie ich es Euch zeigte.«

»Ja, Mrs. Betterton«, versprachen wir, das Gelernte zu beherzigen.

Die Musik setzte ein, und wir traten auf. Es war wundervoll, trotz der ein, zwei Pannen, die passierten. Anne vergaß einmal ihren Text, doch Mrs. Bettertons Stimme kam gedämpft, aber deutlich hinter den Kulissen hervor. Diana war zu einem bestimmten Zeitpunkt nicht an der Stelle, wo sie hätte sein sollen, aber auch das wurde korrigiert. Und das Ballett war fehlerlos. Ich sah Jemmy mit Henrietta Wentworth tanzen, und dem Publikum schien es zu gefallen, da es begeistert applaudierte.

Der König selbst gratulierte uns allen. Und er küßte Anne und mich und stellte fest, er hätte gar nicht gewußt, daß es in der Familie so viel schauspielerisches Talent gäbe, woraufhin alle lachten und von neuem applaudierten.

Wir alle waren überglücklich, ausgenommen die arme Margaret Blague, die zutiefst verzweifelt war, da sich ihre Befürchtungen bewahrheitet hatten und sie den geborgten Diamanten tatsächlich verloren hatte.

Arme Margaret! Sie hatte in dem Stück gar nicht mitspielen wollen. Erst als man ihr einredete, es sei ihre Pflicht, hatte sie sich überreden lassen. Der Verlust des Juwels, das ihr gar nicht gehörte, stürzte sie nun in tiefe Verzweiflung.

Anne sagte auf ihre leichtherzige Art: »Margaret, mach dir keine Sorgen. Der Schmuck wird ganz sicher gefunden. Er muß zu Boden gefallen sein. Man soll danach suchen.«

Ich sah, daß es für Margaret keinen Trost geben würde, ehe nicht der Diamant gefunden und Lady Frances zurückgegeben würde.

Margaret war entsetzt, als sie entdeckte, daß er achtzig Pfund wert war.

Sie tat mir sehr leid, denn Margaret war anders als die anderen, sehr viel ernster. Sie hatte einmal im Haushalt meiner Mutter gelebt, die von ihr eine sehr hohe Meinung gehabt hatte und einmal sagte: »Margaret Blague ist ein wirklich tugendhaftes, frommes Mädchen, das nach den Grundsätzen ihres Glaubens lebt. Das kann man von nicht vielen sagen. Gewiß, sie gehen in die Kirche, sie tun fromm, aber wenn es auf ein tugendsames Leben ankommt, zeigt sich, daß alles nur Schein ist. Bei Margaret geht die Religion in die Tiefe.«

Ich wußte, daß sie Schauspielerei für sündig hielt, und konnte ihr darin nicht recht geben. Armes Mädchen. Sie war mehr oder weniger zu etwas gezwungen worden, das sie nicht wollte, und auch dazu, gegen ihr besseres Wissen das Schmuckstück zu tragen. Eine Ironie des Schicksals, daß dies ausgerechnet ihr zustoßen mußte.

Trotz eifrigen Suchens wurde der Diamant nicht gefunden. Es war auch zu einfach, ihn aufzuheben und einzustecken. Wer hätte es bemerkt?

»Achtzig Pfund«, trauerte Margaret. »So reich bin ich nicht, daß ich Lady Frances eine solche Summe zahlen könnte.«

»Sie wird es nicht verlangen«, tröstete ich sie.

»Dennoch muß ich es zahlen. Wie soll sie sonst wissen, daß nicht ich es war, die den Schmuck gestohlen hat?«

»Niemand könnte *dich* dieser Tat bezichtigen.«

»Einige werden es tun«, beharrte Margaret. »Und wie kann ich je wieder glücklich sein, da ich doch weiß, daß ich dieses kostbare Juwel verloren habe?«

Es stimmte. Fand man den Schmuck nicht, würde Margaret ihr Leben lang keine Ruhe finden.

Mir wollte die Sache nicht aus dem Sinn. Der Vorfall hatte auf einen Abend, der glücklich hätte verlaufen sollen, einen Schatten geworfen.

Meinem Vater, der sich voller Begeisterung zu uns gesellt hatte, fiel auf, daß ich in Gedanken war.

»Calisto! Nymphe! Meine klugen kleinen Mädchen«, rief er aus. »Ihr wart bezaubernd. Ich war ja so stolz auf euch beide. Davenant wird euch für seine Truppe haben wollen.«

»Mrs. Betterton war es, die uns so geholfen hat«, sagte Anne.

»Ja, sie ist eine große Schauspielerin und eine bezaubernde Dame dazu.«

»Sie hat uns unseren Text immer wieder aufsagen lassen, nicht wahr, Mary?«

»Ja.«

»Nun, was bedrückt dich, Tochter?« fragte mein Vater. »Stimmt etwas nicht? Vor mir kannst du deine Gefühle nicht verbergen. Komm, sag es mir.«

»Es geht um die arme Margaret Blague.«

»Was ist mit ihr?«

»Sie hat Lady Frances' Diamanten verloren und ist vor Angst außer sich. Sie wollte gar nicht mitspielen, und vor allem wollte sie den Diamanten nicht.«

Mein Vater verzog das Gesicht. »Eine kleine Puritanerin?«

»Sie ist wirklich sehr fromm, und jetzt ist sie unglücklich, weil sie glaubt, der Verlust des Diamanten sei die Vergeltung dafür, daß sie mitspielte, obwohl sie wußte, daß sie es nicht durfte.«

»Diese Puritaner können eine echte Plage sein… wie wir am eigenen Leib erfahren mußten. Sag ihr, sie solle sich nicht ängstigen, das Juwel würde sich zweifellos finden. Und wenn nicht… dann ist es verloren.«

»Sie sagt, sie müsse es bezahlen, und das könne sie nicht, weil sie nicht reich ist.«

»Und das bereitet meinem weichherzigen Töchterchen Sorgen?«

»Ich mag sie. Sie ist sehr hübsch, und jetzt sieht sie unglücklich aus.«

»Und du kannst nicht glücklich sein und deinen Triumph genießen, während die arme Margaret sich grämt.«

Er hatte Verständnis wie immer. »Ich kann nicht dulden, daß meine Tochter an einem solchen Tag Kummer hat«, sagte er nun. »Also… ich werde die achtzig Pfund aufbringen, damit Margaret Blague sie Lady Frances geben und die Sache vergessen kann. Na, wie wäre das?«

Ich sah ihn voller Anbetung an. Er war tatsächlich der beste und gütigste Mensch der Welt.

»So, und da diese Angelegenheit nun geregelt ist, bist du wieder glücklich?« fragte er.

»Ich bin glücklich, weil ich den wundervollsten Vater der Welt habe«, gab ich zurück.

Anne war von der Aufführung so begeistert, daß sie vom Spielen nicht genug bekommen konnte. Und an Mrs. Betterton hatte sie so viel Gefallen gefunden, daß sie diese bei Hof behalten wollte. Es versteht sich, daß man ihr in dieser Sache nachgab und ein anderes Stück mit einer größeren Rolle für Anne plante. Wir alle waren sehr froh, sie so eifrig zu sehen. Gutmütig und von gelassener Wesensart, geriet sie kaum über etwas in Begeisterung, weshalb es ungewöhnlich war, sie mit Energie und echter Freude beim Lernen des Textes zu beobachten. Es ging um das Stück *Mithridates*, in dem Anne die Rolle der Semandra spielte.

Mr. Betterton befand sich ebenfalls bei Hof und probte mit den jungen Männern deren Rollen.

Anne hatte meine Leidenschaft für Frances Apsley entdeckt. Sie wußte von unserem Briefwechsel, ebenso wie sie wußte, daß Frances Aurelia war und ich Clorine. Es war typisch für sie, daß sie nun beschloß, sich ebenfalls eine leidenschaftliche Freundschaft zuzulegen. Ich hatte Frances, und da sich nach Annes Meinung niemand mit meiner Auserwählten vergleichen konnte, bildete auch sie sich Frances ein.

Schließlich waren unter jungen Frauen sentimentale Freundschaften die große Mode – Beziehungen, die sich vornehmlich in Briefen artikulierten und auch so aufrechterhalten wurden.

Dies hatte nichts mit Annes Bindung an Sarah Jennings

zu tun, ebensowenig wie meine Beziehung zu Anne Trelawny davon berührt wurde. Diese beiden waren unsere echten Freundinnen, unsere Alltagsfreundinnen, während die neue Freundschaft ganz anders war. Der Gegenstand unserer Anbetung war in diesem Fall ein Idealwesen, eine Göttin, die man einfach anbeten mußte.

Ich hatte die Göttin gefunden, und jetzt mußte auch Anne sie haben.

Heute frage ich mich oft, was Frances wohl von unseren Ergüssen gehalten hatte. Eingedenk der leidenschaftlichen Worte, die ich zu Papier brachte, entlockt mir meine einstige Unschuld ein Lächeln. Damals kam mir freilich nie der Gedanke, daß diese Schwärmereien anderen womöglich krankhaft vorkommen mochten.

Anne jedenfalls korrespondierte bald mit Frances in dieser Manier, und Frances ging wie bei mir darauf ein. Wir waren die Töchter des Duke of York, des Thronerben, und falls es keinen Sohn mehr geben würde, war ich die zweite in der Thronfolge und Anne die dritte. Das war zu bedenken.

Anne beschränkte sich nicht darauf, Frances zu schreiben – ein Beispiel für ihre Hingabe und ihre Entschlossenheit, mir nachzueifern, denn das Schreiben war eine Tätigkeit, die sie bislang gemieden hatte, und ich konnte mir vorstellen, wie diese Briefe aussehen mochten –, sie mußte auch eigene Namen finden, wie Frances und ich. Also wurde aus Frances Semandra – natürlich aus dem Stück –, und Anne war Ziphares, eine andere der handelnden Personen.

Diese ungewöhnlichen Aktivitäten von seiten Annes mögen es gewesen sein, die Lady Frances' Aufmerksamkeit auf sich zogen und in ihr das Gefühl weckten, sie müßte sich Gewißheit über diese Vorgänge verschaffen. Immerhin waren wir ihrer Obhut anvertraut. Ihre Wachsamkeit nahm zu.

Zufällig ergab es sich, daß Richard Gibson, der Zwerg,

den wir oft als Kurier benutzten, nicht zur Hand war. Sarah Jennings, die von unserer Leidenschaft für Frances Apsley wußte, sie zweifellos belächelte und für ihre Herrschaftsgelüste nicht als hinderlich ansah, war einverstanden, die Briefe in Richard Gibsons Abwesenheit zu überbringen. Auf diese Weise konnte sie Anne überwachen und wurde von ihr über diese Beziehung, die in ihren Augen töricht und keineswegs dauerhaft war, ins Vertrauen gezogen.

Eines Tages, als ich bei Mr. Gorey, unserem Tanzlehrer, meine Stunde nahm, befand Anne sich in ihrem Kabinett und schrieb an Frances – für sie nie eine leichte Aufgabe; ehe sie noch Zeit hatte, ihren Brief zu beenden, wurde sie zu ihrer Tanzstunde gerufen.

Den Brief wollte sie nicht unversiegelt zurücklassen, deshalb nahm sie ihn mit zum Unterricht und steckte ihn mir zu, da meine Stunde eben zu Ende gegangen war. Ich solle so gut sein, ihren Brief zusammen mit meinem zu versiegeln, flüsterte sie mir zu. Sarah hätte versprochen, beide Briefe zu überbringen.

Ich kehrte in mein Kabinett zurück und brachte dort meinen Brief an Frances zu Papier, doch kaum war ich fertig, als Sarah Jennings eintrat.

»Ich muß jetzt gehen«, sagte sie. »Die Briefe nehme ich mit.«

»Der meiner Schwester ist noch nicht versiegelt. Würdest du ihn für sie versiegeln, während ich mit meinem so verfahre?«

Als ich ihr den Brief gab, trat Lady Frances ein, und ich hatte das Gefühl, sie hätte von unserem Gespräch etwas mitbekommen.

Ich spürte, wie ich errötete. Was, wenn sie den Brief sehen wollte? Die Vorstellung, daß diese kühlen Augen meine vor Leidenschaft glühenden Worte lesen sollten, war mir unerträglich. Lady Frances würde kein Verständnis aufbringen; im Gegenteil, meine Schwärmereien mußten dieser praktisch veranlagten Person im höchsten Grad närrisch erscheinen. Ich hatte Frances meinen ›Gemahl‹ genannt und mich als anbetende Gemahlin bezeichnet.

Sarah, die nichts zu befürchten hatte, war die Ruhe selbst. Sie stand da, mit Annes Brief in der Hand.

Als Lady Frances das Kabinett betrat, war ich so verlegen, daß ich etwas von meinem neuen Kleid stotterte und sie fragte, wie es ihr gefiele. Ich drehte mich zum Schrank um und öffnete ihn, so daß ich ihr dabei den Rücken zuwandte und sie mein schamrotes Gesicht nicht sehen konnte.

»Lady Mary, was habt Ihr gemacht, ehe ich eintrat?« fragte Lady Frances.

Sarah stand in lässiger Haltung da, in der Hand Annes Brief.

»Ich... ich hatte Mrs. Jennings gerufen, damit sie mir eine neue Art des Briefsiegelns zeigt«, sagte ich.

Lady Frances streifte den Brief in Sarahs Hand mit einem Blick. Nach einer kleinen Pause stellte sie fest: »Mrs. Jennings ist in diesen Dingen sehr erfinderisch.«

Peinliche Stille trat ein, ehe sie sich zum Gehen wandte.

Sarah zog die Schultern hoch. »Wir wollen die Briefe siegeln, ehe ich sie rasch zu Mrs. Apsley bringe.«

Ich mußte nun mit Lady Frances' Wachsamkeit rechnen; als ich wieder einen Brief schrieb und Richard Gibson noch immer nicht da war und auch Sarah den Botengang nicht übernehmen konnte, rief ich einen der Lakaien und trug ihm auf, den Brief zu überbringen, obwohl Frances mir geraten hatte, Briefe nur durch vertrauenswürdige Personen überbringen zu lassen.

Damals war ich sicher, daß Lady Frances uns aufmerksam beobachtete, da der Brief ihr in die Hände fiel.

Ich war sehr erschrocken, als sie in mein Kabinett kam und zu mir sagte, sie müsse mich sprechen. Wie immer war sie sehr respektvoll, doch der strenge Zug um ihren Mund gab mir zu verstehen, daß sie entschlossen war zu tun, was sie für ihre Pflicht hielt.

»Ich habt mit Mistress Apsley korrespondiert.« Dabei hielt sie den Brief, den ich dem Lakaien gegeben hatte, in die Höhe. Sie mußte ihm befohlen haben, ihr das Schreiben zu übergeben.

»Ihr... habt ihn gelesen?« Mir wurde die Kehle eng.

»Lady Mary, Euer Vater hat mir die Sorge um diesen Haushalt übertragen. Es ist daher meine Pflicht zu wissen, was darin vorgeht.«

Ich überlegte krampfhaft, was in dem Brief stand. Da ich mich beim Schreiben immer in einem Zustand der Hochstimmung befand und mir die Worte nur so entströmten, wußte ich oft eine halbe Stunde später nicht mehr sicher, was ich geschrieben hatte. Ich wußte nur, daß alle Briefe Schwüre meiner unwandelbaren Liebe enthielten.

Da fiel mir ein, daß ich etwas vom Skandal um den Duke of Monmouth und Eleanor Needham erwähnt hatte, und daß die Duchess of Monmouth sich die Sache sehr zu Herzen genommen hatte.

Natürlich war dies sehr indiskret gewesen, und ich hätte es nicht erwähnen sollen. Es wäre auch nicht geschehen, wenn ich geahnt hätte, ein anderer als Frances würde die Zeilen zu Gesicht bekommen. Ich war auf meine Wortgewandtheit sehr stolz und wußte noch genau, wie der Brief endete: »Ich liebe dich mit einer Liebe, wie sie nie ein Mensch erfahren. Ich bringe Dir mehr Freundschaft entgegen, als eine Frau für eine andere empfinden kann. Ich liebe dich mehr als der treueste Gatte seine Gattin, mehr als Dein hingebungsvolles Weib und Deine demütige Dienerin ausdrücken kann, die den Boden küssen möchte, über den Du schreitest, die Dein Hund an der Leine sein möchte, Dein Fisch im Netz, Dein Vogel im Käfig, Deine ergebene Forelle. Mary Clorine.«

Als ich sie niederschrieb, war ich so stolz auf diese Worte gewesen, und jetzt ließ die Erinnerung mich erröten.

Lady Frances sah mich höchst sonderbar an. Mir fiel eine Unsicherheit in ihrem Blick auf, die mir sagte, daß sie ratlos war, wie sie nun vorgehen sollte.

»Seine Gnaden, Euer Vater...«, setzte sie an und schüttelte den Kopf, wobei sie die Lippen wie in einem Selbstgespräch bewegte.

»Es ist eine höchst übertriebene Freundschaft«, brachte sie schließlich hervor. »Und ich halte es für besser, wenn wir darüber nicht sprechen. Und Lady Anne...?«

»Meine Schwester schreibt Mistress Apsley, weil ich es tue.«

»Ich muß mir die Sache überlegen«, sagte sie wie zu sich selbst.

»Ich verstehe nicht... ist es denn nicht gut, Freundschaften zu haben... zu lieben?«

»Vielleicht wäre es gut, wenn Ihr Euch eine Zeitlang nicht mit ihr trefft.«

»Nicht treffen?«

»Und nicht... solche Briefe schreibt.«

»Ich verstehe nicht...«

»Nein«, sagte Lady Frances brüsk, »ich bin sicher, daß Ihr es nicht versteht.«

»Sie nicht treffen...«, murmelte ich verständnislos.

»Ich denke, Ihr könnt Euch mit ihr, sagen wir, an Sonntagen treffen. Dann seid Ihr in Gesellschaft anderer. Und vielleicht an Feiertagen.«

Enttäuscht starrte ich sie an. Ich hatte es mir zur Gewohnheit gemacht, jede sich bietende Gelegenheit zu einem Zusammensein mit Frances zu nützen.

»Lady Frances, Ihr habt meinen Brief«, sagte ich.

Die Wachsamkeit in ihrem Blick sagte mir, daß sie keinesfalls meinen Unwillen erregen wollte. Meine Stiefmutter war zwar guter Hoffnung, aber wer vermochte den Ausgang der Schwangerschaft mit Sicherheit vorauszusagen? Falls keine Änderung der Situation eintrat, zog Lady Frances sich in diesem Moment womöglich die tiefe Mißbilligung der künftigen Königin von England zu.

»Wir wollen die Sache vergessen«, sagte sie bedächtig. »Ich glaube, Lady Mary, es wäre angebracht, mit mehr Diskretion vorzugehen.«

Sie sagte es mit einem Lächeln. Ich nahm den Brief ernst entgegen, und sie ließ mich allein.

Es war ein trüber Januartag im Jahre 1675. Bald würde ich dreizehn sein. Mein Vater, der eine große Enttäuschung erlebt hatte, da Maria Beatrice anstatt des erhofften Knaben ein Mädchen zur Welt brachte, war bemüht, sich nichts anmerken zu lassen, und erklärte, daß er über unsere kleine Schwester sehr glücklich sei.

Maria Beatrice befand sich in Hochstimmung. Sie vertraute mir an, daß sie das Kind katholisch taufen lassen wolle, und befürchtete deshalb Widerstand.

»Dein Vater wünscht es sich ebenso«, sagte sie. »Und ich werde sehr kühn vorgehen. Pater Gallis wird auf meine Anweisung hin das Kind taufen, ehe man etwas dagegen unternehmen kann.«

Angesichts des Konflikts, der sich in der Glaubensfrage abzeichnete, hielt ich es für eine höchst gewagte Sache. Ich wußte, meinen Vater bekümmerte es tief, daß Anne und ich protestantisch erzogen wurden. Er hatte seine Einwilligung dazu nur gegeben, weil man ihm andernfalls seine Kinder weggenommen hätte und er womöglich vom Hof verbannt worden wäre.

Ich staunte, daß die meist gefügige Maria Beatrice so große Beherztheit an den Tag legte. Aber ich wußte bereits, daß Menschen für ihren Glauben viel auf sich zu nehmen vermochten.

Ich versuchte erst gar nicht, sie umzustimmen, weil es sinnlos war. So kam es, daß Pater Gallis die Kleine Catherine Laura taufte. Der Name Catherine wurde dem Kind zu Ehren der Königin gegeben, Laura wurde es nach der Mutter Maria Beatrices genannt.

Die junge Mutter kannte keine Reue wegen ihrer Vorgehensweise. Was ihr bei Hof als Fehler angekreidet wurde, war in ihren Augen eine Bagatelle, weil sie nach den Grundsätzen ihres Glaubens recht getan hatte.

Dennoch kam sie mir ein wenig niedergeschlagen vor, als sie mir wenige Tage später anvertraute, der König hätte seine Absicht kundgetan, sie in St. James zu besuchen und mit ihr über die Taufe zu sprechen.

Ich erschrak.

»Der König wird außer sich sein«, sagte ich. »Du warst sehr unvorsichtig. Ihm persönlich wird es nichts ausmachen, weil er in diesen Dingen nachlässig ist, aber du mußt daran denken, daß es dem Volk nicht gefallen wird.«

Trotz ihrer stolzen, aufrechten Haltung war ihr anzumerken, daß sie Angst hatte. Ich bat sie, mir rasch zu sagen, was der König geäußert hatte, sobald er gegangen wäre, da ich das Gefühl hatte, sie sei selbst für seine Gutmütigkeit zu weit gegangen.

Sie hielt ihr Wort und kam zu mir gelaufen, ein wenig verblüfft, wie mir schien.

»Ich sagte dem König, was ich getan hatte«, fing sie an. »Aber es war nicht so, wie ich erwartete. Er war gar nicht zornig. Er lächelte nur irgendwie zerstreut und sprach von anderen Dingen. Ich war vor Freude außer mir. Mein Kind ist, obwohl in diesem ketzerischen Land geboren, Katholikin.«

»Da wäre ich nicht so sicher«, sagte ich. »Wir sind von Menschen umgeben, die Unheil stiften könnten.«

Am nächsten Tag sollte ich erfahren, daß das Neugeborene in der königlichen Kapelle getauft werden sollte, nach den Riten der englischen Kirche, versteht sich. Einer der Bischöfe würde die Taufe vornehmen.

Ich war erstaunt. Maria Beatrice hatte behauptet, der König schien gar nicht gehört zu haben, was sie sagte.

»Er hat es sehr wohl gehört«, versicherte ich ihr. »Er schiebt es beiseite wie alles, was ihm unangenehm ist. Zudem bringt er Verständnis für deine Vorgehensweise auf.

Die meisten Menschen wären in Zorn geraten. Aber der König ist anders, er schiebt es beiseite, als wäre es nicht geschehen. Dennoch setzt er seinen Willen durch, und Catherine Laura wird in den Schoß der englischen Kirche aufgenommen.«

»Aber sie ist Katholikin!« Maria Beatrice war den Tränen nahe. Sie wußte nicht mehr aus noch ein, da ihr das alles nicht in den Kopf wollte. Der König, so charmant, immer lächelnd, ohne Anzeichen von Unwillen, hatte ihr kindisches Vorgehen einfach vom Tisch gewischt. Für ihn war es nie passiert.

Bald darauf hörte ich, daß meine Schwester Anne und ich gemeinsam mit dem Duke of Monmouth als Paten fungieren sollten.

Nachdem alles vorüber war, kam mein Vater zu mir.

»Die Herzogin hat dir gestanden, daß es schon eine Taufe gegeben hat«, sagte er.

»Ja, das hat sie.«

Er starrte mit gerunzelter Stirn vor sich hin. »Der König hat mit mir ein ernstes Wort gesprochen«, fuhr er fort.

»Der König hat vor der Herzogin getan, als sei es unwichtig.«

»Er hat Verständnis für ihr Motiv. ›Sie ist jung‹, sagte er, ›und weiß nicht, was sie damit anrichtet. Ihr kann man keine Schuld geben, doch muß man darauf achten, daß sie keine weiteren Torheiten begeht.‹ Würde es bekannt, dann würde man Gallis hängen und vierteilen. Und mich und die Herzogin würde man vom Hof verbannen, sagte er. Niemand darf erfahren, daß diese Taufe stattgefunden hat. Bitte, sprich zu niemandem davon.«

Ich verstand völlig. Ich war sehr rasch erwachsen geworden und begriff, daß meinem Vater womöglich Gefahr drohte.

Ich warf mich in seine Arme und klammerte mich an ihn.

»Ich verspreche es, ich verspreche es«, rief ich aus.

## Die Heirat mit Oranien

Seit unserer Vorstellung bei Hof hatte sich das Leben geändert. Wir waren oft in Gesellschaft des Königs, und Anne und ich freuten uns sehr auf diese Gelegenheiten, da er uns herzlich und ganz zwanglos behandelte, immer ganz der liebe Onkel. Wie anders sehe ich diese Beziehungen im Rückblick!

Damals aber war ich der Meinung, seine liebevollen Worte und Taten bedeuteten, daß ihm etwas an uns läge. Natürlich liebte er uns auf seine oberflächliche Weise, aber inzwischen weiß ich, was sein hauptsächliches Bestreben war. Wir waren in seiner Obhut, wir waren zwei brave kleine Protestantinnen, die Kinder des Thronfolgers, und mein Onkel wollte – obwohl selbst nicht imstande, einen protestantischen Erben in die Welt zu setzen – dafür sorgen, daß seine Nachfolger der allgemein gebilligten Religion anhingen, auch wenn sein Bruder mit der katholischen Kirche liebäugelte.

Wir lebten nun am königlichen Hof, und ich muß sagen, daß wir es herrlich fanden. Wohin wir auch gingen, man behandelte uns mit äußerster Ehrerbietung. Lady Frances zeigte sich zuzeiten fast unterwürfig. Elizabeth Villiers war wachsam, Sarah Jennings nicht minder. Sie und Anne waren trotz Annes Schwärmerei für Frances Apsley unzertrennlich. Sarah war Annes *Alter ego*.

Ich schrieb weiterhin an Frances und traf mich mit ihr, wenn es sich einrichten ließ, an Sonntagen und Feiertagen. Anne und ich entdeckten einen Zeitvertreib, der uns faszinierte. Das Kartenspiel. Wie wir die Karten genossen! Was für ein erregendes Gefühl, die Karten in die Hand zu nehmen und zu sehen, was für ein Blatt man bekommen hat, zu entscheiden, wie man spielen soll – es nahm uns völlig gefangen. Unsere Kartenleidenschaft erreichte solche Formen, daß wir damit Anstoß erregten.

Margaret Blague hielt das Kartenspiel für sündig und konnte es sich nicht versagen, uns darauf hinzuweisen.

»Und welchen Schaden könnte es anrichten?« fragte ich.

»Es könnte den Spielern schaden«, behauptete sie steif und fest. »Es ist ein Glücksspiel, das man nicht spielen dürfte – besonders an Sonntagen.«

Margaret war sehr puritanisch. Unter Oliver Cromwell wäre sie glücklicher gewesen, dachte ich mir. Hatte sie nicht auch das Theaterspielen als sündig angesehen?

Eines Tages brachte mein Lehrer Dr. Lake die Sprache darauf.

»Es fällt auf, daß Ihr und Lady Anne fast jeden Abend am Kartentisch verbringt«, sagte er.

»Es ist ein Zeitvertreib, der uns viel Spaß macht«, gab ich zurück. »Was ist schon dabei? Haltet Ihr es für eine Sünde?«

»Für eine Sünde eigentlich nicht, aber ich glaube, Euer Hoheit handelt nicht richtig, wenn Ihr Euch dem Spiel am Sonntag hingebt. Würde es bekannt, die Menschen würden es nicht billigen.«

Ich wußte, daß wir ständig darauf achten mußten, nicht gegen die gute Meinung der ›Leute‹ zu verstoßen, und ich konnte verstehen, daß es darunter manche geben mochte, die es gern sehen würden, wenn wir am Sonntag Karten spielten.

»Ich werde mit meiner Schwester sprechen«, sagte ich, »und wir werden an Sonntagen nicht mehr Karten spielen.«

Dr. Lake schien ein wenig besänftigt, und ich war sehr erleichtert, daß er nicht den Versuch machte, uns das Kartenspiel an Wochentagen zu verbieten, denn damit wäre keine von uns einverstanden gewesen.

Damals ereignete sich eine sehr unheilvolle Affäre, die,

obwohl sie sich als böse Tat eines Mannes von üblem Ruf entpuppte, für viel Unruhe sorgte.

Ein Franzose mit Namen Luzancy verbreitete, daß der Beichtvater der Duchess of York ihn aufgesucht hätte. Dieser Luzancy war als Katholik aufgewachsen und später zum Protestantismus übergetreten. Er behauptete nun, der katholische Priester hätte ihm ein Messer an die Kehle gehalten und ihm gedroht, ihn zu töten, wenn er nicht wieder seinen ursprünglichen Glauben annähme.

Nun gab es nichts, was das Volk mehr fürchtete. Die Feuer von Smithfield unter der Regierung jener Königin, die man Mary die Blutige nannte, waren nicht vergessen. Damals hatte man Protestanten, Männer wie Frauen, ihrer religiösen Überzeugung wegen verbrannt. Und es war bekannt, zu welchen Greueltaten es unter der spanischen Inquisition gekommen war. Man würde nicht dulden, daß sich dergleichen in England jemals wieder ereignete.

Wir waren wieder beim alten Thema angelangt, das sich wie ein roter Faden durch mein ganzes Leben zu ziehen schien und dessen Bedeutung mir bald wieder höchst drastisch vor Augen geführt wurde. Ich nehme aber an, daß dies damals auf viele Menschen zutraf. Das Leben meines Vaters wurde davon freilich in besonderem Maß betroffen.

Die Sache mit Luzancy wurde so ernstgenommen, daß man sie vor das Unterhaus brachte. Lord William Russell, ein glühender Protestant und Franzosenhasser, der die Freizügigkeit des Hofes bitter beklagte, ergriff die Gelegenheit, neue Gesetze gegen die Katholiken einzubringen, und als Folge davon wurde es englischen Untertanen untersagt, als papistische Priester in irgendeiner Kirche die Messe zu lesen.

Das war Kritik nicht nur an Maria Beatrice, sondern an der Königin selbst, die seit ihrer Ankunft im Lande diesem Verdacht ausgesetzt war.

Auch als sich Zeugen für Luzancys Verbrecherlaufbahn

in Frankreich fanden und er jegliche Glaubwürdigkeit verlor, blieb das Gesetz gültig.

Ich glaube, Maria Beatrice war das Ausmaß ihrer Unbeliebtheit nicht klar. Sie war sehr jung, und ihre Zuneigung zu ihrem Mann wuchs, da er lieb und gut zu ihr war. Auch ihrem königlichen Schwager brachte sie viel Sympathie entgegen. Und sie hatte ihr Baby.

Was für eine Tragödie, daß die kleine Catherine Laura nur zehn Monate leben sollte!

Ich sprach darüber mit Anne Trelawny. »Wie sonderbar, daß der König von anderen Frauen etliche Kinder hat und die Königin keine bekommen kann«, sagte ich. »Und mein Vater... er hat nur mehr Anne und mich, obschon er andere bekommen hat.«

»Und kräftige obendrein«, merkte Anne an.

»Warum ist das so? Glaubst du, es ist eine Art Vergeltung?«

Ich sah Anne an, daß sie dies für möglich hielt, es aber nicht auszusprechen wagte.

»Weil sie ihren Frauen nicht treu sind«, fuhr ich fort.

Es war traurig und unbegreiflich. Der König liebte die Königin, aber andere Frauen liebte er daneben auch. Und ich mußte zugeben, daß mein Vater in dieser Hinsicht wie sein Bruder war.

An Arabella Churchill und ihresgleichen wollte ich nicht denken. Doch sie existierten, und es gab ihrer etliche.

Wir bemühten uns, die arme Maria Beatrice über den Verlust der kleinen Catherine Laura hinwegzutrösten. Der Tod des kleinen Mädchens sei ein Fingerzeig Gottes, hörte ich munkeln. Die Geschichte des Königs würde sich wiederholen. Die königlichen Brüder taten sich sehr leicht, illegitime Kinder zu zeugen. Nur die legitimen blieben ihnen versagt.

Das war in der Tat sehr sonderbar, und ich war überzeugt, daß es eine Strafe für ihre lockere Moral sei. Immer öfter fragte ich mich, warum die zwei bezauberndsten Menschen, die ich kannte, so gestraft werden sollten. Die Trauer um Catherine Laura währte nicht lange, ja, mir schien, daß ihr Tod bei Hof rasch vergessen wurde.

Da mein Onkel nun die Ansicht teilte, daß mein Vater gleich ihm nie einen legitimen Sohn bekommen würde, entschied er, Anne und ich sollten mehr in den Vordergrund treten. Mit unserem Theaterstück und Ballett hatten wir schon etwas Aufmerksamkeit erregt, nun aber nahmen wir an der Festtafel des Bürgermeisters teil und saßen neben König und Königin, damit alle uns sehen konnten.

Henry Compton, Bischof von London, konfirmierte mich, um deutlich zu machen, daß ich meinem Vater in der Religion nicht nachfolgte, und ich glaube, daß das Volk dieses Ereignis mit großer Befriedigung zur Kenntnis nahm. Man jubelte uns begeistert zu. Aber dem König jubelte das Volk immer zu. Ich hörte, daß die Menschen ihn trotz seines leichtfertigen Lebenswandels mehr liebten als jeden König seit Edward IV., der ihm ein wenig geglichen hatte und zügellos, groß und sehr hübsch gewesen war. Meinen Onkel konnte man zwar nicht hübsch nennen, aber sein überwältigender Charme machte dies wett.

Ich genoß den Jubel und das Wissen, daß ich beim Volk Anklang fand.

»Die Menschen lieben nichts mehr als ein schönes junges Mädchen«, bemerkte mein Onkel zu mir.

Und das war sehr tröstlich.

So änderte sich das Leben. Frances liebte ich unvermindert. Gewiß, wir sahen einander nur an Sonn- und Feiertagen und dann auch nur in Gesellschaft anderer, aber meine große Freude war es ja, ihr zu schreiben und zu wissen, daß es sie gab. Zuweilen wünschte ich mir, wir könnten beide auf und davon gehen und ruhig in einem kleinen Haus auf dem Land leben, inmitten eines Gartens voller herrlicher Blumen. Natürlich wollte ich Anne Trelawny auch bei mir haben und meine Schwester Anne – und diese würde nicht ohne Sarah Jennings gehen. Mein Vater und Maria Beatrice mußten ebenfalls mitkommen... und noch ein oder zwei Leute.

Ich mußte über mich lachen. Es war ein unmöglicher Traum, in dem ich lebte.

Maria Beatrice fand großen Trost darin, daß sie wieder guter Hoffnung war, und im August des folgenden Jahres, nur zehn Monate nach dem Tod der kleinen Catherine Laura, schenkte sie wieder einer Tochter das Leben.

Das Geschlecht des Neugeborenen lieferte Grund zur üblichen Enttäuschung, aber diesmal schien das Kind wenigstens kräftig zu sein. Anne und ich waren entzückt über unsere Halbschwester, die nach Maria Beatrices Urgroßmutter Isabella genannt wurde.

Es war eine Zeit, in der mir das Leben schön erschien, doch dann kam der bittere Schlag.

Im April jenes Jahres wurde ich fünfzehn und war in mancher Hinsicht noch sehr unschuldig. Das Leben war gut zu mir. Ich war von Zuneigung umgeben und glaubte, so würde es immer sein.

Ich wußte, daß es Prüfungen gab, doch nahm ich sie nicht ernst. Dieser ständige Verdruß mit der Religion, beispielsweise. Das Problem war ständig präsent, aber ich war der Meinung, es ginge mich nicht viel an.

Ich sollte mich sehr irren!

Ich wußte, daß es Unruhe auf dem Kontinent gab. Immerzu war die Rede von Kriegen und Verträgen, doch war ich der Meinung, daß mich dies nicht berührte. Erst waren die Holländer unsere Gegner, anschließend die Franzosen. Dann waren wir wieder mit diesem oder jenem befreundet. Aber was hatte dies mit dem Leben am Hofe von St. James oder Whitehall zu tun? Sehr viel, wie ich bald entdecken sollte.

Und dann hörten wir eines Tages, daß der Prinz von Oranien dem Hof einen Besuch abstatten wollte.

Ich hatte den Namen des Prinzen schon hin und wieder gehört – in jüngster Zeit allerdings öfter. Er war irgendwie mit uns verwandt. Seine Mutter war die älteste Tochter meines Großvaters Charles des Märtyrers gewesen, daher war er Neffe des Königs und meines Vaters – und mein Vetter.

Er hatte einen holländischen Vater, und ich war im Haß gegen die Holländer erzogen worden, obwohl ich später erfahren mußte, daß sie beim Volk beliebter waren als die Franzosen. Mein Vater und der König hatten stets eine Vorliebe für die Franzosen gezeigt; freilich waren sie selbst halb französisch.

Wir hatten mit den Holländern im Krieg gelegen, und deshalb mußte der Prinz von Oranien unser Feind gewesen sein – aber Feinde von gestern waren die Freunde von heute, und es sah aus, als würden wir Verträge mit den Holländern schließen. Aus diesem Grund sollte Prinz William von Oranien nach England kommen.

Unter den Mädchen unseres Hauses wurde über ihn eifrig geklatscht. Er hatte vor etwa sieben Jahren Whitehall bereits einen Besuch abgestattet. Mir war das seinerzeit so gut wie entgangen, aber die älteren Mädchen wie Elizabeth Villiers und Sarah Jennings konnten sich noch gut daran erinnern.

»Bei seinem letzten Besuch hat er ziemliches Interesse erregt«, bemerkte Elizabeth.

»Er hat es zu trauriger Berühmtheit gebracht«, setzte Sarah Jennings hinzu. »Ein so tugendhafter junger Mann... und dieser Ernst, also wirklich.«

»Und diese Frömmigkeit«, ergänzte Elizabeth.

»Natürlich war es sein Ziel, den protestantischen Glauben in ganz Europa zu erhalten«, fuhr Sarah fort. »Den französischen König haßte er, weil dieser das genaue Gegenteil anstrebte. *Er* wollte die Protestanten vernichten und den ganzen Kontinent katholisch machen. So stand es also zwischen den beiden.«

»Man möchte meinen, daß Louis mit all seiner Macht triumphiert und den Holländer zum Schweigen gebracht hätte«, warf Anne Trelawny ein.

»Nun, der Prinz ließ sich nicht entmutigen«, sagte Sarah darauf. »Er zeigte Entschlossenheit und erwarb sich den Ruf, ein kluger Feldherr zu sein. Sein kleines Land trotzte den Franzosen... und jetzt kommt er, um mit England über den Frieden zu verhandeln.«

»Was den Franzosen nicht gefallen wird«, sagte Anne Villiers.

»Aber den Engländern wird es gefallen«, setzte Elizabeth hinzu. »Sie mögen den Prinzen... nicht wegen seines Charmes, denn an diesem fehlt es ihm, sondern weil er ein guter und frommer Mann ist und Ideen hat, die den Engländern zusagen. Aber trotz seiner Ernsthaftigkeit hat er bei seinem letzten Besuch für viel Belustigung gesorgt.«

»Was hat er denn gemacht?« fragte ich.

Sarah und Elizabeth wechselten Blicke und lachten.

»Es war wirklich komisch«, sagte Sarah, »und man hätte es eigentlich nicht tun sollen. Aber er war so tugendhaft, daß es einen zu sehr reizte. Damals muß er etwa zwanzig gewesen sein. Er trank nicht... nur Schnaps, eine Art holländischen Gin. Er zog sich gern schon um zehn Uhr zurück, so daß er schon frühmorgens an der Arbeit sein konnte. Man kann sich denken, was der König und die Höflinge davon hielten! Tugend ist für sie eine Herausforderung – eine Festung, die es zu erstürmen und zu bezwingen gilt. So kam es, daß sie sich entschlossen, ihren Spaß mit ihm zu treiben.«

»Sie hätten lieber versuchen sollen, ihm ein wenig nachzueifern«, meinte ich.

»Aber Lady Mary!« rief Anne Villiers aus. »Das könnt Ihr doch nicht im Ernst erwarten!«

»Ich will Euch sagen, was sie machten«, fuhr Sarah fort. »Sie brachten ihn zum Abendessen in die Gemächer des

Duke of Buckingham, denn sie planten, ihn betrunken zu machen, und wollten dann sehen, wie er sich verhalten würde.«

»Sicher hat er dies nicht zugelassen«, bemerkte ich. »Ich dachte, er hätte nur das schwache Zeug getrunken, das man in Holland kennt, und noch dazu ganz wenig.«

»Aber er war nicht in Holland, Lady Mary«, sprach Sarah weiter. »Man füllte ihm das Glas mit etwas sehr Starkem – wie stark, das merkte er nicht –, und auch als man ihm nachschenkte, merkte er nichts, bis es zu spät war.«

»Vielleicht hat es ihm geschmeckt, als er es versuchte«, sagte Elizabeth Villiers. »Du hast nicht erwähnt, daß man ihm von den Reizen der Hofdamen der Königin vorschwärmte, wie diese die Aufmerksamkeit der Höflinge liebten und erwarteten, und wie sie mit ihrer Gunst sehr freizügig umgingen. Ähnliches hatte der Prinz noch nie zu hören bekommen, so daß er den Eindruck gewann, die Sitten in England müßten sich von jenen in Holland beträchtlich unterscheiden.«

»Sie haben ihn also betrunken gemacht!« sagte ich. »Ich glaube, das war weder sehr nett noch sehr klug.«

»Ihr wißt ja nicht, was dann geschah«, sagte Sarah. »Zurück in Whitehall, war er vom Alkohol und den Geschichten über die willigen Hofdamen so entflammt, daß er versuchte, in deren Gemächer einzudringen. Als er sie verschlossen fand und sich von den älteren Damen sagen lassen mußte, er solle sich davonscheren, geriet er dermaßen in Wut, daß er ein Fenster zerbrach und hineinzuklettern versuchte. So also war es um den tugendhaften jungen Mann bestellt. Seine Tugend war einem starken Getränk und der Hoffnung auf die Wonnen, die ihm die Damen bereiten würden, zum Opfer gefallen.«

»Ich bin der Meinung, daß man einem Gast keinen übleren Streich spielen kann«, wandte ich ein.

»Dieser Meinung war er auch«, sagte Elizabeth. »Am nächsten Morgen zeigte er sich zerknirscht und schämte sich, aber es zeigt zumindest, daß er unter dem Deckmantel der Tugend auch nicht anders ist als die meisten Männer.«

»Das stimmt nicht ganz«, protestierte Anne Trelawny. »Sein Verhalten hat er bereut, zudem war es nicht ganz sein eigenes Verschulden.«

»Aber er hat die Schwächen anderer immer mißbilligt, und als man ihn trunken machte, war er wie alle anderen«, wandte Elizabeth ein.

»Er hat ja nicht nach dem Getränk verlangt«, sagte Anne.

Elizabeth zog die Schultern hoch. »Du bist zu seiner Verteidigung entschlossen. Der König hat sich sehr amüsiert und ihn wegen seiner ›Normalität‹, wie man es nannte, mehr ins Herz geschlossen.«

»Das liegt schon lange zurück«, sagte Anne Trelawny. »Ich glaube, diesmal wird er auf der Hut sein.«

»Gewiß«, pflichtete Sarah ihr bei. »Er wird sich vorsehen, was er trinkt. Ich freue mich, ihn zu sehen.«

»Zweifellos wird das bald der Fall sein«, sagte Elizabeth.

Ich war verwundert, als mein Vater mir eröffnete, daß ich dem Prinzen von Oranien vorgestellt werden sollte. Zwar hatte ich angenommen, daß ich ihm irgendwann begegnen würde, doch das Gehaben meines Vaters verriet mir, daß diese Begegnung etwas Besonderes war. Er schien ein wenig besorgt.

»Der König wünscht, daß du und dein Vetter einander kennenlernen und Freunde werden sollt«, sagte er.

»Ich hörte, daß er sehr ernst ist.«

»Er genießt in ganz Europa größte Hochachtung.«

Er selbst kam, um mich zum Prinzen zu begleiten. Der König war bei seinem Gast, und als mein Vater mich ihnen zuführte, trat mein Onkel vor und küßte mich, meine beiden Hände ergreifend, auf die Wange.

»Das ist meine liebe Nichte«, sagte er zum Prinzen. »Mary, das ist mein Neffe William, Prinz von Oranien, ein höchst willkommener Gast an unserem Hof.«

William von Oranien verbeugte sich etwas steif, und ich knickste.

»Nun kennt ihr euch«, sagte der König. »Ich glaube, du hattest nicht das Vergnügen, meine Nichte bei deinem letzten Besuch in Whitehall kennenzulernen, Neffe.« Er machte ein spitzbübisches Gesicht, und ich wußte, daß er an den ernsten jungen Mann dachte, der versucht hatte, in die Gemächer der Hofdamen einzudringen. Williams Miene blieb gleichmütig. Ich vermutete, daß er den Zwischenfall als unwichtig abgetan hatte.

Seine durchdringenden grauen Augen erweckten den Eindruck, daß ihnen wenig entging. Er hatte dichtes braunes Haar, eine Adlernase und schmale Lippen. Obschon nicht groß von Statur, mager und leicht gebeugt, wirkte er sehr eindrucksvoll. Seine Haut wies leichte Pockennarben auf. Trotz seiner körperlichen Mängel strahlte er so viel Würde aus, daß man auf den ersten Blick spürte: Hier war ein Mann, mit dem man rechnen mußte.

Als ich ihn neben dem König stehen sah, kam mir der Gedanke, daß die beiden einander nicht unähnlicher hätten sein können.

Daß so wenig Menschen zugegen waren, erstaunte mich, doch den Grund dafür sollte ich erst viel später erfahren.

»Meine liebe Mary, warum setzt du dich nicht und plauderst mit deinem Vetter?« schlug der König vor. »Erzähle ihm von unserem Hof, und ich bin sicher, er wird dir von seinem berichten.«

Mein Vater beobachtete mich halb unbehaglich, halb stolz. Ich glaubte, in seinem Blick so etwas wie Unwillen zu entdecken, aber nicht gegen mich oder den Prinzen von Oranien. Er wirkte ängstlich, unglücklich und enttäuscht.

Es war ein sonderbares Erlebnis, hier mit diesem jungen

Mann zu sitzen, während mein Vater und der König in einiger Entfernung blieben und sich leise unterhielten, so daß ich nicht hören konnte, was gesprochen wurde. Ich wünschte, der Prinz würde mich nicht so eindringlich ansehen. Mir war, als würde er den Blick überhaupt nicht mehr von mir wenden.

Worüber wir sprachen, weiß ich nicht mehr. Ich fragte mich nur ständig, wie lange dieses Gespräch dauern und wann es mir endlich glücken würde, zu entwischen. Er befragte mich über die Hofhaltung, wie ich meine Zeit verbrächte und über die hiesigen Sitten. Ich wollte ihn über die seinen ausfragen, doch das schien nicht in Frage zu kommen. Wieso, das wußte ich nicht. Ich war schließlich ein unerfahrenes Mädchen von fünfzehn Jahren und er ein Mann von siebenundzwanzig, Herrscher eines Landes, ein bedeutender Herrscher, andernfalls man ihn in Whitehall nicht mit solcher Hochachtung empfangen hätte.

Ich war froh, als die Begegnung vorüber war und ich gehen konnte. Mein Vater brachte mich zur Tür und küßte mich ernst und, wie mir schien, noch immer nervös und beunruhigt.

Am Nachmittag des darauffolgenden Tages kam mein Vater zu mir. Er wirkte wieder sehr ernst und führte mich in mein Kabinett, damit wir ungestört blieben. Da wußte ich, daß er sehr unglücklich war.

Wir setzten uns; er legte den Arm um mich und hielt mich fest, ehe er zu sprechen anfing.

»Mary, meine geliebte Tochter, ich muß dir etwas sagen.« Er zögerte, als schmerzte es ihn fortzufahren. In mir regte sich Angst. Etwas Schreckliches mußte passiert sein.

»Ja, teuerster Vater«, sagte ich verzagt.

»Du wirst allmählich erwachsen, Mary. Du bist kein Kind mehr, und Menschen in unserer Position... Nun, zuweilen sehen sie sich gezwungen, etwas zu tun, was ihnen zunächst ziemlich unangenehm erscheint, bis...«

»Vater, bitte sage mir, um was es geht.«

»Also, zuweilen muß man etwas tun, was man lieber nicht tun möchte. Es ist unsere Pflicht. Jeder muß manchmal etwas Unliebsames tun... und für Menschen in unserer Stellung...«

»Bitte, sag mir rasch, was ich zu tun habe.«

»Es wird dir gefallen... wenn du dich erst daran gewöhnt hast. Nur anfangs... nun, ich hätte mir gewünscht, daß es noch ein wenig Zeit hat. Du bist noch jung... aber nicht zu jung. Also, mein Kind, du wirst dich vermählen.«

»Vermählen!« rief ich entsetzt aus.

»Du bist fünfzehn. Menschen wie wir... Es passiert so vielen. Deine Stiefmutter...«

Mein Denkvermögen setzte aus, unfähig, die schreckliche Tatsache zu erfassen. Dann stieß ich hervor: »Wer ist es? Wen muß ich heiraten?«

»Ach, es ist noch nicht arrangiert. Diese Dinge... du weißt ja... gewisse Vorbereitungen. Dokumente müssen unterzeichnet werden.«

»Sag mir, wer es ist.«

»Ein Verwandter. Du kennst ihn bereits, und ich habe gesehen, daß ihr einander gewogen seid. Es ist William, Prinz von Oranien.«

Der Prinz von Oranien! Dieses kalte Männchen mit den durchdringenden kritischen Augen, das die vielen Fragen gestellt hatte. *Ihn* sollte ich heiraten! Er war zu alt. Er war so ganz anders als mein Vater und der König und alle Männer, die ich am Hofe meines Onkels gesehen hatte. Während er mit mir gesprochen hatte, hatte er kein einziges Lächeln sehen lassen. Und er kam von weither. Aus Holland! Der Gedanke traf mich mit voller Wucht. Ich würde mit ihm fortgehen müssen, mit diesem kalten sonderbaren Mann, in ein sonderbares, kaltes Land, weit fort von meiner Schwester, meinem Vater, von Frances und Anne Trelawny. Ich dachte an die Ankunft der armen Maria Beatrice in diesem Land, die gekommen war, um einen älteren Mann zu heiraten. Aber er war mein lieber guter Vater gewesen, und ich war William von Oranien bestimmt.

Das war unerträglich. Mit diesem merkwürdigen Mann vermählt zu werden – die Heimat verlassen zu müssen! Ich streckte die Hände aus, wie um dieses grausame Schicksal abzuwehren.

»Nein! Nein!« rief ich aus.

Mein Vater legte die Arme um mich und wiegte mich wie ein kleines Kind.

»Laß nicht zu, daß man mich fortschickt!« flehte ich.

»Ich werde so unglücklich sein wie du, meine Teuerste.«

»Dann mußt du es verhindern!«

»Meine arme Mary, mein armes Kind«, sagte er langsam. »Du mußt verstehen... du wurdest in die königliche Familie hineingeboren, und wir alle müssen tun, was von uns verlangt wird. Das ist unser Schicksal und unsere Pflicht. Wir müssen uns diesen Dingen stellen. Das Volk wird die Heirat gutheißen.«

»Aber das Volk muß sie nicht erdulden.«

Er seufzte. »Versteh doch, das bringt deine Stellung mit sich, Kind.«

»Du meinst den Thron...«

»Ja, ich weiß, deine Stiefmutter und ich hoffen noch immer auf einen Knaben, aber es hat schon so viele Enttäuschungen gegeben; und angesichts deiner Stellung, meine Teure, will das Volk für dich eine protestantische Ehe, und einen glühenderen Protestanten als Prinz William gibt es nicht. Er hat diesen Glauben auf dem europäischen Kontinent verteidigt, und er ist sehr klug. Noch ist er jung, aber er wird zweifellos der Welt seinen Stempel aufdrücken. Er ist ein großer Mann, und du wirst stolz sein, seine Gemahlin zu sein.«

»Vater... teuerster Vater, er gefällt mir nicht.«

»Ach, die Zuneigung kommt in der Ehe.«

»Du willst also, daß ich es tue?«

Er schüttelte traurig den Kopf. »Ich möchte, daß du mein Leben lang bei mir bleibst, aber ich weiß, daß es unmöglich ist. Leider müssen wir unserer Pflicht nachkommen. Es ist der Wunsch des Königs.«

»Mein Onkel war zu mir immer sehr gütig. Vielleicht...«

Er schüttelte den Kopf. »Er ist gütig, aber auch er könnte dich davon nicht befreien. Er will diese Heirat, da er bemüht ist, unser Bündnis mit den Holländern zu stärken, und diese Ehe gehört zu den Bedingungen. Für William ist es eine große Chance. Du wirst diese Dinge verstehen lernen. Wenn du mit deinem Onkel darüber sprächest, würde er große Güte und viel Mitgefühl zeigen, aber das ist seine Art. Unter dieser Güte ist er ein gewitzter Staatsmann, und diese Ehe ist für das Land eine Notwendigkeit. William will sie, und wir wollen Freundschaft mit William. Deshalb besteht der König darauf. Laß dir sagen, daß ich mich bemühte, ihn davon abzubringen. Vergebens.«

»Dann gibt es keinen Ausweg.«

»Du wirst in William einen guten Mann finden. Ihm liegt das Wohl seines Landes am Herzen, und das ist ein edler Zug. Natürlich hat er Anspruch auf den Thron von England – entfernt nur, aber immerhin. Eine Ehe mit dir wird diesen Anspruch festigen. Aber es ist nicht der richtige Zeitpunkt, diese Dinge zu besprechen.«

»Ich möchte alles wissen. Ich hätte nicht geglaubt, der Prinz würde mich heiraten wollen, es sei denn, es gäbe... Vorteile für ihn.«

»Du mußt ihn deshalb nicht zu hart beurteilen. So ist eben die Diplomatie. Aber er wollte dich kennenlernen, um dich selbst zu sehen, ehe er sich auf das Arrangement einläßt. Nun hat er dich gesehen, und du gefällst ihm. Ein guter Anfang.«

»Ich hasse das alles! Und wie könnte ich dich verlassen?«

»Es ist bis dahin noch ein wenig Zeit, aber ich wollte, daß du es weißt. Du wirst also Zeit haben, dich mit dem Gedanken anzufreunden. Du wirst entdecken, daß alles nicht so schlimm ist. Und ich schwöre dir, daß du mit der Zeit deine Angst verlieren wirst. Der Prinz ist ein guter Mann, und dein Onkel glaubt, daß eurer Ehe Erfolg beschieden sein wird.«

»Aber dir sagt sie nicht zu, das sehe ich!«

»Ich wollte für dich den Dauphin von Frankreich«, gestand er.

»Da hätte ich doch auch fortgemußt.«

»Ich hätte ein Bündnis mit Frankreich lieber gesehen. Aber das Volk will es anders.«

»Aber ich bin es, die heiraten muß! Abscheulich!«

Da konnte ich die Tränen nicht mehr zurückhalten. Ich wollte ihn anflehen, dieser Ungeheuerlichkeit, die mir zugemutet wurde, Einhalt zu gebieten, aber ich brachte kein Wort heraus. Mein Schluchzen hinderte mich am Sprechen.

Meine Schwester Anne wollte wissen, was mich bekümmerte.

»Ich soll heiraten«, sagte ich.

Erschrocken riß sie die Augen auf.

»Ich werde fortmüssen«, setzte ich jämmerlich hinzu.

»Du kannst nicht fortgehen! Ich will, daß du bleibst. Du warst immer hier. Wir gehören zusammen. Du kannst nicht von *mir* fort.«

Arme Anne, sie war zutiefst aufgewühlt. So glücklich hatte sie sich... hatten wir beide uns durchs Leben treiben lassen – bis jetzt. Hatte sie nicht lernen wollen, dann war die Ausrede zur Hand, ihre Augen schmerzten, und keiner hatte sie gezwungen. Natürlich tat sie sich jetzt beim Lesen schwer, aber das bekümmerte sie nicht. Sie dürfte nicht soviel naschen, hieß es immer wieder, doch wenn sie sich dennoch eine Süßigkeit in den Mund steckte, dann wurde dies nur mit einem Kopfschütteln registriert.

Und nun war sie ehrlich bekümmert. Ich *durfte* nicht gehen. Sie konnte sich unser Haus nicht ohne ihre ältere Schwester vorstellen, die sie sklavisch nachahmte und die sie ihr Leben lang um sich gehabt hatte.

Sie war jetzt zwölf und wußte, daß es ernst war, denn plötzlich fing sie zu weinen an, schlang ihre Arme um mich und klammerte sich an mich, als wollte sie allen jenen trotzen, die uns zu trennen versuchten. Wir weinten zusammen. Tatsächlich hatte ich kaum aufgehört zu weinen, seitdem mein Vater mir die Nachricht überbracht hatte.

Frances schrieb ich einen Brief, in dem ich ihr aufgewühlt berichtete, was man mit mir vorhatte. Alle Mädchen schienen plötzlich von Kümmernis überwältigt. Lady Frances schien voller Angst und Sorge. Was würde aus unserer kleinen Hofhaltung werden? Natürlich war da noch immer Anne. Aber es würde nicht dasselbe sein. Unser Haus würde an Bedeutung einbüßen. Ich stand dem Thron näher als Anne. Was sollte nun aus ihnen allen werden?

Sie steckten die Köpfe zusammen. Man war voll des Mitleids mit mir, des Bräutigams wegen, der mir bestimmt worden war.

»Der Prinz von Oranien!« hörte ich jemanden murmeln. »Und Lady Mary!«

Ich wußte, wie es gemeint war. Er war kein Mensch, der Bewunderung erregte, da er so völlig anders war als die Männer, die als anziehend galten. Es fehlte ihm an Gewandtheit, er war schroff, kleidete sich schlicht, besaß nichts von dem Charme, über den der König in so reichem Maße verfügte und in dem ihm die Herren seiner Umgebung nachzueifern versuchten.

Mein Jammer wuchs, als mit den Tagen auch die Vorbereitungen unaufhaltsam fortschritten. In den Straßen brannten Freudenfeuer, allenthalben sah man Zeichen der Freude über die protestantische Heirat – ein erstes Anzeichen dafür, daß nun endlich Aussicht auf einen protestantischen Erben bestand. Die Beliebtheit des Königs wurde dadurch nicht angetastet, obwohl man ihn katholischer Neigungen verdächtigte. Er war fröhlich, charmant und hatte stets für jedermann ein aufmunterndes Wort übrig. Nach Jahren des Exils war er zu ihnen zurückgekehrt, der lebensfrohe König. Mit der Gegenwart war man glücklich. Die Zukunft war es, die allen Sorge machte. Deshalb stieß meine Vermählung mit einem aufrechten Protestanten auf allgemeine Zustimmung. Nur die unmittelbar Betroffenen wie mein Vater und ich empfanden dabei Unbehagen.

Ich suchte Maria Beatrice auf, die kurz vor der Entbindung stand. Bekam sie einen Sohn, dann würde diese Ehe für viele Menschen weniger erstrebenswert sein, ein Gedanke, der meine Hoffnung nährte. Wenn William sich am Ende entschied, mich gar nicht zu heiraten…!

Das war Unsinn. Die Ehe war für den Vertrag unverzichtbar.

Maria Beatrice weinte mit mir.

»Meine arme, arme Mary. Er sieht aus wie ein Ungeheuer, aber er wird vielleicht einen guten Ehemann abgeben. Wenigstens wird er keinen Rattenschwanz von Geliebten haben. Treue hat viel für sich«, setzte sie gewitzt hinzu.

»Man wird mich fortschicken«, klagte ich.

»So wie mich.«

»Ich weiß. Du hast auch gelitten, aber du bist nach England gekommen, zu meinem Vater, der lieb und gut ist.«

»William soll ein guter Mensch sein.«

»Aber dich hat man geschlagen, wenn du die Psalmen nicht konntest, während ich immer nur Liebe erfahren habe.«

»Ja, du hast einen überaus liebevollen Vater. Er würde

nie zulassen, daß jemand dich oder Anne straft, und du warst immer sein Liebling, Mary, es tut ihm so weh wie dir.«

»Ach, liebste, liebste, Stiefmutter, dich muß ich auch verlassen und dazu Anne.«

Vergebens versuchte sie, mich zu trösten.

»Es heißt, der Prinz von Oranien würde keinen großen Wert auf die Heirat legen, falls du einen Sohn bekommst«, sagte ich und sah sie flehend an, als stünde es in ihrer Macht, mich zu retten.

»Ich glaube, er würde dich so oder so heiraten wollen. Dein Vater sagte mir, er hätte bei eurer Begegnung an dir großen Gefallen gefunden.«

»Ich wußte gar nicht, daß man mich eigens zu diesem Zweck präsentiert hat.«

»Hättest du ihm nicht gefallen, dann hätte er nicht den Wunsch geäußert, dich zu heiraten.«

Ich war da nicht so sicher, und mir gefiel er jedenfalls nicht.

»Stell dir vor!« stöhnte ich. »Ich werde euch alle verlassen müssen.«

»Holland ist nicht weit. Wir werden dich besuchen, und du wirst zu uns kommen.«

Ich warf mich in ihre Arme. »Ich will nicht fort. Bete darum, daß etwas geschieht und ich nicht fortmuß.«

Es gab nichts, womit sie mich hätte trösten können.

Elizabeth Villiers war in heller Aufregung.

»Ich bin ja so froh, daß ich Euch nach Holland begleiten werde«, verkündete sie.

»Ihr!« rief ich aus.

»Nun, Ihr werdet Euer Gefolge haben, und ich gehöre dazu. Ihr werdet von bekannten Gesichtern umgeben sein. Meine Mutter wird dem Gefolge vorstehen, und meine Schwester Anne wird auch mitkommen. Ist das keine gute Nachricht?«

Es gab nur eine einzige Nachricht, die mir damals als gut erschienen wäre – nämlich, daß die Heirat nicht zustande kommen würde. Daß Elizabeth Villiers mitkommen sollte, war für mich kein besonderer Anlaß zur Freude. Lady Frances hingegen mochte ich ganz gern. Sie war oft streng, aber schließlich trug sie für uns die Verantwortung. Ich war froh, daß sie mitkommen würde.

Da trat Anne Trelawny ein, und ich konnte ihr ansehen, daß sie eine Neuigkeit hatte, die ihre Laune hob.

»Dein Vater hat gesagt, wir seien so gute Freundinnen, daß ich dich nach Holland begleiten soll«, rief sie aus.

Wir umarmten uns innig.

»Ich dachte mir, daß es dich ein wenig aufheitern würde«, sagte sie gefühlvoll.

»Ich bin so froh, daß du mitkommst«, sagte ich zu ihr. »Wenn ich daran denke, fühle ich mich weniger jämmerlich. Aber es gibt nur eines, was mich wirklich glücklich machen könnte.«

»Ich weiß«, sagte Anne, »aber ich werde dir nach besten Kräften helfen, und wir werden zusammen sein.«

So wurde ich ein wenig getröstet.

Meine Schwester Anne aber trauerte tief. Sie wurde bleich und veränderte sich. Ihre Wangen verloren den rosigen Schimmer, der sie so hübsch hatte aussehen lassen.

»Mary, es gefällt mir gar nicht«, sagte sie. »Es macht mich ganz krank. Ich habe unseren Vater angefleht, er solle es verhindern.«

»Es liegt nicht in seiner Hand.«

»Uns zu trennen! Wir, die wir nie getrennt waren. Und jetzt kommt auch noch dieser Mann daher, dieser John Churchill. Er will Sarah mitnehmen. Ich lasse das nicht zu.«

»John Churchill«, wiederholte ich und mußte sofort an Arabella Churchill mit den herrlichen Beinen denken, und an das, was ich über ihre Beziehung zu unserem Vater gehörte hatte.

»Ich gebe ja zu, daß er sehr gut aussieht«, fuhr Anne fort. »Sarah ist hingerissen von ihm, wenngleich sie es nicht eingestehen mag. Ständig treibt er sich hier herum. Arabella Churchill ist seine Schwester. John Churchill war Page im Haus unseres Vaters. Du mußt ihn kennen. Es heißt, daß Arabella ihm dazu verholfen hätte. Dann wurde er Fähnrich der Garde. Er war bereits außer Landes, in Frankreich und Flandern, sogar in Tanger. Ich muß sagen, daß er sehr attraktiv ist. Sarah sagt, wenn er käme und um sie würbe, müsse er seine Liebeleien aufgeben. Wußtest du, daß unser Onkel ihn nach Tanger schickte, weil er Barbara Castlemaine zu gut gefiel? Und jetzt ist er hinter Sarah her.«

Ich hatte Anne selten so viel auf einmal sprechen gehört. Meist zeigte sie sich wortkarg und hörte lieber den Gesprächen anderer zu, weil sie jeder unnötigen Anstrengung auswich.

Aber jetzt war sie völlig außer sich. Das wärmte meine Gefühle für sie, und die Tragödie des Abschieds erschien mir größer als zuvor. Wie mir meine teure Schwester fehlen würde... Wie konnte man mich allem entreißen, das mein glückliches Leben ausgemacht hatte? Was für eine törichte Frage! Man konnte und man würde es tun – indem man mich mit dem Prinzen von Oranien vermählte.

Anne fuhr fort: »Natürlich ist John Churchills Familie der Meinung, Sarah sei für ihn nicht gut genug.«

»Sarah teilt diese Meinung gewiß nicht«, konnte ich nicht umhin zu sagen.

»Nein. Sie ist wütend. Das ist auch der Grund, weshalb sie ihn im ungewissen läßt. Und er hat es mit jedem Tag eiliger, sie zu heiraten. Aber ich weiß, daß er ihr gefällt. Das ist es ja, was mir Sorgen macht. Sie darf ihn nicht heiraten, denn wenn sie es tut, wird sie fortgehen. Angenommen, man schickt ihn außer Landes... Ich möchte nicht dich *und* Sarah verlieren. Mary, du darfst mich nicht verlassen.«

Wir konnten nichts tun, als gemeinsam zu trauern, und meine Hoffnung auf Erlösung wurde mit jedem Tag geringer.

Die Heirat war nun beschlossene Sache. Die Mitglieder des Rates kamen zu mir und beglückwünschten mich. Da meine Augen rotgeweint waren, muß ich jämmerlich ausgesehen haben.

Danach folgten weitere Zeremonien. Der Bürgermeister gab zur Feier der Verlobung ein Bankett, zu dem der ganze Hof eingeladen wurde. Die Menschen säumten das Flußufer, als unsere Boote zur Westminster Hall segelten, ich und der Prinz mit meinem Vater im Prunkboot des Königs, der die Hand auf meine Schulter gelegt hatte. Ich tat mein Bestes, mir nicht anmerken zu lassen, wie elend ich mich fühlte.

Die Hochzeit rückte mit Riesenschritten näher, und ich mußte die Tatsache hinnehmen, daß sie nun unabwendbar war. Ich würde diesen merkwürdigen, schweigsamen Mann, der so viel älter war als ich, heiraten müssen. Zwölf Jahre sind viel, wenn man erst fünfzehn ist. Erst zwei Wochen waren vergangen, seitdem ich die Nachricht vernommen hatte, die mich meiner Ruhe beraubte. Mir schienen zwei Jahre vergangen zu sein.

Die Zeremonie sollte in meinem Schlafgemach stattfinden, in dem man eigens einen Altar aufgestellt hatte. Bischof Compton, dem meine religiöse Erziehung anvertraut worden war, würde die Trauung vornehmen, da der Erzbischof von Canterbury ganz plötzlich erkrankt war.

Frühmorgens kam Elizabeth Villiers ziemlich enttäuscht zu mir und berichtete, daß ihre Mutter, Lady Frances, erkrankt sei – schwer erkrankt – und an der Zeremonie nicht würde teilnehmen können.

»Lady Anne ist ebenfalls indisponiert«, fügte sie hinzu.

Kaum war Elizabeth gegangen, als ich Annes Gemächer aufsuchte. Ich dachte voller Sorge daran, wie bleich sie in letzter Zeit ausgesehen hatte.

Ich erschrak zutiefst, denn als ich die Tür öffnete und eintreten wollte, hinderte mich Dr. Lake daran.

»Mylady«, sagte er, »Ihr könnt nicht zu Lady Anne. Euer Vater hat es strikt untersagt.«

»Was heißt das, Dr. Lake? Ich darf meine Schwester nicht sehen?«

»Sie ist krank... und braucht Ruhe.«

Ich war sehr verwundert, aber Dr. Lake wollte nicht mehr sagen. So mußte ich auf die Gesellschaft meiner Schwester verzichten.

Verwirrt kehrte ich in meine Räume zurück. Nie im Leben war ich so unglücklich gewesen.

Es war neun Uhr abends, und die Zeremonie sollte beginnen.

Der Prinz, König und Königin, mein Vater und seine hochschwangere Herzogin waren mit dem Bischof von London und jenen Würdenträgern zugegen, deren Anwesenheit als notwendig erachtet wurde. Keine große Zahl für einen solchen Anlaß, aber genug, um den Raum zu füllen.

Man hatte meine Augen gekühlt und nach besten Kräften deren Röte getarnt – äußeres Zeichen meines Kummers. Und man hatte mich als Braut angekleidet. Ich war überzeugt, daß es nie eine unglücklichere gegeben hatte.

Mein Vater führte mich an den Altar, und ich sah ihn flehend an. War es zu spät?

Natürlich war es das. Ich las Verzweiflung in seinem Blick und wußte, daß er mich vor dieser Ehe bewahrt hätte, wenn es irgendeine Möglichkeit gegeben hätte.

Der König lächelte wohlwollend. Falls er mein Widerstreben und meine Angst ahnte, ließ er sich nichts anmerken. Meine Stiefmutter sah mich voller Mitgefühl an. Ich wunderte mich, daß sie anwesend war, da die Geburt ihres Kindes kurz bevorstand.

Der König flüsterte mir mit liebevollem Lächeln zu, daß

ich eine schöne Braut sei und er den Bräutigam beneide. Dieser allerdings sah alles andere als erfreut aus. Vermutlich fand er es enttäuschend, mit einer offenkundig widerstrebenden Braut konfrontiert zu werden.

»Wo ist Compton?« rief der König. »Beeilt Euch, Mann, damit uns die Herzogin nicht einen Knaben gebiert und die Ehe dadurch ihren Sinn verliert.«

Der Prinz zuckte zusammen, aus den Reihen der Anwesenden wurde unterdrücktes Gelächter hörbar.

Mein Onkel fuhr fort, seinen Neffen mit einem Anflug zynischer Belustigung zu betrachten, ein Ausdruck, den ich schon öfter an ihm bemerkt hatte.

Der Gottesdienst hatte begonnen. Es war der Höhepunkt eines Alptraums. Ich wurde tatsächlich einem Mann angetraut, den ich kaum kannte, der mich ängstigte und mir Abscheu einflößte.

Der Prinz sagte, daß er seine irdischen Güter mit mir teilen wollte und legte symbolisch ein paar Gold- und Silbermünzen auf das Buch, als er diese Worte sprach.
Da rief der König noch immer launig aus: »Nimm sie, liebe Nichte. Nimm sie rasch und steck sie ohne Verzug in die Tasche, denn sie sind ein klarer Gewinn.«

Ich bemerkte ein verärgertes Zucken um die Lippen des Prinzen, und die Zeremonie nahm ihren Fortgang.

Dann war es vorbei, und ich war Prinzessin von Oranien.

Wie ich den Rest der Nacht überlebte? Ich weiß es nicht.

Was mich erwartete, war mir nur halb bewußt. Ich hatte nur geflüsterte Bemerkungen aufgefangen, und meine Schlußfolgerungen beruhten auf Vermutungen. Ich wußte, daß es diese Dinge gab, doch hatte ich nie viele Gedanken daran verschwendet, bis auf die letzten Tage, als ich wußte, daß die Prüfung unmittelbar vor mir lag.

Ich hatte mehr Angst als je zuvor im Leben.

Es wurde viel gelacht und geplaudert. Man kam und sprach mit mir und beglückwünschte mich. Ich trank Wein.

»Nicht zu viel, meine Liebe«, mahnte die Königin, die meine Hand drückte. Sie war nach England gekommen, um einen Mann zu heiraten, den sie nie gesehen hatte, aber sie war älter gewesen, viel älter – zweiundzwanzig, hatte ich gehört. Und Maria Beatrice war in meinem Alter gewesen. Aber die Königin war gekommen, um den König zu heiraten, und Maria Beatrice meinen Vater, während ich mit einem kalten, finsteren Mann in dieses merkwürdige Land ziehen mußte.

Man machte mich fürs Bett zurecht. Wie hätte ich mir gewünscht, man würde auf diesen alten Brauch verzichten. Am liebsten wäre ich auf und davon.

Daß die Königin und Maria Beatrice zugegen waren und mich entkleideten, war Teil des verhaßten Rituals.

Maria Beatrice sah sehr erschöpft aus. Die Geburt des Kindes mußte unmittelbar bevorstehen. Ach, warum war das Kind nicht eher gekommen? Warum war es nicht ein gesunder Knabe gewesen? Aber das Kind war noch nicht geboren, und ich war bereits mit ihm verheiratet.

Man wies mich an, ins Bett zu gehen. Zitternd lag ich da. Dann war der Prinz neben mir.

Der König zog lachend die Bettvorhänge zu und schloß uns mit den Worten ein: »Ans Werk, Neffe, und mit dem heiligen Georg für England!«

Gelächter ertönte. Ich lag in der Finsternis da und wappnete mich für das Bevorstehende.

Mein Leben lang habe ich getrachtet, Ereignisse zu vergessen, die mir unangenehm sind, was mir nicht immer glückte und im Falle meiner Hochzeitsnacht schon gar nicht.

Ich erwachte benommen, voller Haß gegen das Tageslicht, und steckte den Kopf sofort wieder unter die Decke. Als ich feststellte, daß ich allein im Bett lag, war ich unendlich erleichtert.

Sie war vorbei – diese Nacht voller Schmerz, Abscheu,

Demütigung. Wäre ich klüger gewesen, wie so viele Mädchen es waren, es wäre leichter gewesen. Doch ich war aus einer totalen Unschuld erwacht, und mein Erwecker war ein kalter, berechnender Mann, dessen Ungeduld durch meine Protestschreie und Tränen nur noch gesteigert wurde.

Ich spürte seinen Ärger, der mir zu verstehen gab, daß das, was getan werden mußte, ihm ebenso zuwider war wie mir. Für ihn war es eine unumgängliche Pflicht. Er begegnete mir mit Verachtung, und ich ihm mit Angst.

Ich fragte mich schon: Wird es nun jede Nacht so sein? Dann betete ich auf meine kindische Art, daß die nächste Nacht nie kommen möge.

Ich lag reglos da, verletzt, unter Schmerzen und mit dem Gefühl des Beflecktseins.

Meine Mädchen traten ein. Elizabeth Villiers und ihre Schwester Anne sowie meine liebe Anne Trelawny, die mich beklommen und voller Mitgefühl ansah. Sie legte die Arme um mich und küßte mich.

»Ich werde mit dir in Holland sein«, rief sie mir ins Gedächtnis.

Das war wie ein schwacher Freudenschimmer in einer dunklen, dunklen Welt.

»Ihr habt wieder geweint, Prinzessin«, sagte Anne Villiers.

Elizabeth schien sich darüber zu amüsieren, und ich haßte sie deswegen, so sehr, daß ich erwog, meinen Vater zu bitten, sie nicht mit mir gehen zu lassen. Aber angesichts meines großen Jammers erschien es mir als zu unwichtig.

»Ich will die Augen Eurer Hoheit kühlen«, sagte die praktisch veranlagte Elizabeth. »Sie sind geschwollen.«

Ich wurde angekleidet. Ich wußte nicht, ob der Prinz wieder kommen würde, und betete, ich möge von seinem Besuch verschont werden, da ich ihn am liebsten nie mehr sehen wollte.

Da wurde ein Besucher vorgelassen. Es war William Bentinck, bei dessen Anblick mich schauderte, da ich wußte, daß er im Gefolge meines Gemahls eine bevorzugte Stellung hatte und mit William eng befreundet war. Daraus schloß ich, daß dieser Mann etwas Ungewöhnliches an sich haben mußte, denn der Prinz war nicht der Mensch, der für seine Umgebung Zuneigung zeigte – und für diesen Mann hegte er zweifellos Gefühle.

»Ich komme von Seiner Hoheit, dem Prinzen von Oranien«, sagte Bentinck. »Er hat mich gebeten, Euch dies zu überbringen.«

Nach einer Verbeugung drückte er mir eine Schatulle in die Hand. Mit dem Gebaren eines Mannes, der eine Mission ausgeführt hat, bat er sogleich um die Erlaubnis, sich zurückziehen zu dürfen, verbeugte sich abermals und war auch schon verschwunden.

Ich stand mit der Schatulle da, die Elizabeth neugierig anstarrte.

»Will Eure Hoheit nicht sehen, was darin ist?« fragte sie.

Die zwei Annes zeigten eine Neugierde, die sich mit jener Elizabeths messen konnte, ich aber starrte die Schatulle voller Abscheu an, als erwartete ich, es würden Giftschlangen herauskriechen, weil sie von ihm stammte, dem Mann, der mich in so große Furcht versetzte, wie ich sie noch nie kennengelernt hatte, dem Mann, der in wenigen Wochen mein glückliches und friedvolles Leben zerstört hatte.

Bebend öffnete ich die Schatulle, die einige Schmuckstücke enthielt, unter ihnen einen Rubin- und Diamantanhänger an einer goldenen Kette.

Elizabeth stockte der Atem vor Bewunderung.

»Wie schön sie sind!« rief ihre Schwester aus.

»Du mußte die Kette anlegen«, riet Anne Trelawny.

»Es ist Brauch, am Morgen nach der Hochzeit Schmuck zu schicken«, sagte Elizabeth.

Ich spürte das kalte Geschmeide an meinem Hals, als Anne die Kette festmachte. Nie werde ich vergessen können, dachte ich bei mir. Und das ist erst der Anfang.

»Ist es nicht herrlich?« rief Elizabeth aus. »Denkt Euch, was es wert ist!« Sie kniff die Augen zusammen. Sie beneidet mich, dachte ich. Ach, wie gern hätte ich mit ihr getauscht!

»Nimm sie ab und tu sie wieder in die Schatulle«, sagte ich.

Alle waren verwundert, sogar Anne Trelawny, die mich nicht verstand. Sie waren überwältigt von der Schönheit und Kostbarkeit der Juwelen.

Am nächsten Tag bekam ich William kurz zu Gesicht. Er beachtete mich kaum. Die Nacht der Schrecken mußte sein Mißfallen erregt haben. Der Gedanke, daß sie vielleicht nicht wiederholt würde, ließ mich Hoffnung schöpfen.

Der Tag verging mit dem Empfang von Abordnungen und der Entgegennahme von Glückwünschen. Es sah aus, als seien alle über die Heirat erfreut – von meinem Vater, meiner Stiefmutter und dem jungvermählten Paar abgesehen.

In jener Nacht lag ich in meinem Brautbett und wartete. Lange lag ich da und lauschte auf seine Schritte. Einmal nickte ich ein und erwachte mit einem Ruck. Es war schon tiefe Nacht, als ich mit überwältigender Freude hoffen durfte, daß er nicht zu mir kommen würde.

Ich war in St. James, unserem geliebten Zuhause. Seit ich meine Schwester Anne gesehen hatte, waren schon einige Tage vergangen. Es hieß, sie sei zu krank, um Besuche zu empfangen. Sie brauche Ruhe. Ich wollte mit ihr sprechen und war sicher, sie würde mich sehen wollen, mochte sie auch noch so krank sein.

Die Gespräche meiner Damen kreisten ständig um den Prinzen von Oranien. Daß sie ihn für höchst sonderbar hielten, wußte ich, und jetzt sagten sie auch noch, daß er nichts von einem glühenden Liebhaber an sich hätte. Nie suchte er mit mir allein zu sein, und wenn ein Zusammensein sich nicht vermeiden ließ, würdigte er mich kaum eines Blickes und schenkte mir nicht das kleinste Anzeichen von Zuneigung.

Er konnte das Ende der Zeremonien kaum erwarten. Sicher ödeten ihn die ununterbrochenen Gratulationen ebenso an wie mich, doch hatte ich das Gefühl, daß seine Zurückhaltung mir gegenüber das Beste war, was man in einer Situation erhoffen konnte, die noch unerträglicher gewesen wäre, wenn er sich gegenteilig verhalten hätte.

Zwei Tage nach der Hochzeit kam Maria Beatrices Kind zur Welt.

Mein Vater suchte mich auf, und ich sah ihm an, daß er überglücklich war, obwohl er mich mit einem Ausdruck umarmte, in dem sich Ängstlichkeit, Mitleid, Verständnis und Reue über das mir Zugefügte sowie Zärtlichkeit mischten. Ich wollte ihm von meinem Jammer erzählen und ihn wissen lassen, mir sei klar, daß das Geschehene nicht seine Schuld sei.

»Meine Liebe, ich bin gekommen, um dir zu sagen, daß ich einen Sohn habe.«

Mein erster Gedanke war: wie grausam, daß er ihn erst jetzt bekommen hatte und nicht eine Woche zuvor; dann hätte William vielleicht von der Ehe Abstand genommen.

»Einen Sohn«, wiederholte er. »Jawohl, einen Sohn.«

»Und die Herzogin?«

»Sie ist wohlauf und natürlich überglücklich.«

»Und das Kind?«

»Der Kleine wird am Leben bleiben.«

»Lieber Vater...«

»Teuerste Tochter, wenn nur...«

Jedes Wort war überflüssig, doch es war tröstlich zu wissen, daß er verstand.

»Dein Gemahl, der Prinz, wird nicht erfreut sein«, sagte er.

Ich schüttelte den Kopf. »Das Kind hätte geboren werden sollen, bevor...« Ich sprach den Satz nicht zu Ende, und mein Vater nahm mich in die Arme und drückte mich an sich.

Ich sagte, daß ich die Herzogin besuchen wollte, und er sagte zu mir, sie sei sehr matt, würde aber bald Besucher empfanden, und ich sollte der erste sein.

Als mein Vater ging, empfand ich so etwas wie Genugtuung, weil mein Gatte um seine Hoffnungen betrogen würde. Er hatte mich geheiratet, weil ich gute Aussichten hatte, eines Tages den Thron zu besteigen. Trotz der Liebe zu seinem Land, dem stabilsten protestantischen Staat in Europa, strebte er nach der Krone Englands, und um diese zu erlangen, war er bereit, ein Mädchen zu heiraten, das er verachtete. Jetzt hatte er mich am Hals, und die Hoffnungen auf die Krone waren so gut wie dahin. Es geschah ihm ganz recht.

Ich wollte meine Schwester besuchen, doch hieß es noch immer, man dürfe sie nicht stören. Ich konnte die Trennung von ihr nicht länger ertragen, deshalb beschloß ich, auf einem Besuch zu bestehen.

Als ich ihre Gemächer aufsuchte, vertrat mir Dr. Lake wie schon zuvor den Weg.

»Ich bin gekommen, um meine Schwester zu besuchen«, sagte ich mit Bestimmtheit.

»Vergebt mir, Euer Hoheit, aber das ist ausgeschlossen. Lady Anne ist noch immer sehr krank, und der Herzog hat angeordnet, daß Ihr sie nicht sehen dürft.«

»Wollt Ihr damit sagen, mein Vater hätte angeordnet, daß ich sie nicht sehen soll?«

»In der Tat. Euer Hoheit, ich muß Euch sagen, daß Lady Anne an Pocken erkrankt ist und Euer Vater nicht riskieren möchte, daß Ihr Euch ansteckt.«

»O nein... nein!« rief ich aus. »Und... Lady Frances?«

»Lady Frances leidet an derselben Krankheit, Euer Hoheit.«

Ich war entsetzt, sagte aber: »Ich möchte meine Schwester sehen.«

»Das ist nicht möglich«, gab Dr. Lake zurück. »Die Anordnungen des Herzogs waren in diesem Punkt eindeutig.«

Ich wußte, daß dies wieder ein Beispiel der Liebe und Fürsorge meines Vaters war.

Nun hatte er zwar einen Sohn, den kleinen Thronerben, doch glaubte ich, daß er seine Töchter so liebte, wie er kein anderes seiner Kinder lieben konnte. Und eine lag mit der gefürchteten, oft tödlichen Krankheit darnieder, während er die andere an einen Mann verlieren würde, der ihm nicht genehm war.

Mein Jammer über die eigene verzweifelte Lage wurde nun durch Angst um meine Schwester überschattet. Mich schauderte bei dem Gedanken, daß sie sich mit der Krankheit angesteckt hatte, die nur wenige überlebten. Und wenn sie es schafften, dann blieb ihnen in Gestalt der häßlichen, den Teint entstellenden Narben oft eine lebenslange Erinnerung daran. Der Prinz von Oranien trug solche Narben im Gesicht.

Seit der Hochzeitsnacht hatte ich nur wenig von ihm zu sehen bekommen. Ich konnte mir denken, daß er sich ebenso schämte wie ich. Natürlich tat er nur seine Pflicht. Ich nahm an, daß er es so sah. Wie anders waren der König und seine Höflinge, die so freudig sündigten! In meinem Gemahl war kein Platz für Freude.

Ich geriet in Panik, als er in St. James eintraf und Elizabeth mir meldete, er wolle mich sehen. Sie hielt sich respektvoll im Hintergrund und knickste mit niedergeschlagenen Augen, als er eintrat. Sekundenlang blieb sein Blick an ihr hängen, ehe er mich ansah.

In seinem Blick war keine Liebe. Es war Kälte, die aus

seinen Augen sprach. Ich glaube, er bereute bereits die Ehe, deren Bedeutung sich so verringert hatte.

»Macht Euch bereit, Whitehall sofort zu verlassen«, sagte er.

Meine Schwester verlassen! Das konnte ich nicht. In mir wuchsen Eigensinn und Zorn. Ich liebte meine Schwester innig, und ich wußte, daß ich bald gehen und all das im Stich lassen mußte, was ich liebte und an dem mir lag, aber bis zu diesem Moment würde ich den Ort nicht verlassen, an dem sie sich befand. Was, wenn sie mich riefe? Ich mußte dasein.

»Nein!« hörte ich mich in einem Ton sagen, der mich durch seine Festigkeit überraschte.

Er starrte mich ungläubig an. Er hatte mir gesagt, was ich zu tun hätte, und ich hatte mich rundweg geweigert. Ich sah ihm an, daß er glaubte, er hätte nicht richtig gehört.

»Ihr werdet ohne Verzug aufbrechen«, sagte er.

»Nein«, wiederholte ich. »Ich werde meine Schwester nicht verlassen.«

Er machte ein erstauntes Gesicht, und ich spürte, daß Elizabeth Villiers mich aufmerksam beobachtete. Es herrschte Schweigen.

Dann sagte Elizabeth: »Euer Hoheit, ich werde alles für den Aufbruch veranlassen.«

Ich stand reglos da. Was aus mir wurde, kümmerte mich nicht. Ich würde St. James keinen Moment eher verlassen, als es unbedingt nötig war.

»Wißt Ihr, daß hier die Pocken grassieren?« fragte er.

»Ja«, antwortete ich.

»Eure Schwester und andere sind von dieser Seuche befallen. Es ist reine Torheit, hier auch nur einen Augenblick länger als notwendig zu bleiben. Macht Euch bereit, sofort aufzubrechen.«

»Die Pocken kümmern mich nicht«, rief ich inbrünstig aus.

Ich sah, wie sich unter seiner fahlen Haut Röte zeigte und die Verheerungen der Seuche dadurch deutlicher sichtbar wurden. Es war mir einerlei, was er sagte. Ich stand noch unter der Obhut meines Vaters, der Verständnis haben würde. Dieser Mann aber wußte nichts von Liebe, von der Sorge um Menschen, die einen bewog, ungeachtet aller Gefahr in ihrer Nähe zu bleiben... Ich konnte Anne jetzt nicht verlassen.

»Das ist Torheit«, sagte er leise. »Ihr wißt nicht, was Ihr da sagt.«

Ich war nun entschlossen, ihm Widerstand entgegenzusetzen. Mich wunderte nur, warum er Elizabeth Villiers nicht hinausschickte.

Da drehte er sich plötzlich um und ging. Als ich Elizabeth ansah, glaubte ich einen Anflug von Belustigung in ihrem schlauen Blick zu lesen.

»Mußten Eure Hoheit so heftig sein?« sagte sie. »Schließlich haben wir hier die Pocken. Er ist Euer Gemahl. Ihr habt ihm widersprochen. Das wird ihm nicht gefallen... nach seiner Enttäuschung über das Neugeborene!«

An jenem Tag kam mein Vater zu mir.

»Du hast dich also geweigert, deine Schwester zu verlassen«, sagte er.

Ich nickte.

»Der Prinz ist darüber nicht erfreut. Im Gegenteil, er ist entschlossen, zum frühestmöglichen Zeitpunkt nach Holland aufzubrechen.«

Ich ging zu ihm und drückte mein Gesicht an ihn.

»Im Moment ist er nicht der Glücklichste«, sagte ich. »Er hatte gehofft, das Kind würde als Mädchen oder tot zur Welt kommen. Er hat mich nur geheiratet, weil die Aussicht bestand, daß ich eines Tages die Krone erben würde. Mich freut, daß er darum betrogen wurde.«

»Der Vertrag war für ihn sehr wichtig, aber er wollte

ihn erst unterzeichnen, nachdem er dich gesehen und die Vermählung stattgefunden hatte. Und, meine liebe Tochter, ihm hat gefallen, was er sah, oder es hätte keine Heirat gegeben.«

»Nein, er haßt mich so wie ich ihn.«

»Das ist erst der Anfang. Er ist ein guter Mann. Dein Onkel hegt große Achtung für ihn.«

»Mein Onkel scheint ihn ständig auszulachen.«

»Sein genügsames Leben und seine strengen religiösen Ansichten belustigen Charles. Aber als Mann... als Staatsmann... wird er zu den hervorragendsten ganz Europas gezählt. Eines Tages wirst du stolz auf ihn sein, Mary.«

»Ich wünschte, er wäre nie gekommen. Ich wünschte, wir müßten mit den Holländern nicht befreundet sein.«

»Aber dir werden die Holländer gefallen. Es sind gute, gesetzestreue Menschen, die ihrem Prinzen ergeben sind und diese Ergebenheit auch der Prinzessin entgegenbringen werden. Und du wirst sie schätzen, wenn du erst siehst, wie sie dich schätzen.«

»Du bist gekommen, um mich zu trösten. Ich nehme an, als Vorbereitung für meinen Abschied.«

Als er daraufhin schwieg, wußte ich, daß ich mich nicht getäuscht hatte.

»In zwei Tagen findet ein ganz besonderer Ball statt«, sagte er. »Am Geburtstag der Königin. Der König ist der Meinung, der Tag darauf wäre für deinen Abschied günstig.«

Ich hielt den Atem an. »So bald?«

»Möglich, daß das Wetter eine Abreise verhindert.«

»Aber einmal muß es sein«, sagte ich betrübt.

Er schwieg still, ehe er sagte: »Ich fürchte, daß Lady Frances nicht mitkommen kann.«

»Ich weiß, daß sie sehr krank ist.«

»Und eine Besserung ist nicht in Sicht.«

»Ich bin so in Sorge um Anne.«

»Anne ist jung. Wir haben noch Hoffnung. Ich kann

nicht glauben, daß Gott so grausam sein wird, mir beide Töchter zu nehmen.«

Wir hielten uns stumm umarmt.

Schließlich sagte er. »Lady Inchiquin wird die Stelle von Lady Frances einnehmen. Sie ist eine reife, verheiratete Frau.«

»Wieder eine Villiers!«

»Sie stehen beim König in Gunst. Er möchte, daß du von Menschen umgeben bist, die dir über die ersten schwierigen Tage hinweghelfen, welche sich beim Beginn eines neuen Lebens in einem fremden Land unweigerlich einstellen. Die zwei Villiers-Mädchen, die schon hier bei dir waren, Elizabeth und Anne, werden auch dort um dich sein, und dazu Anne Trelawny. Ich weiß, daß sie dir die liebste ist. Weiter wird Henry Wroths Tochter Jane mitkommen und Lady Betty Selbourne. Beide sind sehr angenehm. Du wirst also von vertrauten Gesichtern umgeben sein.«

»Das alles kommt so rasch«, sagte ich niedergeschlagen.

»Manchmal ist es so besser. Ach, meine Teuerste, wie du mir fehlen wirst!«

Wir vergossen unsere Tränen gemeinsam, mehr konnten wir nicht tun.

Ich haßte jeden einzelnen Augenblick dieses Balls. Es war ein glänzender Anlaß, mit dem nicht nur der Geburtstag der Königin, sondern auch unsere Vermählung gefeiert werden sollte.

Was für ein Hohn! Ich wußte, daß die Königin nicht glücklich war. Die zahlreichen Treuebrüche des Königs, den sie über alles liebte, hatten ihr nicht verborgen bleiben können. Wie hätte sie glücklich sein können? Und unsere Ehe – nun, William war alles andere als glücklich über sie, und was mich betraf, so hatte sie mein Leben zerstört. Welch ein Anlaß für einen Ball!

William richtete den ganzen Abend über nicht ein einziges Mal das Wort an mich. Er war auch nicht der Mann, der einen Ball ziert. Schroff, unscheinbar gekleidet – welch ein Gegensatz zum König und zu meinem Vater! Er hätte gut zu Oliver Cromwell gepaßt, dachte ich bei mir. An unserem glänzenden Hof, an dem gute Manieren, Auftreten, Geist und Anmut so wichtig waren, war kein Platz für ihn. Er hob sich unvorteilhaft von den anderen ab, mürrisch, linkisch, mißbilligend, und schien dabei seiner Weisheit und Würde so sicher, daß ich mich schon fragte, ob er damit nicht sogar recht hatte.

Allen war aufgefallen, daß er mich nicht beachtete. Der König, glaube ich, fand dies erheiternd. Ich konnte mir seine Bemerkung vorstellen: »Mein armer Neffe. Was für eine Enttäuschung für ihn! Der kleine Bursche, den die Herzogin gebar, hat gute Chancen zu überleben! Springt man so mit einem gottesfürchtigen Menschen um? Wird denn Tugend vom Himmel nicht belohnt? Was treiben die dort oben? Kümmern sie sich nur um die Sünder und nicht um ihresgleichen?«

Anne Trelawny war äußerst ungehalten. Sie war in großer Sorge um ihren kranken Vater, der sich im St. James-Palast befand. Es war kein gesunder Ort, und ich nahm an, William hatte recht, als er dafür plädierte, ich sollte den Palast verlassen. Meine Weigerung war in seinen Augen nichts weiter als eine Torheit.

»Wie er sich auf dem Ball benahm, war grausam«, sagte Anne. »Er ist ein Ungeheuer. Es tut mir leid, das sagen zu müssen.«

Jane Wroth, die ich wegen ihrer Warmherzigkeit und Natürlichkeit schätzte, aber auch, weil sie offen und ohne Rücksicht auf die Wirkung ihrer Worte ihre Meinung äußerte, sagte: »Das stimmt. Er ist nichts weiter als ein holländisches Ungeheuer.«

Sarah Jennings, von der ich mich bald verabschieden würde, da sie bei meiner Schwester blieb, stellte fest: »Er erinnert mich an Caliban. Er sieht aus, als führe er etwas im Schilde.«

Ich nahm an, sie sprach nur deshalb so freimütig, weil ich bald fort sein würde, und der Prinz mit mir.

Auch später hörte ich noch, wie sie über ihn sprachen. Sie nannten ihn das holländische Ungeheuer, Caliban.

Das also war mein Gemahl.

Die Zeit war gekommen. Ein weiterer Aufschub war nicht möglich. Mein Vater hatte im St. James-Palast entsprechende Anweisungen gegeben. Anne, die nun schwerkrank war, durfte von meiner Abreise nichts erfahren, weil er fürchtete, dies könnte sich auf ihren geschwächten Zustand ungünstig auswirken. Was mich betraf, so hatte man mir aus Angst vor Ansteckung ausdrücklich untersagt, mich meiner Schwester zu nähern. So kam es, daß ich fortmußte, ohne ihr Lebewohl sagen zu können. Ich fragte mich, welche Schicksalsschläge mich noch erwarten mochten.

Nun erst merkte ich, daß ich Lady Frances liebgewonnen hatte und sehr bedauerte, daß sie mich nicht begleiten würde.

Auch wurde mir klar, daß ich Elizabeth Villiers fürchtete und ihrer Schwester Anne wenig abgewinnen konnte. Aber ich hatte immerhin Anne Trelawny. Mit ihr und der munteren kleinen Jane Wroth sowie der lebhaften Betty Selbourne war das Zusammensein sehr angenehm.

Den Abend vor meiner Abreise verbrachte ich damit, zwei Briefe an meine Schwester Anne zu schreiben. Ich ließ die Duchess of Monmouth kommen und bat sie, die Briefe meiner Schwester zu übergeben, sobald diese genesen sein würde. Sie sollte wissen, daß ich in Gedanken bei ihr war und daß es mich zutiefst bekümmerte, sie verlassen zu müssen.

William hatte sich mir seit unserer Hochzeitsnacht nicht mehr genähert, und mir kam immer deutlicher zu Bewußtsein, daß das Erlebnis für ihn ebenso unangenehm wie für mich erniedrigend gewesen war.

Ich glaube, da fing ich an, ihn ein wenig zu mögen, obwohl es mich nicht im mindesten unangenehm berührte, als ich die geflüsterten Bemerkungen hörte, in denen man ihn als holländisches Ungeheuer bezeichnete und Caliban nannte.

Nun, da ich dem Thron nicht mehr so nahe war, stellte ich für ihn eine Enttäuschung dar, aber ich sah, daß sie ihn nicht dazu verleitete, mir aus Bosheit weh zu tun. Er benahm sich ganz natürlich, und wir waren uns in unserem Bedauern über eine Heirat, die sich als völlig überflüssig erwiesen hatte, einig.

An jenem gefürchteten Tag verließ ich St. James und begab mich nach Whitehall, um von der Königin Abschied zu nehmen.

Königin Catherine war eine sanfte, liebenswürdige Frau, die trotz eigenen Kummers noch Mitgefühl für mich aufbrachte und für meine Gefühle Verständnis hatte. Sie erinnerte mich daran, daß sie nach England gekommen war, um einen Mann zu heiraten, den sie noch nie gesehen hatte.

»Aber, Madame, Ihr seid nach England gekommen, und ich muß es verlassen«, platzte ich heraus. »Ihr seid zum König gekommen… und ich…«

Mehr sagte ich nicht. Sie verstand. Sie war zum liebenswürdigsten und charmantesten aller Männer gekommen, während ich mit einem gehen mußte, dem es an diesen Eigenschaften völlig mangelte. Sie hätte hier ihr großes Glück finden können, wäre es nicht von ständiger Eifersucht getrübt gewesen. Arme Königin Catherine. Ein vollkommenes Glück konnte es wohl nicht geben.

Ich verließ sie in Tränen und mit dem Gefühl, sie niemals wiederzusehen.

Auf den Stufen von Whitehall wartete der König mit meinem Vater. Das Ufer war von Menschen gesäumt.

William war da und Bentinck und andere seines Gefolges mit ihm. Es hieß, daß der Wind für die Überfahrt nach Holland günstig sei, und mein Herz sank, denn nun gab es keine Verzögerung mehr. Nur mehr wenige Stunden, und ich würde England verlassen.

Wir fuhren flußabwärts nach Erith. Dort speisten wir, und dann kam der endgültige Abschied.

Der König küßte mich zärtlich und sagte, ich solle Whitehall besuchen, wann immer ich wollte. Solange er hier hofhielt, würde mir immer ein herzlicher Empfang gewiß sein.

Ich klammerte mich an meinen Vater. Etikette und Zeremoniell waren vergessen, als er seinen Tränen freien Lauf ließ. Ich glaube, er hat mich mehr als seine anderen Kinder geliebt, so daß diese Ehe für ihn eine ähnliche Tragödie darstellte wie für mich.

Und dann segelten wir flußabwärts gegen Sheerness, wo uns die holländische Flotte erwartete, die uns nach Holland bringen sollte. Und dort geschah, was ich auf kindische Weise herbeigefleht hatte. Der Wind schlug um, und man entschied sich zu warten, bis er wieder günstiger wehte.

William schien darob erbost. Er war schon ungeduldig und reagierte auf diese Verzögerung mit Enttäuschung.

Von Whitehall kam eine Botschaft des Königs. Warum wir nicht an den Hof zurückkehrten? Er versprach uns, daß wir die Zeit bis zum Umschlagen des Windes angenehmst verbringen würden.

William aber hatte kein Verlangen, an den leichtlebigen Hof zurückzukehren. Er zog es vor, in Sheerness zu bleiben, und wir verbrachten dort eine Nacht bei Colonel Dorrel, dem örtlichen Gouverneur. William zeigte sich mir gegenüber weiterhin distanziert, eine Tatsache, die mich sehr tröstete und bewirkte, daß meine Abneigung ein wenig schwand, obwohl Kummer und Schmerz bei mir noch überwogen.

Ich weiß jetzt, daß William ein äußerst zielstrebiger Mann war. So glaubte er fest daran, eines Tages die englische Krone zu tragen. Bei seiner Geburt hatte es eine Prophezeiung gegeben, von der später die Rede sein soll. Er war ein Mensch, der eine Gelegenheit ergriff, wenn er sie sah, und oft einen Nachteil in einen Vorteil umzukehren verstand. Die Verzögerung war für ihn enttäuschend, doch er entschloß sich, sie zu nutzen. Daß ihm der Charme des Königs und meines Vaters abging, wußte er, doch verfügte er über einen großen Vorteil: seine Religion. Und er wußte, daß die Heirat großen Anklang gefunden hatte. Wenn die Zeit meiner Thronbesteigung gekommen war, dann wollte er vom Volk respektiert werden.

Ich glaube, das war der Grund, weshalb er den Entschluß faßte, die holländische Flotte solle von Sheerness nach Margate segeln – und von dort weiter nach Holland –, während unsere Gesellschaft sich auf dem Landweg über Canterbury nach Margate begeben wollte. Auf diese Weise konnten wir uns dem Volk zeigen, und wenn der große Tag gekommen war und William als König nach England zurückkehrte, würde er nicht als völlig Fremder kommen.

An diese gewundene Denkweise sollte ich mich mit der Zeit gewöhnen. Als Herrscher zeigte er unbestreitbar Größe und räumte daneben anderen Dingen in seinem Leben wenig Platz ein.

So begaben wir uns nach Canterbury und erlebten unterwegs große Freudenbekundungen. Wir waren beliebt beim Volk, ein Umstand von großer Bedeutung.

Der Großteil unsrer Reisegesellschaft war mit der Flotte in Sheerness geblieben, so daß wir nur eine kleine Gruppe bildeten: Lady Inchiquin, eine Zofe für mich, William Bentinck und ein weiterer Holländer mit Namen Odyke.

Was nun folgte, war sehr ungewöhnlich. Damals war mir nicht klar, daß es Teil eines Plans war.

Wir trafen in einem Gasthof ein, wo William erklärte, er

sei knapp bei Kasse. Dies erschien mir unglaublich, da ich wußte, daß er einen Teil meiner vierzigtausend Pfund betragenden Mitgift in Empfang genommen hatte. Nun aber schickte er Bentinck zum Stadtmagistrat um Kredit, da der Prinz mittellos sei.

Später begriff ich, daß er damit die Leute gegen meinen Vater aufbringen wollte, den William verachtete und allmählich als seinen größten Feind anzusehen begann. Mein Vater hatte versucht, die Ehe zu verhindern. Er hatte nicht gezögert, seine Mißbilligung offen zu zeigen. William aber wollte als große protestantische Führerpersönlichkeit gesehen werden, die England vor dem katholischen Joch retten würde, das der Duke of York, der gegenwärtige Thronerbe, repräsentierte.

Ich glaube, die von William beabsichtigte Wirkung wurde, wie so oft, erreicht.

Die ganze Stadt war voll des Mitgefühls für den Prinzen, der die Tochter des Herzogs geheiratet hatte und nun schäbigerweise ohne Geld auf den Weg geschickt worden war. Doctor Tillotson, Dekan von Canterbury, kam zu William und bat um eine Audienz.

Sie wurde ihm sofort gewährt.

»Euer Hoheit«, sagte Doctor Tillotson, »diese Angelegenheit wird von allen guten Menschen Canterburys zutiefst bedauert. Ich bitte Euch, das Dekanat mit Eurer Anwesenheit zu beehren. Eure Mittellosigkeit ist ein Skandal, doch pflegen Gäste Eures Standes bei einem Besuch der Stadt im Dekanat abzusteigen.«

William dankte Doctor Tillotson für sein gastfreundliches Angebot, sagte aber, daß er es zufrieden sei, im Gasthof zu bleiben. Er nähme jedoch das Angebot eines Kredites an, und sagte auch, daß er Doctor Tillotsons guten Willen nie vergessen würde.

William stieß auf viel Sympathie, während mein Vater, dem man die Schuld an Williams Mittellosigkeit gab, sich heftiger Kritik ausgesetzt sah. Genau dies hatte William erhofft. So befriedigt hatte ich ihn seit unserer Hochzeit nicht mehr gesehen.

Weitere Botschaften aus Whitehall erreichten uns, in denen man uns zur Umkehr aufforderte und uns riet zu warten, bis sich das Wetter besserte, aber William lehnte ziemlich schroff ab und erneuerte seine Freundschaft mit Doctor Tillotson, der in der Vergangenheit vehement gegen den Katholizismus gepredigt hatte, wie ich nun erfuhr.

Während unseres Aufenthalts sahen wir ihn sehr oft. Er war ein Mann mit viel Liebenswürdigkeit und Güte. Nachts stattete William mir keinen Besuch ab. Ich befand mich noch in England und war ein wenig getröstet.

Es war ein seltsames Zwischenspiel, und da ich noch nie in einem Gasthof übernachtet hatte, war es für mich etwas völlig Neues. Hier erreichte mich die traurige Nachricht, daß Lady Frances Villiers an den Pocken gestorben war. Ich mußte an meine so lange zurückliegende Ankunft in Richmond denken. Und an die Entdeckung der an Frances gerichteten Briefe. Wenn man weiß, daß man einen Menschen nie wiedersehen wird, kommt einem dergleichen in den Sinn.

Ich dachte auch an die Villiers-Schwestern, die diese Nachricht in Margate erreichen würde, wo sie mit der holländischen Flotte warteten.

Meine Angst um meine Schwester Anne wuchs, und ich wartete mit Bangen auf Nachricht von ihr.

Dann schlug der Wind um, und William wollte keine Zeit mehr verlieren.

Ich war erleichtert, wieder mit Anne Trelawny zusammen sein zu können. Die Villiers-Mädchen waren nach der Nachricht vom Tod ihrer Mutter untröstlich. Ich teilte ihren Kummer, wenngleich meine Gedanken von der Sorge um Anne beherrscht wurden.

November ist nicht die günstigste Zeit für die tückische Überfahrt. Kaum waren wir aus dem Hafen von Margate ausgelaufen, als der Wind auffrischte. Wie warf er unser armes Schiff hin und her! Wie grausam zerrte er an den Segeln! Ich glaubte, mein letztes Stündlein habe geschlagen. Alle Frauen wurden krank, nur ich nicht. Vielleicht war ich zu unglücklich, um mich vom Sturm ängstigen zu lassen. Ich saß in meiner Kabine, ungeachtet dessen, was vorging. War mir der Tod bestimmt, dann mußte ich nicht nach Holland fahren und Williams Frau sein. Das erschien mir tröstlich.

Als wir uns der Küste näherten, legte sich der Wind.

Wir waren erschöpft von der stürmischen Überfahrt und landeten an einem Ort mit Namen Ter-Heyde, von wo aus man uns unverzüglich in den Hounslaerdyke-Palast brachte. Ich war froh, da ich zu müde war, um an irgend etwas anderes als an Ausruhen zu denken. Die erste Nacht in meiner neuen Heimat schlief ich lang und fest.

# *Prinzessin von Oranien*

## Ein Besuch ›ganz inkognito‹

Vermutlich kann man nicht wochenlang in tiefster Niedergeschlagenheit verharren – schon gar nicht, wenn man jung ist. Ich war erst fünfzehn, und junge Menschen sind, glaube ich, sehr widerstandsfähig.

Nachdem ich die stürmische See erlebt und um mein Leben gebangt hatte, war es eine Erleichterung, wieder Land unter den Füßen zu spüren. Mir war nämlich klargeworden, daß ich trotz allem leben wollte.

Ich konnte nicht umhin, vom Palast in Den Haag beeindruckt zu sein, in den wir Einzug hielten, nachdem wir Hounslaerdyke verlassen hatten. Es war ein herrlicher Bau, wie er nicht großartiger hätte sein können, mit seinen gotischen Gewölben und dem See Vyver, der das Gemäuer auf einer Seite umspülte.

Es war die offizielle Residenz des Statthalters, daher die geradezu beängstigende Kühle. Trotz meiner Bewunderung für den Palast war ich doch froh, als ich entdeckte, daß nicht von mir erwartet wurde, ständig hier zu leben.

Es gab daneben noch zwei Residenzen, die eigentlich Teil des Palastes waren. Eine war der Alte Hof, ein Witwensitz, und sehr hübsch, aber der Bau, der mir wirklich zusagte, hieß *Haus in den Wäldern*. Man kann sich mein Entzücken vorstellen, als ich entdeckte, daß dies mein Heim sein sollte.

Seinem Namen entsprechend, lag es im Wald, war aber von schönen Gärten umgeben. Zwei neue Flügel waren angebaut worden, um mein Gefolge unterzubringen.

Er lag etwas eine Meile vom Den Haag-Palast entfernt, und davor befand sich eine lange Allee, an deren Ende ein eindrucksvolles Standbild des Statthalters William Henry, des Großvaters meines Gemahls, aufragte.

Ich glaube, daß ich ein wenig Hoffnung schöpfte, als ich das *Haus in den Wäldern* betrat, da es trotz seiner Pracht irgendwie anheimelnd wirkte. Die Wände des kuppelgekrönten Ballsaales waren mit Gemälden bedeckt, unter ihnen eines meines Großvaters, des unvergessenen Charles, des Märtyrers. Man zeigte mir noch ein zweites Bild eines Anverwandten. Es war das Porträt meiner Tante Mary, die nach Holland geheiratet hatte und Mutter meines Gemahls geworden war.

Im Laufe der Wochen verfiel ich in einen Zustand völliger Resignation. Bald wurde mir klar, daß ich von William nicht viel zu sehen bekommen würde. Nicht einmal bei den Mahlzeiten trafen wir einander, da er meist im Haag-Palast mit seinen Ministern speiste und meine Anwesenheit unerwünscht gewesen wäre.

Zuweilen kam er zum Abendessen ins *Haus in den Wäldern*, und diese Abende fürchtete ich, da ich wußte, daß wir anschließend die Nacht zusammen verbringen würden.

Ich versuchte Verständnis für seinen Standpunkt aufzubringen. Diese Gelegenheiten waren ihm ebenso widerwärtig wie mir, da ich ständig den Tränen nahe war und sie oft nicht zurückhalten konnte. Und daß ich als Vorbereitung für die Pein die Zähne zusammenbiß, war dem Liebesspiel nicht eben förderlich.

Er war nicht der Mensch, seine Gefühle zu verbergen oder mir die Sache zu erleichtern.

»Hör auf zu heulen«, sagte er meist. »Begreifst du denn nicht, daß es unsere Pflicht ist?«

Ja, diese Einstellung war dazu angetan, in jedem Menschen auch die glühendste Leidenschaft zu ersticken, falls er kein Sadist war, und das war William gewiß nicht. Er wollte das unangenehme Geschäft so rasch als möglich hinter sich bringen und machte kein Geheimnis daraus.

Vielleicht hätte ich froh darüber sein sollen, aber etwas Widersprüchliches in meinem Wesen verhinderte dies. Ich wollte ihn nicht, doch wollte ich – mit typisch weiblicher Logik –, daß er mich wollte.

Ich wußte, daß ich nicht abstoßend war. Trotz meiner Neigung zur Fülle galt ich als schön. Ich war jung und jungfräulich – zu sehr, wie es schien. Ich glaube, meine Jugend irritierte ihn, ganz gewiß aber meine Angst.

Es war sonderbar, daß ich dieses leise Bedauern spürte, weil die ›Pflicht‹ ihm ebenso widerwärtig war wie mir. Ich dachte an Maria Beatrice und meinen Vater. Tatsächlich beherrschte mein Vater meine Gedanken ständig, und ich sehnte mich nach seiner Nähe. Maria Beatrice war so jung wie ich gewesen und ebenso verängstigt. Es mußte ihr genauso ergangen sein wie mir. Und dann hatte sie sich plötzlich nicht mehr gefürchtet und war statt dessen eifersüchtig auf Arabella Churchill und die anderen geworden. Aber sie hatte meinen Vater lieben gelernt. Würde ich William je lieben lernen? Die beiden waren voneinander so verschieden wie zwei Menschen nur sein konnten. Mein Vater und der König besaßen das, was man den Stuart-Charme nannte. Eine vergleichbare Eigenschaft suchte man bei William vergeblich. Zwar wußte ich, daß Menschen, die so charmant Komplimente verteilten wie der König, sie nicht immer aufrichtig meinten. William würde nie etwas sagen, was er nicht auch so meinte. William würde nie so tun als ob.

Und so verging Woche um Woche. Ich lernte, mich für die Abende zu wappnen, an denen William zum Abendessen kam, und ich entdeckte, daß sie weniger unangenehm verliefen als am Anfang. Ich wußte, was ich zu erwarten hatte, und das ist immer besser, als überrumpelt zu werden. Und das *Haus in den Wäldern* gefiel mir. Ich konnte mit meinem Gefolge umherwandern und mich im Wald ergehen, wann immer es mich danach gelüstete. An den Abenden tanzten wir oder spielten Karten, so daß ich, von den Abendmahlzeiten und ihrem Nachspiel mit William abgesehen, einigermaßen glücklich war.

Aus der Heimat erreichten mich wundervolle Nachrichten. Anne war wieder völlig wiederhergestellt, und darüber war ich so erleichtert und entzückt, daß mich zu jener Zeit nichts unglücklich machen konnte.

Meiner teuren Frances Apsley schrieb ich noch immer und nannte sie ›meinen Mann‹. Dabei fragte ich mich, was William von diesen Briefen gehalten hätte. Er durfte sie nie zu sehen bekommen. Aber hätten sie ihn denn interessiert? Allmählich merke ich nämlich, da ihn außer seinen Regierungsgeschäften nichts interessierte.

Ich weiß noch, wie wir eines Tages mit unseren Handarbeiten dasaßen und ich die merkwürdige Begebenheit zur Zeit von Williams Geburt hörte, die ihn zutiefst beeinflußt haben mußte. Sie vor allem hatte bewirkt, daß er fest an sein Schicksal glaubte.

Mir fiel auf, daß Elizabeth Villiers gern über William sprach. Zuweilen ertappte ich sie dabei, wie sie mich verstohlen musterte, als stelle sie Überlegungen an. Ich verstand sie nicht, und ich wünschte, ich hätte meinen Vater gebeten, er möge veranlassen, daß sie zu Hause blieb. Ihre Schwester Anne war mir erträglich, aber Elizabeth hatte etwas an sich, das mich beunruhigte. Das war schon immer so gewesen, doch zur Zeit meiner Vermählung hatte ich mich so jämmerlich gefühlt, daß ich an nichts anderes hatte denken können. Ich hätte klüger sein sollen. Mein Vater hätte sofort meinem Wunsch zugestimmt, ohne Elizabeth nach Holland zu fahren, denn die wichtigste Aufgabe dieser Mädchen war, mir in der Ferne ein Trost zu sein. Aber es war zu spät, sich jetzt darüber den Kopf zu zerbrechen.

Bei dieser Gelegenheit nun sagte sie: »Unlängst hörte ich eine sonderbare Geschichte, die sich um die Geburt des Prinzen rankt. Wirklich ganz ungewöhnlich.«

Wir alle waren ganz Ohr.

»Jemand, der Mrs. Tanner, die Hebamme, kannte, hat sie mir erzählt. Vielleicht hat der Prinz Euer Hoheit selbst davon berichtet?«

Wieder sah sie mich mit ihrem verschlagenen Blick an. Sie wußte, daß zwischen mir und dem Prinzen wenig gesprochen wurde, und deutete mit ihrer Frage an, wie unwahrscheinlich es war, daß er zu mir etwas sagte – außer, ich solle nicht weinen und mich nicht anstellen wie ein törichtes Kind, das nach seinem Vater zetert.

»Was war es?« fragte ich.

»Also... wenn Ihr die Geschichte nicht kennt und nichts dagegen habt, daß ich erzähle...« fing Elizabeth an.

»So sprich schon«, rief Anne Villiers. »Ich kann es kaum erwarten.«

»Es war eine traurige Zeit«, fuhr Elizabeth fort. »Der Vater des Prinzen war nur achte Tage vor der Geburt gestorben. Der Hof war in tiefer Trauer, und die Prinzessin ließ ihr Schlafgemach mit schwarzem Tuch verhängen.«

»Aber für die Geburt ihres Sohnes hat sie doch sicher die Farbe gewechselt?« fragte Anne Trelawny.

»Nein«, erwiderte Elizabeth. »Nicht, wenn man Mrs. Tanner glauben will. Sogar die Wiege war schwarz verhängt.«

»Was für eine traurige Manier, ein Kind zur Welt zu bringen!« bemerke Jane Wroth.

»Was weiß denn ein Kind davon?« gab Elizabeth zurück. »Aber das ist nicht wichtig. Als er das Licht der Welt erblickte, ...genau in diesem Moment... erloschen alle Kerzen.«

»Wer hat sie ausgeblasen?« fragte Anne Trelawny. »Oder war es nur der Wind?«

»Niemand. Sie gingen von selbst aus.«

»Wie schwierig für alle«, warf Jane Wroth ein. »Ein Kind, das in Finsternis geboren wird.«

»Aber es waren trotzdem die Lichtkreise zu sehen.« Elizabeth sprach mit großer Eindringlichkeit, und ich, die sie beobachtete, sah, daß ihr Silberblick in diesem Moment sehr ausgeprägt war. Dies ließ sie berechnend, klug, hexenähnlich aussehen.

In ernstem Ton fuhr sie fort: »Und um den Kopf des Neugeborenen lagen drei Lichtkreise. Mrs. Tanner hat sie ganz deutlich gesehen.«

»Was waren diese Kreise?« fragte ich.

»Euer Hoheit, es waren Zeichen. Mrs. Tanner sagte, sie hätten wie drei Kronen über dem Kopf des Kindes geschwebt.«

»Was hat dies zu bedeuten?« fragte Anne Trelawny.

»Es soll angeblich heißen, daß der Prinz zu Großem bestimmt sei. Sein Vater war tot. Einen Statthalter gab es nicht. Um das Land stand es nicht gut. Und er war eben zur Welt gekommen. Es hieß, das Zeichen bedeutete, daß er drei Kronen erben würde.«

»Welche Kronen?« fragte ich.

Den Blick unverwandt auf mich gerichtet, sagte Elizabeth: »Man spricht von den drei Kronen Britanniens: den Kronen Englands, Irlands und Frankreichs.«

Elizabeth senkte den Blick ihrer eigenartigen Augen. Sie strahlte etwas aus, das ich nicht durchschaute, Stolz, Triumph...

Sie hatte es immer schon verstanden, mich zu verblüffen.

Nicht lange nach meiner Ankunft in Holland wurde ich aufgefordert, im Haag-Palast zu erscheinen, wo mein Onkel Laurence Hyde, Earl of Clarendon, der englische Botschafter, mir und William etwas Wichtiges mitzuteilen hatte.

Schon seit langem war mir klar, daß mein Mann mir jede Teilnahme an Staatsangelegenheiten verweigerte, dies aber war etwas anderes. Der Botschafter meines königlichen Onkels rief dem Volk in Erinnerung, daß ich die Nichte des Königs und Prinzessin von Oranien war.

Verwundert, was dies wohl bedeuten mochte, begab ich mich in den Audienzsaal des Palastes, wo William und Clarendon mich schon ungeduldig erwarteten.

Mein Onkel begrüßte mich mit der Ehrerbietung, die meinem Rang als Gemahlin des Prinzen zukam, und erklärte dann, daß die Nachricht uns beide beträfe.

»In Whitehall herrscht tiefe Trauer, Eure Hoheiten. Charles, Duke of Cambridge, ist gestorben.«

Arme Maria Beatrice! Ihr zwei Tage nach meiner Hochzeit geborenes Söhnchen, das Charles getauft und zum Duke of Cambridge ernannt worden war, war tot!

Nun trat Schweigen ein. In Gedanken weilte ich bei meiner Stiefmutter. Wie hatte sie sich gefreut, daß endlich der heißersehnte Sohn geboren worden war; was für Hoffnungen hatte sie in ihn gesetzt.

Und wie kurz war sein Leben gewesen! Dies war das Kind, das für Bitterkeit in unserer Ehe gesorgt und für William eine so tiefe Enttäuschung bedeutet hatte.

»Die arme Herzogin«, sagte ich schließlich. »Wie geht es ihr?«

»Sie ist zutiefst bekümmert, Euer Hoheit, und der Herzog ebenso«, erwiderte mein Onkel.

Ich blickte William an. Was er empfand, konnte ich mir denken, und ich staunte über seine Fähigkeit, es zu verbergen. Nach einem tiefen Atemzug äußerte er: »Wir wollen dem herzoglichen Paar unser tiefstes Beileid aussprechen.«

»Ich will ihnen unverzüglich schreiben«, sagte ich.

»Es wird Ihre Gnaden trösten, von Euch zu hören«, sagte mein Onkel.

»Was war die Todesursache?« fragte nun William.

Laurence Hyde war seiner Sache nicht sicher. »Es hat natürlich die üblichen Gerüchte gegeben.«

»Gerüchte?« fragte William mit mehr Interesse, als er gezeigt hatte, als er die traurige Nachricht vernahm.

»Euer Hoheit, es ist nur Klatsch. In Whitehall grassierten die Pocken. Lady Anne selbst... gottlob ist sie wiederhergestellt... aber es hat einige Todesfälle gegeben. Lady Frances Villiers...«

»Ach ja«, murmelte William. »Und jetzt der kleine Herzog. Aber diese Gerüchte...«

»Die Kinderfrauen, Mrs. Chambers und Mrs. Manning, wurden von einigen bezichtigt, kein Kohlblatt aufgelegt zu haben, das die Infektion hätte herausziehen können. Sie behaupteten aber, sie hätten ihr Bestes für ihn getan. Ich bin sicher, daß sie es taten, die Ärmsten. Aber Gerüchte wird es eben immer geben.«

»Und wie geht es meinem Vater?« wollte ich wissen.

»Er ist in tiefer Trauer, Euer Hoheit.«

Ich wünschte, ich hätte bei ihm sein und ihn trösten können.

Als mein Onkel ging und ich mit William allein war, sagte er: »Die Botschaft muß ohne Verzug an den englischen Hof abgeschickt werden.«

Eine gewisse Reserviertheit fiel von ihm ab. Vielleicht hatte er gefühlt, daß es nicht notwendig war, seine wahren Gefühle vor mir zu verbergen. Ich sah, wie sich langsam ein Lächeln in seiner Miene breitmachte – ein Lächeln der Befriedigung.

Ich war schockiert, da ich ständig an das denken mußte, was mein Vater und meine Stiefmutter jetzt durchzumachen hatten.

Es mußte ihm aufgefallen sein, da er eine Hand auf meine Schulter legte.

»Du darfst nicht trauern«, sagte er in einem so sanften Ton, wie er ihn mir gegenüber noch nie angeschlagen hatte. »Sie können noch mehr Söhne bekommen.«

Doch das Lächeln blieb um seine Lippen, und ich war sicher, daß er überzeugt war, sie würden nie wieder Söhne in die Welt setzen. Der Weg lag nun klar vor ihm. Mein Vater würde den Thron besteigen, aber für wie lange? Die Engländer würden einen katholischen Herrscher nie akzeptieren. Kein Wunder, daß William mir gegenüber wohlwollend war.

An jenem Abend kam er zum Essen. In ihm war eine Veränderung vorgegangen. Er war weniger ungeduldig, weniger kritisch.

Damit wollte er wohl andeuten, daß die Ehe sich schließlich doch bezahlt gemacht hatte.

Ich dachte viel über William nach. Tatsächlich dachte ich kaum an etwas anderes. Er war ein seltsamer Mensch, so distanziert, daß ich das Gefühl hatte, ich würde ihn nie kennenlernen. Beim Tode meines kleinen Halbbruders hatte er von seinen Gefühlen ein wenig preisgegeben, doch das war für mich nicht überraschend. Er brachte mir keinen Funken Zuneigung entgegen, wenn ihm auch mein Rang Respekt abnötigte. Für ihn war ich im Grunde ein törichtes junges Mädchen, wie er mir deutlich zu verstehen gab, am deutlichsten während der Perioden der ›Pflichterfüllung‹.

Zuweilen gab ich mich der konventionellen Vorstellung hin, daß ich mich bemühen sollte, ihn zu lieben, da er doch mein Mann war. Ich ging daran, für ihn Entschuldigungen zu suchen, malte mir aus, wie seine Kindheit gewesen sein mußte, und verglich sie mit meinen glücklichen Kindertagen. Manchmal hatte ich das Gefühl, ich hätte mich besser in ihn hineindenken können, wären meine Eltern, insbesondere mein Vater, nicht so liebevoll gewesen.

William war vaterlos geboren worden und hatte seine Mutter verloren, als er noch ganz klein war. Während seiner Kindheit hatte man ihn ständig gelehrt, es sei seine Pflicht, seinem Land zu dienen und den Titel des Statthalters zu erringen.

Ich hatte mir einiges Wissen über die turbulente Geschichte seines Landes angeeignet, über die spanische Besetzung, über seinen großen Ahnherrn William den

Schweigsamen, der dem Übel der spanischen Inquisition widerstanden hatte. William der Schweigsame mußte William sehr ähnlich gewesen sein. Es waren große Männer, ernste Männer – anders als mein Onkel Charles und die Männer in Whitehall und St. James, deren Hauptinteresse ihren Lustbarkeiten galt.

Ich wußte von den de Witts, die das Land bis vor sechs Jahren regiert hatten, als der König von Frankreich das Land überfallen hatte, und William erklärte, er würde bis zum letzten kämpfen und nie aufgeben.

Er war ein großer Feldherr und ein großer Staatsmann, in dem das holländische Volk einen zweiten William den Schweigsamen erkannte. Ich hatte gehört, wie sie sich um ihn geschart hatten, und gegen John und Cornelius de Witt auf die Straße gegangen waren, um deren Haus zu stürmen, sie herauszuzerren und auf der Straße in Stücke zu reißen.

Es war grauenvoll, aber dem Volk war so viel Schreckliches zugemutet worden. William hatte sein Land gerettet und galt nun in ganz Europa als einer der fähigsten Staatsmänner – so bedeutend, daß er die Tochter von James, Duke of York, Erbin der englischen Krone hatte heiraten dürfen – er, der selbst Anrechte auf den Thron hatte.

Die drei Kronen! Ob er an die bei seiner Geburt beobachteten Zeichen glaubt? fragte ich mich zuweilen. Ich hielt ihn für keinen Visionär, aber an Prophezeiungen, die uns große Dinge verheißen, ist es leicht zu glauben, und sein ganzes Leben war einem einzigen Ziel untergeordnet: Ehrgeiz. Und die Krone Englands zu erlangen, die ihm bei seiner Geburt verheißen worden war. Dafür lohnte es sich auch, ein dummes Mädchen zu heiraten, das ihm nur Geringschätzung abnötigte.

Allmählich wuchs bei mir das Verständnis für William, und dies half mir, meine Gefühle für ihn bis zu einem gewissen Grad zu verändern. Ich fürchtete noch immer sein

Kommen, doch ich verstand ihn nun. Er war nicht imstande, Wärme für jemanden zu empfinden, da er nicht zur Liebe erzogen worden war.

Und dann erlebte ich eine Überraschung.

Ich hatte immer gewußt, daß William Bentinck einer seiner geschätzten Freunde war, doch hatte ich nicht geahnt, wie nahe er ihm stand.

Eines Tages sah ich von meinem Fenster aus William vom *Haus in den Wäldern* fortreiten, nach einer unserer gemeinsamen Nächte, die mich immer ein wenig erschütterten, wenngleich ich sie als unvermeidbar hinzunehmen gelernt hatte. William Bentinck kam auf den Palast zugeritten, allem Anschein nach mit einer Botschaft für William. Fast hatte er ihn erreicht, als sein Pferd scheute und Bentinck aus dem Sattel geworfen wurde.

Ich hielt erschrocken den Atem an, doch das Pferd verharrte reglos, und Bentinck raffte sich hastig auf. Ihm war nichts passiert, der Sturz war nichts weiter als ein kleines Malheur. Das Pferd mußte über einen Stein gestolpert sein, und Bentinck war ganz sanft aus dem Sattel geglitten.

In Erstaunen versetzte mich vielmehr das, was anschließend geschah. William war aus dem Sattel gesprungen und zu Bentinck gelaufen. Sie lächelten einander zu, und dann nahm William zu meiner großen Verwunderung Bentinck in die Arme und hielt ihn einen Moment umfangen. Als er ihn losließ, lachten beide zusammen. Was gesprochen wurde, konnte ich nicht hören, doch vermutete ich, William habe seiner Erleichterung darüber Ausdruck verliehen, daß Bentinck sich nicht verletzt hatte. Ich konnte es nicht fassen. William wirkte wie ein anderer Mensch und ließ ein Lächeln sehen, wie ich es an ihm nie gesehen hatte.

Wer hätte gedacht, daß er imstande war, einem Menschen so viel Wärme entgegenzubringen?

Danach wuchs mein Interesse an William Bentinck, und ich fragte mich, was wohl an ihm sein mochte, das William so anzog.

Bentinck war etwa ein Jahr älter als William – ein Edelmann, der als Page in Williams Hofhaltung gedient hatte, eine Stellung, die sie in nahen Kontakt miteinander gebracht hatte. Und da sie mehr oder weniger gleichen Alters waren, konnte man annehmen, daß sie auch gemeinsame Interessen gehabt hatten. So mußte die Freundschaft begonnen haben.

Er hatte William auf der Englandreise begleitet, als dieser sich hervorgetan hatte, indem er die Fenster der Gemächer der Ehrendamen zerbrochen hatte. Ich erfuhr aber, daß die Freundschaft erst einige Jahre später besondere Bedeutung angenommen hatte.

Es kränkte mich ein wenig, daß ich die Geschichte von anderen erfahren mußte. William selbst sprach wenig mit mir, und über seine Vergangenheit gar nicht.

Es hatte sich fünf Jahre nach seiner Rückkehr aus England zugetragen. Der Krieg gegen Frankreich war in vollem Gange, und William weilte zur kurzen Erholung im Haag-Palast, als er an den Pocken erkrankte und damit für große Bestürzung sorgte. Diese Krankheit hatte seine Eltern hinweggerafft, und schon war die Befürchtung laut geworden, daß auch ihn dieses Schicksal ereilen würde. Dies zu einer Zeit, da Holland seiner unbestreitbar klugen Führung bedurfte!

Die Verzweiflung war groß, da die üblichen Hautausschläge sich nicht zeigten; in solchen Fällen war fast sicher mit dem Tod zu rechnen.

Die Ärzte hingen der Theorie an, diese Ausschläge würden sich endlich zeigen und möglicherweise sein Leben retten, wenn eine junge und gesunde Person, die nicht an der Krankheit litt, im Bett des Kranken schliefe und ihn während der Nacht in den Armen hielte. Gab es einen jungen und gesunden Mann, der gewillt war, sein Leben aufs Spiel zu setzen, um das des Prinzen zu retten? Denn es galt als nahezu sicher, daß der Freiwillige sich anstecken würde.

Ich konnte mir die Angst unter den jungen Männern in der Umgebung des Prinzen gut vorstellen. William Bentinck war es schließlich, der anbot, sich für seinen Gebieter und für Holland zu opfern.

Sechzehn Tage und Nächte teilte er Williams Bett und pflegte ihn tagsüber. Die Wirkung war, wie von den Ärzten vorausgesagt. Die Ausschläge kamen zum Vorschein, und Williams Leben war gerettet. Leider aber hatte sich der arme Bentinck schwer angesteckt und war dem Tode nahe. Schließlich aber genas er doch, und seither bestand diese besondere Freundschaft zwischen ihm und William.

Die Geschichte gefiel mir. Sie bewies, daß Williams Herz nicht ganz kalt war. Er war zur Dankbarkeit fähig, und Bentinck verdankte jener Episode seinen Aufstieg. Er war ständig an Williams Seite zu finden. Der Prinz suchte seinen Rat und machte ihn zum Vertrauten.

Da ich nun wußte, daß William zu einer festen Freundschaft fähig war, fing ich an, Entschuldigungen für ihn zu suchen. Mit neun Jahren hatte er seine Mutter verloren, an der er sehr gehangen hatte. Vielleicht war sie es gewesen, die ihm den Ehrgeiz eingepflanzt hatte, nach der englischen Krone zu streben. Sie war Engländerin, die Schwester meines Vaters – und sie hatte William der Obhut von Lady Catherine Stanhope, ihrer Gouvernante, anvertraut, die nach ihrer Heirat mit ihr nach Holland gegangen war. Natürlich hatte auch Mrs. Tanners Geschichte von den drei Kronen eine Rolle gespielt.

Danach fühlte ich mich ein wenig glücklicher. Und dann geschah etwas Wundervolles. Ich war guter Hoffnung. Die Wartezeit war freilich noch lange, aber der ersehnte Zustand war endlich eingetreten.

In meinem Stolz hatte ich jetzt sogar das Gefühl, daß alles, was ich erlitten, sich gelohnt hatte. Wie es wohl war, ein eigenes Kind zu haben? Es würde wundervoll sein. Alle Welt würde sich freuen, besonders, wenn es ein Knabe war. War es ein Mädchen, dann würde Enttäuschung herrschen, aber nur ein wenig, da ich noch jung war. Ich konnte Söhne gebären, denn ich hatte bewiesen, daß ich nicht unfruchtbar war.

William war entzückt, so sehr, daß es ihm unmöglich war, seine Freude zu verbergen. Zum erstenmal lächelte er mir zu.

»Das ist gut«, sagte er. »Wir wollen um einen Sohn beten.«

Damit tätschelte er meine Schulter, und ich lächelte ihm ein wenig schüchtern zu. Fortan konnte ich seiner beifälligen Blicke sicher sein.

Mit Ausnahme von Elizabeth Villiers waren meine Damen entzückt. Natürlich beglückwünschte Elizabeth mich mit den anderen, doch erhaschte ich einen Blick von ihr, den ich nicht zu deuten wußte. Anne Trelawny umhätschelte mich gar, als wäre ich ein Küken und sie die Mutterglucke.

Ich stand erst am Anfang, die Zeit bis zur Entbindung war noch lang, und ich beglückwünschte mich selbst, weil ich die Wartezeit genoß. Keine gemeinsamen Abendmahlzeiten und kein Nachspiel mehr. Warum auch? Der Zweck war erreicht.

Es wurde beschlossen, ich sollte mich dem holländischen Volk zeigen, während die Schwangerschaft noch nicht fortgeschritten war. Am einfachsten ließ sich dies in Form einer Rundreise auf den Kanälen in Gesellschaft meiner Damen durchführen. So würde ich mit größtmöglicher Bequemlichkeit das Land bereisen.

Ich freute mich auf die Rundfahrt und war fast glücklich.

Ich schrieb an meine Schwester Anne, an Maria Beatrice und Frances Apsley, um ihnen die Neuigkeit mitzuteilen.

Frances hatte ich nicht wissen lassen, wie unglücklich ich gewesen war. Ich gestattete mir niemals, William in irgendeiner Weise zu kritisieren. Aber jetzt brauchte ich nicht so zu tun als ob, da ich mich nicht mehr schlecht fühlte.

Die Reisevorbereitungen machten uns viel Vergnügen. Nur Elizabeth Villiers benahm sich ein wenig sonderbar. Kurz vor unserem Abreisetermin verlange sie eine Unterredung mit mir.

»Ich möchte Euer Hoheit Erlaubnis erbitten, zu Hause bleiben zu dürfen«, sagte sie. »Ich bin anfällig für Halsschmerzen, und ich weiß, daß die feuchte Luft mir schaden würde. Wenn ich mich zu lange auf den Kanälen aufhalte, könnte ich krank werden. Ich befolge damit ärztlichen Rat.«

Ich wunderte mich sehr, da ich sie immer für besonders widerstandsfähig gehalten hatte, doch widersprach ich nicht. Ihre Gesellschaft hatte mir nie zugesagt, und ich hatte kein Bedürfnis danach – ich empfand nur Erleichterung.

Es wurde eine sehr angenehme Reise. Wo immer ich erschien, wurde ich von freundlichen Menschen begrüßt. Ich war von der Reinlichkeit der Behausungen sehr beeindruckt, auch von der Art, wie die Leute ihre Freude, mich zu sehen, zum Ausdruck brachten, eine Freude, die mir als sehr aufrichtig erschien, so daß ich das Gefühl bekam, sie hießen mich gern willkommen.

Es ging viel weniger förmlich zu als zu Hause in England. Die Menschen kamen einfach, ergriffen meine Hand und zeigten mir ihre Kinder, damit ich sie bewunderte. In jenen Tagen war ich wirklich glücklich. Das flache grüne Land hatte etwas so Friedvolles an sich, und wenn die Kinder mir Blumen brachten, die sie auf den Wiesen gepflückt hatten, dann wurde ich daran erinnert, daß ich selbst bald ein Kind haben sollte. Ja, zum ersten Mal, seitdem ich nach Holland gekommen war, empfand ich Glück.

Die Nachtluft war tatsächlich sehr feucht, so daß ich eines Tages zu meinem Entsetzen mit Schüttelfrost erwachte. Ich versuchte, darüber hinwegzugehen, doch die Beschwerden blieben. Nach einem Tag bekam ich Fieber.

Ärzte wurden gerufen. Sie sagten, daß ich an Wechselfieber litte. Der Klimawechsel sei schuld, obwohl auch die Luft um den Haag-Palast für ihre Feuchtigkeit berüchtigt war.

So kam es, daß meine Reise durch das Land nicht so glücklich endete, wie sie begonnen hatte. Ich wurde ins *Haus in den Wäldern* zurückgebracht.

Elizabeth Villiers war zur Stelle. Sie erschrak bei meinem Anblick, und ich hatte den Eindruck, daß sie ein wenig enttäuscht war.

»Euer Hoheit ist krank?« fragte sie mit geheuchelter Besorgnis.

»Die feuchte Luft ist schuld«, sagte Anne Trelawny. »Ihre Hoheit muß sofort zu Bett.«

Elizabeths Mißvergnügen blieb unverändert. Ich traute ihr nicht über den Weg. Sie bereitete mir großes Unbehagen.

Ich fühlte mich sehr krank und dann... fing es an.

Die Schmerzen waren grausam. Ich wußte nicht, was in mir vorging. Eine Zeitlang verlor ich das Bewußtsein, und als ich wieder zu mir kam, standen mehrere Ärzte um mein Bett versammelt.

Es war am Morgen – an jenem todtraurigen Morgen – als sie zu mir kamen und mir eröffneten, daß ich mein Kind verloren hätte.

Nie im Leben hatte ich mich elender gefühlt.

William kam. Er war außer sich. Das Kind unserer Hoffnung würde nicht zur Welt kommen.

»Was hast du getan?« wollte er wissen.

»Nichts... nichts... es ist eben passiert«, stammelte ich.

Aus seinem verächtlichen Blick sprachen Enttäuschung

und Wut. Dann ging er. Fast war es, als fürchtete er, mit etwas Böses anzutun, wenn er bliebe.

Da spürte ich Bedauern. Ich hatte das Kind so sehr gewollt wie er. Warum hatte ich es ihm nicht gesagt? Warum ließ ich zu, daß er mich so behandelte? Er flößte mir Angst ein. War er nicht bei mir, dann legte ich mir zurecht, was ich zu ihm sagen wollte, doch wenn er dann kam, ließ mein Mut mich im Stich.

Ich dachte an Maria Beatrice, der von all ihren Kindern nur die kleine Isabella geblieben war, und daran, wie sie den kleinen Prinzen verloren hatte, dessen Geburt für William eine so große Enttäuschung bedeutet hatte, und der, hätte er überlebt, Williams Hoffnungen auf den Thron zunichte gemacht hätte. Liegt auf mir ein ähnlicher Fluch? dachte ich bei mir.

Anne Trelawny redete mir gut zu, ich solle nicht verzweifeln, es sei ja erst das erste Kind gewesen. Das half mir wenig. Ich hatte mein Kind verloren. Ich drückte mein Gesicht ins Kissen und weinte.

Von neuer Hoffnung beflügelt, daß meiner Thronfolge kein Hindernis im Wege stünde, war William entschlossen, seinen Erben zu bekommen, und setzte seine Besuche fort, sobald mein gesundheitlicher Zustand sich gebessert hatte. Es dauerte nicht lange, und ich war wieder guter Hoffnung.

Eines Tages kam aus England ein Brief. Er war an William adressiert und erbitterte ihn dermaßen, daß er seinem Ärger Luft machte.

Der Brief kam von meinem Vater. Die Beziehung zwischen den beiden war nie herzlich gewesen, da sie einander in erster Linie als Katholik und Protestant sahen. Darin konnte ich William meine Sympathie nicht verweigern, da ich inzwischen wußte, wie sein Land unter dem spanischen Joch gestöhnt hatte und wie schrecklich die Holländer unter der Inquisition leiden mußten. An die dreißigtausend waren bis zum Hals eingegraben und dem Tod überantwortet worden, wenn sie nicht den katholischen Glauben als den einzig wahren anerkannten. William wiederum sah meinen Vater als einen, der diese Greuel auf der ganzen Welt verbreiten würde.

Mein Vater wiederum hatte Cromwell und die Puritaner vor Augen, die seinen Vater hingemordet hatten.

Sie waren geboren, um einander feind zu sein, nicht zuletzt, weil sie so verschieden waren – mein Vater warmherzig und liebevoll, William kalt und karg. Wie sonderbar, daß die zwei wichtigsten Menschen in meinem Leben so verschieden waren, und wie bedauerlich, daß sie so erbitterte Feinde sein mußten.

Und nun lag noch ein Grund für Feindschaft vor.

»Eben erreicht mich die Anschuldigung deines Vaters, ich ließe es an der gebotenen Fürsorge dir gegenüber fehlen«, sagte William kalt.

»O nein«, ließ ich mich vernehmen.

»O doch. Ihm scheint es sonderbar, daß du am Fieber leidest, das dich unter seiner Obhut nie befiel. Er teilt mir mit, daß seine Gemahlin, die Herzogin, und deine Schwester Lady Anne dich zu besuchen wünschen.«

Meine Freude war so groß, daß ich die Hände faltete und unwillkürlich ausrief: »Ach, wie mich das beglückt!«

»Sie wollen inkognito kommen, wie dein Vater sich ausdrückt. ›Ganz inkognito‹ lauten seine Worte. Sie haben bereits einen gewissen Robert White vorausgeschickt, der für sie eine Unterkunft unweit des Palastes ausfindig machen soll, damit dem Besuch nichts Offizielles anhaftet.«

»Warum sollen sie auf diese Weise kommen?«

Er sah mich merkwürdig an. »Sie scheinen zu glauben, du würdest hier nicht gut behandelt. Vielleicht hast du in deinen Briefen darüber Andeutungen gemacht?«

»Warum? Was meinst du damit?«

Er zog die Schultern hoch. »Die guten Damen sollen sich

– und deinem Vater – Gewißheit verschaffen, daß du deinem Rang entsprechend behandelt wirst. Mir scheint, man hat in ihnen die Meinung geweckt, dies sei nicht der Fall.«

Er verdarb mir die Vorfreude auf den Besuch.

Ich sagte hastig: »Du wirst doch nicht…«

»Ihnen nicht erlauben zu kommen? Das könnte ich wohl kaum. Aber sei versichert, diese Spioninnen werden gebührend empfangen, wenn sie eintreffen, auch wenn sie ›ganz inkognito‹ kommen.«

Mein Freude ließ sich durch nichts trüben, und ich erwartete sehnsüchtig ihre Ankunft.

Und was für eine Freude es war, sie wiederzusehen! Nun sah ich meine liebe, liebe Schwester, die bei meinem Fortgang so krank gewesen war, blühend und gesund wieder.

Es sei wundervoll, mich zu sehen, versicherte sie mir.

»Als du fortgingst, weinte ich tagelang. Sarah glaubte schon, ich würde mir mit meinem Kummer schaden. Liebe, liebe Mary, wie gefällt es dir hier?«

Sie ließ ihren Blick durch das Gemach wandern. Hübsch sei es, sagte sie, aber nicht so wie das liebe St. James oder Richmond.

Anne redete viel – für ihre Verhältnisse sehr viel –, doch stellte dieses Wiedersehen auch einen besonderen Anlaß dar, der sie aus ihrer üblichen ruhigen Gelassenheit riß.

Und dann meine Stiefmutter! Wie hatte sie sich verändert. Der Kummer hatte seine Spuren hinterlassen.

Sie wußte, daß ich an den Tod ihres Söhnchens dachte, obwohl ich nicht davon sprach.

Es gab so viel zu besprechen. Ich wollte alles über meinen Vater erfahren.

»Er spricht ständig von dir«, sagte Maria Beatrice. »Er wünscht, du wärest wieder bei uns, und er macht sich Vorwürfe, weil er dich gehen ließ.«

»Das war nicht seine Schuld. Wäre es möglich gewesen, dann hätte er mich in England zurückgehalten.«

Sie nickte. »Er konnte nichts tun«, sagte sie. »Aber er sucht noch immer die Schuld bei sich. Mir kommt dieses Land sehr schön vor; die Menschen sind sehr entgegenkommend.«

»Oranien… wie Orange«, sagte Anne sinnend. »Ein sonderbarer Name für ein Land.«

»Ich nenne dich immer Limone… meine liebe kleine Limone«, sagte Maria Beatrice. »Orange und Limone. Ist es nicht so, Anne?«

»Ja«, gab Anne zurück. »Sie sagt: ›Wie es heute wohl der kleinen Limone unter den vielen Orangen ergehen mag?‹«

Wir lachten. Es gab so viel zu erzählen. Ich wollte wissen, wie es allen meinen Freunden ging – dem Duke of Monmouth zum Beispiel. Alle vermißten mich sehr, erfuhr ich.

»Es ist herrlich, daß ihr gekommen seid«, sagte ich.

»Dein Vater wurde von Ungewißheit geplagt. Gern wäre er selbst gekommen, aber das wäre kaum möglich gewesen. Es wäre alles viel zu offiziell ausgefallen. Aber als wir hörten, was sich hier zuträgt…«

»Was habt ihr gehört?«

Maria Beatrice sah Anne an, die sagte: »Es kamen Briefe… von einigen der Damen. Sie schrieben, daß der Prinz dich nicht gut behandelt. Stimmt es?«

Ich zögerte – und das reichte.

»Lady Selbourne schrieb, der Prinz würde dich vernachlässigen und nicht mir dem gebührenden Respekt behandeln.«

»Der Prinz ist sehr beschäftigt«, beeilte ich mich zu sagen. »Die Staatsgeschäfte nehmen ihn sehr in Anspruch.«

»Für mich wird er immer Caliban bleiben«, sagte Anne. »Das war der Name, den Sarah ihm gab.«

»Ich flehe euch an, laßt das niemanden hören.«

»Er ist ziemlich beängstigend«, sagte Anne mit einem

Auflachen. »Meine arme Mary, du kannst einem leid tun. Wie bin ich froh, daß er nicht *mein* Gemahl ist.«

Ich sah in ihr friedliches Gesicht, und fragte mich, wen man ihr bestimmen würde. Eines stand für mich fest: Sie würde sehr bald einen Ehemann bekommen. Dieser Gedanke kam ihr selbst offenbar nicht, oder wenn er ihr gekommen war, hatte er sie nicht weiter beunruhigt. Anne ließ sich durch sehr wenig aus der Ruhe bringen. In ihrem Glauben an ihre Fähigkeit, gelassen durchs Leben zu segeln, ließ sie sich nicht erschüttern.

»Ich will dir ein Geheimnis anvertrauen«, sagte sie und tat den unangenehmen Gedanken an meine Ehe ab. »Noch ist es ein großes Geheimnis. Nur unsere Stiefmutter kennt es. Aber meiner lieben Schwester muß ich es sagen, wenn sie verspricht, es für sich zu behalten.«

Ich versprach es bereitwillig.

»Es geht um Sarah«, sagte sie. »Nun, was glaubst du? Sie hat John Churchill geheiratet.«

»Ich wußte, daß er um sie warb. Warum soll es ein Geheimnis bleiben?«

»Seit Arabella ihrem Glück nachgeholfen hat, halten die Churchills sich für Gott weiß was.« Anne hielt ein wenig verlegen inne. Unsere Stiefmutter wußte natürlich von Arabellas Beziehung zu ihrem Mann, und daß den Churchills eben wegen dieser Beziehung viel Gunst zuteil geworden war.

»Die Churchills glauben, sie seien besser als die Jennings und Sarah sei keine gute Partie.«

»Sarah wird sie bald eines Besseren belehren!«

»Natürlich wird sie das. Sarah ist für jedermann eine gute Partie. Aber wenn er mit seinem Regiment fortmüßte und Sarah mit ihm ginge, was soll ich ohne sie tun?«

»Du wirst dafür sorgen müssen, daß sie bleibt; oder aber du mußt sie gehen lassen«, meinte ich darauf.

Anne lächelte selbstzufrieden, überzeugt von ihrer Macht, Sarah in ihrer Nähe halten zu können.

»Es soll ein Geheimnis bleiben, bis man der Familie Vernunft beigebracht hat. Unsere Stiefmutter glaubt, dies ließe sich bewerkstelligen.«

»Ich hörte munkeln, John Churchill sei ein flatterhafter junger Mann«, sagte ich.

»Du meinst sicher den Skandal um Lady Castlemaine. Ja, da hat es etwas gegeben. Aber mit dieser Frau haben sich so viele eingelassen.«

»Der König soll ihn nach Tanger versetzt haben, nur um die beiden zu trennen.«

»Das ist lange her. John hat sich völlig geändert. Er denkt nur an Sarah. Und ich behaupte, er wird genau das tun, was Sarah will.«

»Wenn man Sarah kennt, erscheint es einem möglich.«

Ich fragte mich, welche Dauer dieser tiefen Freundschaft mit Sarah beschieden sein würde. Anne würde eines Tages, wahrscheinlich in nächster Zukunft, selbst eine Ehe eingehen.

»Wie kommst du mit Dr. Hooper aus?« fragte sie nun.

Dr. Hooper war der Almosenpfleger, der Dr. Lloyds Stelle eingenommen hatte. Ich runzelte die Stirn. William war nicht mit ihm einverstanden. Dr. Lloyd hatte nichts einzuwenden gehabt, daß ich die holländischen Gottesdienste besuchte, aber Dr. Hooper hatte mir abgeraten. Dies hatte zu einigen Unannehmlichkeiten geführt, da Dr. Hooper nicht der Mensch war, der seine Meinung zurückhielt. Es war zu einigen, alles andere als freundschaftlichen Begegnungen zwischen William und Dr. Hooper gekommen.

»Er ist ein Mann von festen Grundsätzen«, sagte ich.

»Und der Prinz billigt diese nicht?«

»Nun, eigentlich nicht.«

Maria Beatrice lächelte voller Ingrimm, aber ich sagte rasch: »Er wird nach England zurückkehren, da er sich mit Heiratsplänen trägt.«

»Das hatte ich gehört.«

»Er hat versprochen, mit seiner Frau zurückzukehren.«

»Freut dich das?«

»Ich schätze ihn.«

Meine Stiefmutter gab keine Antwort, aber ich wußte, sie glaubte, mein Gemahl hätte mir das Leben während Dr. Hoopers Aufenthalt in Den Haag sehr unangenehm gemacht.

Er würde zweifellos in England mit seiner Meinung über den holländischen Hof nicht zurückhalten. Er würde sich ganz furchtlos äußern, und dank der Briefe, die ihren Weg nach England fanden, würde bekannt werden, daß mein Leben in Holland nicht in so ruhigen Bahnen verlief, wie es hätte sein können.

Der Besuch war nur kurz, und zu meinem Bedauern hieß es bald wieder Abschied nehmen. Das Zusammensein war eine Mischung aus Freude und Traurigkeit, denn obwohl ich die Gesellschaft genoß, stellten sich immer wieder Erinnerungen an das idyllische Leben vor meiner Ehe ein. Die Sehnsucht nach den alten Zeiten übermannte mich mit so großer Heftigkeit, daß ich unsicher war, ob der Besuch mir gutgetan hatte oder nicht.

Sie versprachen wiederzukommen.

»Die Reise ist nicht sehr lang«, hatte Anne beim Abschied gesagt. »Natürlich ist die Überfahrt schrecklich, aber ich würde sie für ein Zusammensein mit meiner lieben Schwester tausendmal auf mich nehmen.«

Meine Stiefmutter gab ihr recht.

So durfte ich in Kürze auf einen neuen Besuch hoffen.

# Das Exil

Bald nach ihrer Abreise stattete William mir einen seiner seltenen Besuche ab. Da ich schwanger war, besuchte er mich nicht zum üblichen Zweck.

»Ich erhielt einen Brief von deinem Vater«, sagte er.

Er überreichte ihn mir, und ich las:

›Wir trafen am Mittwoch von Newmarket kommend ein, und am selben Abend traf auch die Herzogin, meine Gemahlin, ein, so befriedigt von ihrer Reise und von der Begegnung mit Euch, wie ich es nie gesehen hatte. Ich muß Euch tausend Dank von ihr und mir für Eure freundliche Behandlung sagen. Ich sollte dazu noch mehr sagen, doch mangelt es mir an der Kunst, Komplimente zu machen, und ich weiß, daß Euch nichts daran liegt.‹

In dem Brief stand noch mehr. Doch er ließ mir nicht Zeit weiterzulesen, sondern riß ihn mir aus der Hand, als ich mich darin vertiefen wollte.

»Nun«, sagte er mit verkniffenen Lippen und kaltem Blick. »Die Spioninnen haben von uns Günstiges berichtet.«

»Es waren kein Spioninnen«, sagte ich mit einem Anflug von Empörung.

»Ach? Du setzt mich in Erstaunen. Ihr Dank ist in der Sprache der Diplomatie abgefaßt. Und ich meine, am Hof deines Onkels hat man darin wahre Meisterschaft entwickelt. Dein Vater ist zur Zeit höchst beunruhigt.« Er wedelte mit dem Brief, und ich wollte die Hand danach ausstrecken, doch er entzog ihn mir, nicht gewillt, ihn mit mir zu teilen. Nur den günstigen Bericht über den Besuch hatte er mir zur Kenntnis bringen wollen.

»In England gibt es Verdruß«, sagte er.
»Verdruß?« sagte ich hastig. »Welcher Art?«
»Ich fürchte, dein Vater ist kein kluger Mann. Seine Besessenheit von einer Religion, die dem Volk nicht zusagt, wird ihm zum Untergang.«
»Ist etwas mit meinem Vater geschehen?«
»Nur das, was er sich selbst zufügt.«
»Bitte, sag es mir, wenn du etwas weißt.« Die Angst um meinen Vater ließ mich meine Furcht vor William vergessen, so daß mich plötzlich Kühnheit erfaßte. Ich mußte wissen, wie es um meinen Vater stand.
»Ist er in Gefahr?« fragte ich.
William antwortete nicht sofort. Ein langsames Lächeln glitt über sein Gesicht, obwohl er kalt wie immer wirkte.
»Man spricht in England von einer Verschwörung. Ein Mann namens Titus Oates behauptet, sie aufgedeckt zu haben. Es geht um eine Verschwörung der Papisten, die England in ihre Gewalt bringen wollen, um dem Volk ihre Religion wieder aufzuzwingen.«
»Und mein Vater?«
»Natürlich wird man versuchen, ihn damit in Verbindung zu bringen. In England herrscht darob große Aufregung. Man wird alle Katholiken verdächtigen. Deinen Vater, deine Stiefmutter, die Königin selbst. Die Engländer werden nie wieder einen Katholiken auf dem Thron dulden. Deshalb nenne ich deinen Vater unklug.«
»Er ist ein ehrlicher Mensch«, sagte ich. »Er kann nicht heucheln. Er wird das Volk nicht belügen.«
»Ehrlich... und so unklug!«
Ich wollte den Brief lesen. Ich wollte genau wissen, was darin stand. William wußte es, wollte ihn mir aber nicht zeigen.
Später verstand ich es, aber damals nicht.
Seine Hoffnungen waren hochgespannt, und die papistische Verschwörung hatte sie noch gesteigert. Charles, mein Onkel, konnte nicht ewig leben, und dann war die

Reihe an meinem Vater. Aber würde das Volk ihn akzeptieren? Wenn nicht, dann war ich die nächste in der Thronfolge, und William war mein Gemahl. Nur mein Gemahl? Wenn er doch selbst Anspruch hatte... Gewiß, der seine wog nicht so viel wie der meine, aber ein Anspruch war es immerhin. Nun wollte er mir auf diese Weise zu verstehen geben, daß er, ungeachtet meines Ranges, mein Mann war und ich ihm Gehorsam schuldete.

Der Brief war für ihn sehr zufriedenstellend. Nicht weil meine Schwester und meine Stiefmutter unerwähnt ließen, wie lieblos er mich behandelte, sondern weil er von der papistischen Verschwörung erfahren hatte.

Die Sorge um meinen Vater machte mir weiterhin zu schaffen. Aus England kamen laufend Nachrichten, die Titus Oates und die papistische Verschwörung zum Inhalt hatten, aber wenig mehr. Das Komplott war in aller Munde. Ich wußte, daß William mit einigen der Geistlichen am Hof meines Onkels in Verbindung stand. Unter ihnen gab es etliche, die entschlossen waren, keinen katholischen König auf dem Thron zu dulden. Sie wandten sich nun an William.

Mir war klar, daß William wußte, wie eng die Beziehung zwischen mir und meinem Vater war, und er nicht wollte, daß ich von ihm beeinflußt würde.

Obschon er von mir keine hohe Meinung hatte und gewiß glaubte, er könne mich nötigenfalls gefügig machen, mußte er beachten, daß er, falls mein Vater ausgeschaltet würde, den Thron nur durch mich gewinnen konnte. Und das, obwohl er mich ein- oder zweimal aufbegehrend erlebt hatte, entschlossen, für das einzustehen, was ich für richtig hielt, auch wenn es nicht seinen Wünschen entsprach.

Er schmiedete bereits mit seinen Anhängern in England Pläne und mußte sehr darauf achten, dies vor mir verborgen zu halten, aus Angst, ich würde es meinem Vater verraten.

Bald nach der Abreise der Gäste erkrankte ich wieder an dem Leiden, das mich schon zuvor heimgesucht hatte. Ich litt an Schüttelfrost und Hitze, und man diagnostizierte Wechselfieber.

Ich wurde sehr krank und verlor im Krankenbett das Kind, das ich erwartete. Es war genauso gekommen wie beim ersten Mal.

Ich war völlig verzweifelt, mehr als zuvor. Es war eine sehr bezeichnende Wiederholung, eine, deren Bedeutung ich zu erkennen glaubte. Auf mir lastete der Fluch, der viele Königinnen heimsucht. Allmählich festigte sich in mir die Überzeugung, ich würde nie ein lebensfähiges Kind bekommen.

Ich wußte, daß William zutiefst erschüttert war. Unsere Bemühungen waren vergebens. Ein Kind wurde empfangen, und das war auch schon das Ende.

Er gab mir die Schuld. Natürlich. Was hatte ich getan? Ich war dumm und unvorsichtig gewesen. Ich hatte wieder eine Chance vorübergehen lassen.

Lange Zeit war ich zu krank, als daß es mir etwas ausgemacht hätte. Ich glaubte, ich müßte sterben, und meine Umgebung glaubte es ebenfalls. Ich weiß es, weil Anne Trelawny es mir später gestand.

Unter den Frauen wurde viel über Williams schroffes Verhalten geklatscht. Gelegentlich kam er und besuchte mich, vermutlich, weil es die Diplomatie erforderte. Ich gab vor, zu krank zu sein, um mit ihm sprechen zu können.

Er stand an meinem Bett und blickte mich mit offenkundiger Fassungslosigkeit an – seine Frau, die nicht schaffte, was für jede kleine Dienstmagd eine Kleinigkeit war: ein Kind zur Welt zu bringen. Und doch hielt ich die Verheißung einer Krone in Händen.

Er ängstigte sich aus einem bestimmten Grund um mich.

Ich mußte gesund werden. Ich durfte nicht sterben. Mit meinem Tod würde ich Williams Hoffnungen mit ins Grab nehmen, da die nächste in der Thronfolge meine Schwester Anne war. Müßig die Frage, wie sie sich verhalten hätte, wenn sie William bestimmt worden wäre. Ich dachte an ihre träge Gleichgültigkeit. Sie hätte William einfach ignoriert und bei Sarah Churchill Trost gesucht.

Wie oft kreisten meine Gedanken um Frances Apsley! Die Briefe, die ich schrieb und erhielt, wogen vieles auf. Und ich dachte oft daran, wie schön es gewesen wäre, wenn das Leben uns nicht getrennt hätte.

Die Veränderung, die mit mir vorgegangen war, blieb nicht unbemerkt. Ich zeigte mich meinem Gefolge zurückhaltender, da mir nicht entgangen war, daß es meinerseits nur einer Andeutung von Mißbilligung bedurfte, um mir mehr Respekt zu verschaffen.

Dr. Hooper kehrte mit seiner Frau zurück, einer liebenswerten Person, der ich sogleich zu verstehen gab, wie sehr ich mich freute, sie in unseren Kreis aufnehmen zu können.

Die Hofdamen hatten ein eigenes Eßzimmer, in dem ich ihnen gelegentlich Gesellschaft leistete. Natürlich hatte ich erwartet, mit meinem Mann zu speisen, doch nahm er seine Mahlzeiten unter dem Vorwand, er hätte mit seinen Ministern zu tun, nach wie vor im Haag-Palast ein. Ich wußte, daß dies Anlaß für Gerede bot und mitgeholfen hatte, den Eindruck zu erwecken, mir würde nicht der gebührende Respekt zuteil.

Früher hatte Dr. Hooper seine Mahlzeiten mit den Hofdamen eingenommen, hatte aber die an seine Frau gerichtete Einladung, mit ihnen zu speisen, abgelehnt. Er sagte, daß er es angesichts der ›großen Sparsamkeit‹ des Prinzen von Oranien und seiner Abneigung gegen Engländer für besser hielte, wenn Mrs. Hooper in ihrer Wohnung speise. Natürlich würde er ihr dabei Gesellschaft leisten und dem Prinzen damit weitere Ausgaben ersparen.

Auch dies wurde bemerkt, und ich zweifelte nicht, daß diese Information ihren Weg nach England finden würde.

William stand also im Ruf der Knauserigkeit. Es stimmte, daß er die englischen Geistlichen armselig bezahlte. Dr. Hooper, ein vermögender Mann, lebte mit seiner Frau in Holland die ganze Zeit über auf eigene Kosten. Die Holländer, deren eigene Geistlichkeit karg bezahlt wurde, waren über seine aufwendige Lebensweise so entrüstet, daß sie ihn ›reicher Papa‹ nannten.

Dr. Hooper war daher völlig unabhängig und konnte es sich leisten, in Williams Gegenwart freimütig seine Meinung zu sagen. Ich konnte mir vorstellen, daß er ihm damit gewiß schon etliche unangenehme Augenblicke bereitet hatte. Nicht daß William ein Mensch gewesen wäre, der sich von solchen Trivialitäten hätte beirren lassen, doch fürchtete er, Dr. Hooper würde mich in religiösen Dingen beeinflussen, denn es war eine Tatsache, daß ich seit dessen Ankunft wieder den Riten der englischen Kirche anhing, anstatt mich jenen der holländischen zuzuwenden.

William soll einmal geäußert haben, daß, sollte er jemals in dieser Sache bestimmen können (was heißen sollte, falls er jemals König von England sein würde), Dr. Hooper sein Leben lang Dr. Hooper bleiben würde. William würde ihn mit Sicherheit nicht befördern.

Dr. Hooper ließen solche Bemerkungen kalt, und er fuhr fort, seine Meinung freimütig zu äußern.

Er blieb jedoch nicht lange bei uns, und Dr. Ken, sein Nachfolger, entpuppte sich noch als viel offener.

Mir entging nicht, daß sich in den Gemächern der Hofdamen, denen Elizabeth Villiers vorstand, einiges an Lustbarkeiten tat. Das war merkwürdig, denn – wie Dr. Hooper hervorgehoben hatte – William lehnte jede Form von Extravaganz ab, und die Abendgesellschaften, die dort recht häufig stattfanden, mußten ziemliche Unkosten verursacht haben.

Da ging mir plötzlich auf, daß diese Gesellschaften einem bestimmten Zweck dienten. Einige der Hofdamen waren hübsch, die meisten jung. Und man konnte dort zuweilen die bedeutendsten Männer des Hofes antreffen.

Unter ihnen befand sich William Zulestein, ein enger Freund Williams und mit diesem verwandt, da Zulesteins Vater der illegitime Sohn Henry Fredericks, Prinz von Ornanien, des Großvaters meines Mannes, und der Tochter des Bürgermeisters von Emmerich war. Er war Williams Vater ein treuer Freund gewesen und nun bestand auch zwischen ihm und William eine enge Beziehung.

Auch William Bentinck sowie andere aus Williams Umkreis nahmen oft an diesen Tischgesellschaften teil. William selbst war ebenfalls oft anwesend. Viele der englischen Besucher im Haag-Palast erhielten Einladungen – unter ihnen Algernon Sidney und die Lords Sunderland und Russell.

Bei den seltenen Gelegenheiten, bei denen ich an diesen Gesellschaften teilnahm, fiel mir auf, daß von den englischen Gästen viel Aufhebens gemacht wurde und die Mädchen sich ihnen sehr aufmerksam widmeten.

Als Gastgeberin fungierte Elizabeth Villiers. War ich zugegen, dann behandelte sie mich mit der meinem Stand gebührenden Ehrerbietung, doch war ich mir ständig ihres verschlagenen Lächelns und wachsamen Blickes bewußt. Und ich wurde das Gefühl nicht los, daß diesen Tischgesellschaften etwas von einer Verschwörung anhaftete – daß eine bestimmte Absicht dahintersteckte.

Einmal beobachtete ich Elizabeth Villiers, die in ein ernstes Gespräch mit Algernon Sidney vertieft war, und fragte mich, welches Thema die beiden so fesseln mochte. Daß es Liebesgeflüster war, wollte ich nicht glauben. Mehr als je zuvor hatte ich das Gefühl, daß hinter diesen Zusammenkünften etwas Unheilvolles steckte. Und daß sie mit Williams Billigung stattfanden, verwunderte mich sehr.

In mir wurde ein tiefes Gefühl der Vorahnung wach.

Ich spürte, daß wir auf einen Höhepunkt zusteuerten, von dem die anderen wußten, ich aber nicht. Daß ich eine Ahnung hatte, verstärkte mein Gefühl der Hilflosigkeit und Enttäuschung.

Ständig mußte ich an meinen Vater denken. Ich hatte mitbekommen, daß das Komplott, von dem ständig die Rede war, sich nicht nur gegen die Königin, sondern auch gegen ihn richtete. Er schwebte in Gefahr, und ich wollte bei ihm sein.

Diese Ängste zeigten bei mir ihre Wirkung. Wieder überfielen mich Fieberanfälle, und diesmal wurde ich ihrer nicht Herr. Ich mußte lange das Bett hüten und war sehr krank. Die Leute in meinem Gemach flüsterten untereinander, und ich glaube, sie waren der Meinung, mit mir ginge es zu Ende.

Als William kam und mich besuchte, sah er ehrlich beunruhigt aus. Armer William, dachte ich mit meinem jüngst erworbenen Zynismus. Wie sah es mit seinen Hoffnungen aus, wenn ich starb? Nach meinem Vater käme Anne, und Anne würde heiraten und sehr wahrscheinlich Söhne bekommen. Dann würde die Prophezeiung der drei Kronen sich nicht erfüllen. Und wenn ich daran dachte, wie er mich behandelt hatte, als ich meine ungeborenen Kinder verlor, wollte ich, daß er litt.

Ich hörte ihn fragen: »Wo ist der Arzt? Warum kümmert er sich nicht um die Prinzessin?«

Da dachte ich bei mir: Er ist tatsächlich sehr besorgt.

Anne Trelawny sagte darauf: »Der Prinz schickt dir Dr. Drelincourt, der deine Behandlung übernehmen wird. Der Prinz vertraut ihm mehr als jedem anderen Arzt im ganzen Land.«

»Er ist in Sorge – aber nicht um mich, sondern um die Krone«, gab ich zurück.

Anne sagte nichts darauf, doch ich wußte, daß sie mir recht gab.

Ich war jung und wollte nicht sterben, auch wenn ich

William damit etwas angetan hätte, und unter Dr. Drelincourts Aufsicht begann meine Genesung.

Er hatte die Diagnose gestellt, daß meine Teilnahmslosigkeit wenig hilfreich sei und ich mehr Interesse an den Vorgängen um mich herum zeigen müßte. Meine Damen sollten um mich sein, sie sollten plaudern und mir die Neuigkeiten vom Hof berichten.

Anne Trelawny war ständig um mich, ebenso Lady Betty Selbourne und Anne Villiers. Letztere konnte ich nun besser leiden, sie war weicher geworden und wirkte lebhafter. Sehr häufig erwähnte sie William Bentinck. Mir war nicht entgangen, daß sie bei den Tischgesellschaften oft mit ihm beisammen war und ihm große Bewunderung entgegenzubringen schien. Sie berichtete mir, was für eine wunderbare Freundschaft ihn mit dem Prinzen verband, und wiederholte die Geschichte, wie er William das Leben rettete, als dieser an den Pocken litt, und wie die Krankheit sodann Bentinck überfiel. Die Narben dieser Episode trug er noch immer. Sie seien wie Orden, von Heldenhaftigkeit kündend, sagte sie.

Eines Tages kam William zu mir.

»Du bist auf dem Weg der Besserung«, sagte er.

»Das sagte man mir.«

»Es stimmt. Wenn es dir ein wenig besser geht, dann wirst du dich nach Dieren begeben. Dort ist das Klima sehr günstig, und Dr. Drelincourt wird mit dir gehen. Ich möchte dich völlig genesen sehen.«

»Ich weiß, wie wichtig es für dich ist«, sagte ich mit Betonung.

»Das versteht sich«, erwiderte er.

»Meine Schwester Anne ist vollständig genesen«, fuhr ich fort, selbst verwundert ob meiner Kühnheit, die ich sehr genoß. »Sie erfreut sich guter Gesundheit.«

»Das hörte ich. Aber man wird ihr nicht gestatten, deinen Vater auf der Reise zu begleiten.«

Er sah mich mit einem gewissen Triumphgefühl an, als

wollte er sagen: Versuche deine Sticheleien nicht an mir. Sie sind so schwach, daß sie wirkungslos abprallen.

Ich war begierig zu hören, was er damit meinte, als er sagte, Anne könne meinen Vater nicht begleiten.

Er sagte nun: »Dein Vater wollte sie mitnehmen, als er England verließ, doch dies wurde im letzten Moment verhindert. Das Volk wollte es nicht erlauben. Man argwöhnte zu Recht, daß er versuchen würde, eine Katholikin aus ihr zu machen.«

»Das verstehe ich nicht. Wohin geht mein Vater? Warum sollte er England verlassen?«

Er lächelte fast gütig. »Nein, natürlich verstehst du nicht«, sagte er in einem Ton, der andeutete, man könne von mir nicht erwarten, daß ich von Staatsaffären etwas verstünde. »Dein Vater hat England verlassen.«

»Warum?«

Ein freudiger Ausdruck huschte über Williams Gesicht.

»Nicht aus freien Stücken. Man hat ihm nahegelegt, er solle gehen. Man könnte von Exil sprechen.«

Jetzt bekam ich es mit der Angst zu tun, und das wußte er. Ich wünschte mir mehr als alles auf der Welt, meinen Vater zu sehen und zu hören, was sich zugetragen hatte. Ich war sichtlich aufgewühlt, und da er eine mögliche Wirkung auf meine Gesundheit fürchtete, sagte William hastig: »Dein Vater hält sich nun in Brüssel auf. Er hat von deiner Krankheit gehört und kommt dich besuchen.«

Ich konnte meine Freude und Erleichterung nicht unterdrücken, und er sah es mit jenem Unwillen, den ich so gut kannte.

Ich schloß die Augen. Weitere Fragen hatte ich nicht. Mein Vater würde kommen. Ich zog es vor, aus seinem Mund zu hören, was sich ereignet hatte.

Was für eine Freude, ihn wiederzusehen! Wir umarmten einander und hielten einander umschlungen.

»Ich habe mir große Sorgen um dich gemacht«, sagte

mein Vater. Maria Beatrice stand mit Tränen in den Augen daneben.

Mir entging nicht, daß sich beide verändert hatten. Mein Vater sah abgespannt und erschöpft aus, und Maria Beatrice war der Glanz der ersten Jugend abhandengekommen. Nur wenig älter als ich, wirkte sie mindestens zehn Jahre älter.

Sie hatte wie ich ihre Kinder verloren, aber meine waren noch nicht geboren, während ihre gelebt hatten, wenn auch kurz. Sie war wie ich in ein fremdes Land gekommen, doch die Menschen hatten sie dort nicht willkommen geheißen. Aber mein Vater war ihr ein liebevoller, wenn auch treuloser Gatte geworden.

Unsere Lage war ähnlich und deshalb hatten wir Verständnis füreinander.

Mein Vater war verbittert und ernst.

»Man kann mich nicht länger in Unwissenheit halten«, sagte ich. »Ich muß wissen, was sich zugetragen hat.«

»Ja, erfährst du denn gar nichts?« gab mein Vater zurück. »Hier gibt es viele, die nicht meine Freunde sind. Die müssen die Nachricht verbreitet haben.«

»Ich erfahre wenig, und ich muß es wissen.«

»Man hat uns ersucht, das Land zu verlassen. Sogar mein Bruder hielt es für notwendig.«

Maria Beatrice fuhr fort: »Er schien sehr bekümmert, als wir Abschied nahmen. Doch er war es, der es befohlen hatte. Das hielt ich ihm vor. Ich konnte es mir nicht versagen. Alles war so voller Falsch. Deshalb sagte ich zu ihm: ›Wie, Sire, Ihr seid bekümmert? Aber Ihr seid es selbst, der uns ins Exil schickt. Wir müssen natürlich gehen. Ihr seid König und habt es befohlen.‹«

Ich glaubte schon, sie würde in Tränen ausbrechen. Mein Vater umfaßte ihre Hand.

»Meine Liebe, es war nicht die Schuld meines Bruders«, sagte er. »Er mußte es tun. Es war der Wunsch des Volkes. Diesem Schurken Oates haben wir dies zu verdanken.«

»Ich weiß«, sagte sie. »Ich bedaure, daß ich so zu ihm sprach. Er ist immer so gütig. Und er hat Verständnis. Das zeigte er mir durch seinen Blick.«

»Exil?« sagte ich. »Wie kann man euch ins Exil schikken?«

»Du weißt nicht, was sich in England zugetragen hat. Dieser Mann, dieser Titus Oates... er steckt dahinter. Er hat so viel Unruhe gestiftet, daß es dazu kommen mußte.«

»Ich habe den Namen des Mannes gehört.«

»Ich hätte gedacht, der Prinz von Oranien müßte an den Vorgängen höchst interessiert sein.«

»Er spricht mit mir nicht über Staatsaffären.«

Mein Vater schien ergrimmt. Seine Gefühle für William waren unverändert, und die Verbindung war ihm von Anbeginn an ein Dorn im Auge gewesen. Ich wußte, daß, ungeachtet des äußeren Scheins, zwischen ihnen tiefe Feindseligkeit herrschte.

»Dieser Oates ist ein Schurke. Soviel ist klar, aber das Volk kann es nicht sehen – oder will es nicht.«

»Sie glauben, weil sie glauben wollen«, sagte Maria Beatrice.

»Er hat Komplizen. William Bedloe und Israel Tonge und andere mehr. Oates behauptet, katholischer Geistlicher gewesen zu sein, Jesuit, und er sagt, daß er deshalb Kenntnis von der Verschwörung hätte.«

»Und um was geht es bei der Verschwörung?« fragte ich.

»Um den Tod des Königs, um die Wiedereinsetzung der katholischen Kirche und ein Massaker an den englischen Protestanten.«

»Und du?« fragte ich weiter.

»Die Regierung hielt es für klüger, wenn ich das Land eine Zeitlang verließe, und mein Bruder mußte zustimmen.«

»Das wird vorübergehen«, sagte ich.

»Ich weiß nicht«, antwortete mein Vater ernst. »Es handelt sich um keine gewöhnliche Verschwörung, die sich als falsch – was sie zweifellos ist – herausstellt und in Vergessenheit gerät. Das ganze Land ist in Aufruhr.«

Allmählich erfaßte ich die Situation. Das antikatholische Gefühl war in ganz Europa sehr stark und wurde durch diesen ungeheuerlichen Titus Oates noch geschürt, so daß die Sicherheit meines Vaters nicht mehr gewährleistet war. Angst erfaßte mich.

Ich erfuhr, daß sein Besuch in Den Haag ›ganz inkognito‹ war, wie er den früheren Besuch genannte hatte, den Maria Beatrice und Anne mir machten. Die Situation war für einen Staatsbesuch zu heikel. William war auf eine gewisse Weise in englische Angelegenheiten verwickelt. Niemandem konnte verborgen bleiben, was die Weigerung der Engländer, einen katholischen Monarchen zu akzeptieren, für ihn bedeutete. Hätte mein Vater nun einen Sohn gehabt, man hätte ihm das Kind weggenommen und es protestantisch erzogen, aber Herrscher im Kindesalter waren ohnehin meist problematisch, und in Den Haag gab es den denkbar aufrechtesten Protestanten, den Gemahl der gegenwärtigen Thronerbin – falls man meinem Vater die Krone verweigern sollte.

Allein mit Maria Beatrice, merkte ich sofort, wie beunruhigt sie war.

Sie gestand mir, daß ihre ersten Jahre in England die glücklichsten ihres Lebens gewesen waren, und jetzt war alles anders geworden.

»Ich denke oft daran«, sagte sie, »daß wir noch immer jenes glückliche Leben führen würden, wäre dein Vater Protestant. Das Volk liebte ihn einst, wie es den König liebt. Beide besitzen das, was man den Stuart-Charme nennt, in großem Maß. Der König aber ist klug und entschlossen, seine Krone zu behalten, während dein Vater zu ehrlich ist, um seinen Glauben zu leugnen, und dafür müssen wir büßen.«

Sie berichtete mir nun die Umstände ihres Abschieds.

»Natürlich wollten wir deine Schwester mitnehmen, und sie war auch entzückt von der Aussicht, dich wiederzusehen, doch als bekannt wurde, daß sie mitkommen sollte, gab es einen allgemeinen Aufschrei. Die Leute glaubten, dein Vater könnte versuchen, eine Katholikin aus ihr zu machen, und deshalb durfte sie nicht mit uns kommen.«

»Wie gern hätte ich sie gesehen!«

»Sie hat gesagt, sie wolle bald nachkommen. Vielleicht läßt es sich einrichten.«

»Was für Widrigkeiten einen im Leben erwarten...«

»Auch bei dir?« fragte sie.

»Mir fehlt meine Heimat – du, mein Vater, meine Schwester, mein Onkel... alle, die ich liebte.«

»Du hast einen Mann.« Sie sah mich eindringlich und fragend an, und ich gab keine Antwort.

Sie fuhr nun fort: »Bei unserer Ankunft in Holland hat der Prinz uns einen guten Empfang bereitet. Eine Ehrengarde war zu unserer Begrüßung angetreten. Dein Vater war zufrieden, doch erklärte er sofort, daß dies kein Staatsbesuch sei und er besser inkognito bliebe. Wir gingen nach Brüssel und werden dorthin zurückkehren. Wir werden dort das Haus bewohnen, in dem dein Onkel während seines Exils lebte. Ich denke so viel an die frühen Jahre, als wir noch alle beisammen waren und uns bemühten, einander kennenzulernen. Was für eine glückliche Zeit! Wer hätte sich damals träumen lassen, daß alles das passieren würde?«

Arme Maria Beatrice! Mein armer Vater! Wie anders hätte alles sein können!

Ich erkundigte mich nach Isabella, und ihr Gesicht erhellte sich, um sofort wieder traurig zu werden.

»Ich wollte sie mitbringen, aber es wurde uns nicht gestattet. Sie ist ein so reizendes Kind. Dein Vater will an den König schreiben und ihn anflehen, er möge erlauben, daß Isabella zu uns kommt. Vielleicht können wir ihn überreden, daß Anne die Kleine begleiten darf.«

»Ich dachte, das Volk wollte nicht, daß sie mit euch geht.«

»Ich weiß, aber der König würde es selbst nicht ungern sehen. Er hat Verständnis dafür. Ich glaube, es hängt von der Haltung des Volkes ab. Der König würde nie etwas tun, was bei den Leuten Anstoß erregt.«

»Er ist klug«, sagte ich.

»Klug und entschlossen, nie mehr auf Wanderschaft zu gehen.«

»Mein Vater freilich wird tun, was er für richtig hält, ohne Rücksicht auf die Folgen.«

»Alles ist schlecht«, fuhr sie fort. »Wohin man auch blickt, gibt es Verdruß... Monmouth...«

»Was ist mit Jemmy?« rief ich aus.

»Er hat Ehrgeiz entwickelt. Dieses gräßliche Komplott kommt ihm entgegen. Ständig mischt er sich unters Volk. Monmouth, der Protestant. Man möchte meinen, er sei der Thronerbe. Ich glaube wirklich, er sieht sich als solchen. Er ist der Sohn des Königs und möchte, daß es allen bewußt ist. Aber vor allem ist er Protestant.«

»Jemmy kann doch nicht glauben...«

»Laß dir gesagt sein, er ist ein ehrgeiziger junger Mann. Er will das Volk auf seine Seite bringen. Ich glaube gar, er meint, die Krone könnte eines Tages ihm gehören.«

»Das ist unmöglich.«

Ich dachte an meinen gescheiten und amüsanten Vetter, auf dessen Besuche Anne und ich uns gefreut hatten – und jetzt war er der Gegner meines Vaters geworden! Wieviel Verdruß hätte man sich erspart, wenn mein Vater sich nicht so offen zu seiner Religion bekannt hätte. Es war nicht das erste Mal, daß sich ein gewisser Unmut in mir regte. Der König behielt seine religiösen Neigungen für sich, und alles ging glatt. Wenn nur mein Vater die gleiche Klugheit an den Tag gelegt hätte.

Ich schämte mich dieser kritischen Gedanken, die für mich an Verrat grenzten. Ich schob sie beiseite und sprach von Isabella.

Der Besuch war nur kurz. Sie waren gekommen, um mich zu sehen, sagte mein Vater zu mir. Als sie von meiner Krankheit hörten, waren sie aufs höchste besorgt gewesen, doch die Umstände waren nicht so, daß sie länger hätten bleiben können.

Die Begegnung hatte mir wohlgetan, und mein Zustand besserte sich zusehends. Vater und Stiefmutter kehrten wieder nach Brüssel zurück.

Meine Gedanken kreisten ständig um meinen Vater, und mein Mitleid galt nicht nur ihm und Maria Beatrice, sondern auch Königin Catherine. Sie schien in akuter Gefahr zu schweben, denn diese Schurken beschuldigten sie, an der gegen das Leben des Königs gerichteten Verschwörung beteiligt gewesen zu sein, was gleichbedeutend mit Hochverrat war und mit dem Tod bestraft wurde. Das war schierer Unsinn, und ich war sicher, mein Onkel würde sie vor ihren Feinden schützen. Aber was die Ärmste jetzt auszustehen hatte…

Der König hätte nie eine Katholikin zur Frau nehmen sollen. Auch mein Großvater, Charles der Märtyrer, hatte eine geheiratet, die stürmische und tiefreligiöse Henrietta Maria. Ihr hatte man die Unruhen unter seiner Regierung angelastet, die schließlich zur Tragödie geführt hatten.

Ich war immer bereit, die Aufrichtigkeit meines Vaters zu verteidigen, in Wahrheit aber benahm er sich tollkühn und närrisch und brachte Jammer und Elend über viele Menschen.

Bei den Tischgesellschaften gab es viel Betriebsamkeit. Elizabeth Villiers fungierte noch immer als Gastgeberin, und ich staunte nicht wenig, daß sie sich sogar in Williams Gegenwart so hervortat. Er aber schien ihre Anmaßung gar nicht wahrzunehmen. Ich hatte sogar bemerkt, daß er sie ins Gespräch zog, als sie sich zu ihm und einigen englischen Gästen gesellte.

Was mich betraf, so wuchs mein Selbstvertrauen. Ich hatte bewiesen, daß ich mich gegen William behaupten konnte, und fühlte mich deshalb viel besser.

Bei den Gesellschaften, an denen ich teilnahm, wurde ich das Gefühl nicht los, daß man sich meiner Anwesenheit allzu sehr bewußt war und die Gäste sich Zurückhaltung auferlegten. Vielleicht war es nur Einbildung, aber ich wußte ja nicht, wie sie sich in meiner Abwesenheit betrugen. Vielleicht bildete ich mir nur ein, daß in meiner Gegenwart eine gewisse Wachsamkeit spürbar wurde.

Bald nachdem mein Vater und Maria Beatrice sich wieder empfohlen hatten, bemerkte ich auf einer dieser Gesellschaften einen Mann, der auffiel, weil er sich von den anderen stark unterschied. Er sah nicht aus, als sei er höfisches Leben gewohnt. Ich sah, daß er, den ich für einen Engländer hielt, tief in ein Gespräch mit Sidney vertieft war. Sunderland trat zu ihnen, und sie alle sprachen sehr ernst miteinander.

Ich rief Betty Selbourne an meine Seite, da sie alle zu kennen schien und für ihren Takt bekannt war.

»Wer ist der Mann, der mit Lord Sunderland spricht?« fragte ich.

Sie überlegte kurz, ehe sie antwortete. »Zunächst konnte ich mich nicht entsinnen, aber jetzt weiß ich es. Ich glaube, es ist ein gewisser William Bedloe.«

»Wer ist das?«

»Ich weiß es nicht, Euer Hoheit. Ich bin ihm nie begegnet. Ich glaube, er ist mit einer Nachricht für Lord Russell gekommen.«

»Bedloe«, sagte ich halblaut vor mich hin. Der Name kam mir irgendwie bekannt vor.

»Wünschen Hoheit, daß er Euch vorgestellt wird?«

Ich sah das gemeine Gesicht des Mannes und sein merkwürdiges Auftreten.

»Nein, Betty, ich glaube nicht«, gab ich zurück.

Später, als ich im Bett lag, schlaflos, weil ich an meinen Vater und die arme Königin Catherine dachte, fiel mir ein, wo ich den Namen schon gehört hatte. ›Titus Oates und seine Freunde – Tonge und Bedloe...‹«

Mein Argwohn nahm Gestalt an. William Bedloe stand mit Titus Oates im Bunde.

Was trieben diese Männer, die sich verschworen hatten, die Königin und meinen Vater zu vernichten, hier in Den Haag? Die Antwort lag auf der Hand: Mein Vater sollte um sein Erbe gebracht werden, und William wollte durch mich die englische Krone erringen.

Entsetzen übermannte mich, so daß mir übel wurde. Ich wollte keinen Anteil daran haben. Ich wollte mich von allem losmachen.

Wie hatte mein Vater uns nur in diesen Sumpf von Intrigen und Jammer stürzen können?

Und William? Wie tief war er in die Sache verstrickt?

Daß ein Mann, der in die papistische Verschwörung verwickelt war, am Hof von Den Haag empfangen wurde, hatte mich zutiefst schockiert, aber noch mehr entsetzte mich eine Entdeckung, die ich kurz nachher machen sollte.

Ich hatte großes Glück, daß sich das schwatzhafte Gespann Betty Selbourne und Jane Wroth in meinen Diensten befand, da ich aus kleinen Einzelheiten, die sie zuweilen gedankenlos in ihren alltäglichen Klatsch einstreuten, sehr viel erfuhr. Anne Trelawny war diskret und immer bedacht, mich nicht zu beunruhigen, so daß sie alle Neuigkeiten, die ihr unpassend schienen, von mir fernhielt.

Es wurde der Besuch meines Vaters erwähnt, und Jane sagte: »Es war am Tag vor seiner Erkrankung.«

»Seine Erkrankung?« fragte ich. »Was war das?«

Auch Betty war da, und sie und Jane tauschten Blicke.

»Ach, es war nichts von Bedeutung«, sagte Betty. »Es ging rasch vorüber... einen Tag oder zwei vor seiner Abreise.«

»Warum wußte ich nichts davon? Was für eine Erkrankung war es?«

»Es war nicht wichtig«, sagte Betty. »Ich nehme an, er wollte nicht, daß Euer Hoheit sich ängstigt.«

»Warum hätte ich mich ängstigen sollen, wenn es so belanglos war?« Da beide dazu schwiegen, fuhr ich fort: »Woher habt Ihr davon erfahren?«

»Es wurde darüber gesprochen«, sagte Jane. »Euer Hoheit weiß, wie die Leute reden. Die Herzogin ängstigte sich sehr.«

Ich wußte, daß um seine Erkrankung etwas Mysteriöses war. Anstatt sie sanft zum Reden zu drängen und ihnen die Neuigkeit schließlich zu entlocken, sagte ich gebieterisch: »Ich will die Wahrheit wissen. Bitte, redet auf der Stelle.«

Ich sah ihre betretenen Mienen. Es gab keinen Ausweg. Sie mußten es mir sagen.

»Nun«, fing Betty an. »Es war, bevor das herzogliche Paar sich verabschiedete. Der Herzog wurde des Nachts von Übelkeit und Schmerzen geplagt – heißt es.«

»Warum habe ich nichts davon erfahren?«

»Man hat uns angewiesen, nicht darüber zu sprechen. Wir hätten es nicht erwähnen sollen.«

»Aber jetzt will ich es wissen«, rief ich ihr ins Gedächtnis. »Weiter.«

»Die Herzogin war außer sich. Ihre Bedienten waren zugegen. Sie glaubten, er sei...«

Ich ballte die Hände zu Fäusten, kaum imstande, Enttäuschung und Angst zu beherrschen.

»Was war die Ursache?« wollte ich wissen.

Wieder wurde zwischen den beiden jungen Frauen ein Blick gewechselt.

»Etwas, das er am Abend gegessen hat«, sagte Jane.

»Aber am Morgen fühlte er sich schon viel besser«, setzte Betty hinzu. »Und dann begab er sich nach Brüssel.«

»Warum hat man mir das verschwiegen?«

»Euer Hoheit war selbst erst auf dem Weg der Genesung. Der Prinz hat angeordnet, daß man Euch nicht beunruhigen soll. Euer Vater war ja nur ganz kurz indisponiert.«

»Mein Vater reiste sofort ab, und Anweisungen wurden gegeben, mir nichts zu sagen.«

»Niemand sollte dies erwähnen, weil es ausgesehen hätte, als verstünden die Köche ihr Geschäft nicht.«

»Es war Elizabeth. Sie ist diejenige, die uns jetzt sagt, was wir tun müssen und was nicht.«

Ich war aufs höchste beunruhigt. Hatte man versucht, meinen Vater zu töten? Die Männer, die sich bei den Tischgesellschaften zusammenfanden, waren seine Feinde. Sie wollten ihn beseitigen, um William den Weg frei zu machen.

Und William? Ich konnte nicht glauben, daß ein so religiöser Mensch an einen... Mord auch nur denken konnte.

Scham erfüllte mich, daß ich meinem Mann auch nur einen Augenblick lang dergleichen zugetraut hatte. William war hart, unbeugsam und von unbändigem Ehrgeiz erfüllt, aber er würde sich nie an einem Mordkomplott beteiligen – noch dazu an einem, das gegen seinen Schwiegervater gerichtet war.

Ich hatte das Gefühl, einen so unwürdigen Gedanken gutmachen zu müssen.

Meine Einstellung meinem Vater gegenüber hatte sich ein wenig gewandelt. Manche hießen ihn einen Narren, und mein Onkel gehörte dazu. Ich hatte gehört, daß der König von ihm sagte: »Das Volk wird mich nie absetzen, denn dann käme James, und ihn möchte niemand. Ich bezweifle, ob er sich vier Jahre auf dem Thron halten könnte.«

Mein armer irregeleiteter Vater! Was für ein guter Mensch er war – sah man von seiner Neigung zu Seitensprüngen ab, die er mit seinem Bruder teilte. Doch konnte er große Torheit an den Tag legen.

Mich erstaunte, daß ich so von jemandem denken konnte, den ich so lange idealisiert hatte, und ich fragte mich, ob ich allmählich anfing, ihn mit Williams Augen zu sehen.

Ich wartete begierig auf Nachrichten und war außer mir vor Freude, als ich hörte, daß meine Halbschwester, die kleine Isabella, und meine Schwester Anne sich auf dem Weg nach Brüssel befanden, um eine Zeitlang bei meinem Vater zu bleiben.

Dies erschien mir als großes Zugeständnis, da man Anne zuvor nicht gestattet hatte, mit ihm zu gehen, weil man befürchtete, er würde sie zur Katholikin machen. Und ich fragte mich schon, ob man nun in England weniger fanatisch war, obgleich ich noch immer hörte, daß Titus Oates Menschen denunzierte, die dann festgenommen, wegen Hochverrats angeklagt und hingerichtet wurden. Überdies befand mein Vater sich noch immer im Exil. Doch die Tatsache, daß man Anne erlaubte, ihn in Brüssel zu besuchen, erschien mir als gutes Omen.

Als sie eintrafen, wollten sie kommen und mich besuchen. Ich konnte es kaum erwarten, und alle Vorkehrungen wurden getroffen. Wieder war es kein Staatsbesuch, weil dies angesichts des Status meines Vaters als Verbannter undiplomatisch gewesen wäre. Ich glaube, William empfing ihn nur ungern, weil er sich sorgte, wie es sich in England auswirken würde, wenn man erführe, der im Exil weilende Herzog wäre in Den Haag willkommen geheißen worden.

Mein Mann befand sich in einer heiklen Lage. Er war nun sicher, daß ich Königin werden würde und es ihm, als meinem Gemahl, bestimmt war, den Thron mit mir zu teilen. Nein, nicht als Prinzgemahl. War ich erst Königin, würde er darauf bestehen, als König zu herrschen. Schließlich hatte er einen Anspruch aus eigenem Recht. Doch er durfte die Bedeutung meiner Stellung nicht vergessen. Seitdem ich Energie und Mut gezeigt hatte, war auch seine Einstellung zu mir eine andere geworden.

Ich wollte also meine Familie sehen, und das konnte er mir nicht verweigern. Auch wollte er seinen Ehrgeiz nicht zu offenkundig werden lassen. Es war ein mühsamer Weg, den er eingeschlagen hatte.

Sie trafen also ein, und er begrüßte sie mit einem gewissen Maß an Wärme. Ich hingegen war außer mir vor Freude. Wir umarmten einander, hielten einander umschlungen und mischten unsere Tränen, denn uns Stuarts zeichnet eine gewisse sentimentale Ader aus.

Ein Ärgernis gab es. Anne hatte Sarah Churchill in ihrem Gefolge mitgenommen, und da Sarah sich nicht von ihrem Mann hatte trennen wollen, gehörte Colonel Churchill mit zur Partie.

Anne wurde allmählich erwachsen. Sie war nun beinahe so alt wie ich zur Zeit meiner Heirat. Bislang hatte man ihr noch keinen Freier bestimmt, so daß sie wie immer unbeschwert und glücklich und in Sarah vernarrt war, der sie völlig ergeben schien. Noch immer hieß es: ›Sarah sagt dies... Sarah macht es so...‹ Ich war Sarahs überdrüssig. Anne war nicht imstande, eine Entscheidung ohne sie zu treffen. Aber für Entscheidungen war sie schon immer zu träge gewesen.

Sarah, die rasch merkte, daß sie mir nicht genehm war, war von zu herrischer Natur, als daß sie dies einfach hingenommen hätte. Ich hätte zu gern gewußt, was John Churchill von seiner Frau hielt, da ich sicher war, daß sie versuchte, ihn ebenso zu beherrschen wie Anne. Als ich sie zusammen sah, staunte ich, denn er schien ihr sklavisch ergeben zu sein.

»Ach, Sarah ist ja so klug«, sagte Anne. »Es wundert mich nicht, daß er ihr ergebener Sklave ist.«

»Versucht sie, auch aus dir eine Sklavin zu machen?« fragte ich.

Anne blinzelte mich kurzsichtig an. »Wie könnte sie? Sie steht in meinen Diensten.«

Meine liebe Anne mit ihrem schlichten Gemüt. Sie hatte sich nicht geändert und war bereit, Sarahs Vorherrschaft wie eh und je hinzunehmen. Mir war natürlich aufgefallen, daß Sarah ihre Befehle diplomatisch formulierte. Dennoch mochte ich sie nicht.

Eines Tages sagte Anne zu mir: »Sarah ist der Meinung, daß der Prinz dich nicht so behandelt, wie es dir zukäme.«

»Ach, das glaubt sie?«

»Ja. Sie sagt, sie würde es an deiner Stelle nicht aushalten.«

»Sehr kühn von ihr.«

Anne kicherte. »Sarah ist immer kühn. Nun, sie ist eben Sarah. Niemand wird Sarah je unterkriegen können. Und sie sagte, du wärest viel bedeutender als er, oder würdest es sein, wenn...«

»Unser Onkel, der König, wird noch lange leben, und unser Vater ebenso. Mein Gemahl ist Statthalter und Prinz von Oranien, und nur wenn unser Vater keine Söhne bekommt, könnte ich oder könntest du den Thron von England besteigen.«

»Sarah glaubt, das Volk wird unseren Vater nicht wollen, auch keinen Sohn von ihm.«

»Wäre Sarah so klug, wie du glaubst, dann würde sie sich um ihre eigenen Angelegenheiten kümmern und die der Ranghöheren diesen selbst überlassen.«

»Mary«, rief Anne fassungslos aus, »kannst du Sarah nicht leiden?«

»Ich glaube, Sarah Churchill nimmt sich zuviel heraus. Sie sollte an ihre Stellung als Frau eines Mannes denken, der seinen Weg in der Armee des Königs erst machen muß.«

Ich vermutete, daß meine Worte ihren Weg zu Sarah finden und ihr nicht gefallen würden. Das freute mich.

Bei anderer Gelegenheit sagte Anne: »Sarah meint, daß Elizabeth Villiers sich Allüren zulegt.«

Ich stimmte ihr insgeheim zu, sagte aber nichts, und Anne fuhr fort: »Sarah meint, sie täte es aus einem bestimmten Grund.«

»Was in meinen Gemächern geschieht, geht Sarah nichts an«, gab ich zurück. »Ich hielte es für eine gute Idee, Schwester, wenn du ihr dies klarmachen könntest. Sollte ich entdecken, daß sie in meinem Haus Unruhe stiftet, dann schicke ich sie fort.«

Anne sah mich verwundert an.

»Sarah fortschicken! Das brächtest du nicht fertig!«

»Sehr leicht sogar«, erwiderte ich. »Das ist mein Haus. Hier mache ich, was ich will.«

»Sarah glaubt, du könntest nichts tun, was der Prinz nicht billigt.«

»Sarah irrt sich. Ich bin Prinzessin von Oranien und die ältere Tochter unseres Vaters. Ich kann tun, was ich will.«

Ich war stolz auf mich. Ich hatte nicht vergessen, daß ich Stärke beweisen konnte, und gedachte sie einzusetzen. Als älteste Tochter meines Vaters nahm ich eine besondere Stellung ein, und ich wollte dafür sorgen, daß die Menschen es nicht vergaßen.

Ich wußte, daß Anne Sarah Churchill von diesem Gespräch berichten würde, denn ich bekam keine weiteren Kommentare zu hören. Aber danach konnten Sarah Churchill und ich einander nicht mehr ausstehen.

Der Besuch mußte wie der letzte kurz bleiben. Mein armer Vater konnte nicht vergessen, daß er ein Verbannter war. Ich konnte ihm seinen tiefen Kummer nachfühlen. Auch ich hatte meine Heimat ungern verlassen, doch hatte ich es auf ehrenhafte Weise getan. Man hatte mich nicht vertrieben.

Als ich meinem Vater, meiner Stiefmutter, meiner Schwester Anne und der kleinen Isabella Lebewohl sagte, war es ein sehr trauriger Anlaß. Unter Tränen versicherten wir einander, daß wir bald wieder zusammensein würden.

Am Hofe zu Den Haag herrschte Spannung, denn aus England kamen wichtige Nachrichten. König Charles hatte mehrere Anfälle erlitten – einen nach dem anderen. Er war nicht mehr jung, und angesichts des Lebens, das er geführt hatte, schien es unwahrscheinlich, daß ihm noch viel Zeit beschieden sein würde.

Die Berichte jagten einander, man erfuhr von der Bestürzung der Menschen, nicht nur in London, sondern im ganzen Land. Keine der ätzenden Schmähschriften hatte etwas an der Zuneigung der Menschen ändern können. Seine zahlreichen Geliebten, seine skandalösen Affären, das alles war unwichtig. Man liebte den ›fröhlichen‹ König. Seit König Edward IV., groß und stattlich, die Straßen Londons durchstreifte und seine Blicke auf hübsche Frauen warf, hatte sich kein König mehr so großer Beliebtheit erfreut.

Die Tischgesellschaften in den Gemächern der Hofdamen fanden weiterhin häufig statt, und William zeigte sich dort oft in Gesellschaft der Unzufriedenen aus England, von denen keiner seine freudige Erregung zu unterdrücken vermochte.

Oft fragte ich mich, wie mein Vater sich, von allem abgeschieden, in Brüssel fühlen mochte. Dann kam aus dieser Stadt Nachricht, daß er mit unbekanntem Ziel aufgebrochen sei und seine Familie zurückgelassen habe.

Ich war in großer Sorge um ihn, als er in England eintraf, da ich wußte, daß er mit Rücksicht auf die Volksmeinung fortgeschickt worden war.

Unterdessen warteten wir gespannt die Entwicklung ab.

Es folgte die Enttäuschung. Der König hatte sich von seinem Leiden erholt und war wieder der alte. Ich konnte mir lebhaft vorstellen, wie ihn die Aufregung amüsierte und welch witzigen Kommentare er darüber machte, daß er sie alle um den Spaß betrogen hatte.

Er empfing meinen Vater voller Zuneigung. Charles liebte seine Familie auf seien sorglose Weise aufrichtig: Nur weil er entschlossen war, ›niemals wieder auf Wanderschaft zu gehen‹, hatte er dem Willen des Volkes entsprochen und seinen Bruder ins Exil geschickt.

Auch wenn ich meinen Vater liebte, mußte ich zugeben, daß es seine eigene Schuld gewesen war. Hätte er seine Skrupel überwunden und seine Religion heimlich ausgeübt, dann wäre es nicht soweit gekommen.

Das war ein Gedanke, der sich mir immer wieder aufdrängte. Und ich muß gestehen, daß es in mir Unmut weckte, wenn ich an die Unruhe dachte, die er damit stiftete.

Nun, jetzt war er wieder in England. Aber würde man ihm gestatten zu bleiben?

In Den Haag herrschte große Spannung. Jeder Bote, der im Palast eintraf, wurde unverzüglich zu William geführt. Alles wartete ungeduldig auf den Ausgang.

Schließlich war es soweit. Mein Vater kehrte nach Brüssel zurück.

Er würde seine Familie nach England bringen und unterwegs Den Haag einen Besuch abstatten.

In der Zwischenzeit hörten wir die Neuigkeit. Die Engländer wollten nicht zulassen, daß mein Vater im Land blieb. Ich fragte mich, wie seine Pläne aussehen mochten, und als er eintraf, empfing ich ihn mit einem Gemisch aus Freude und Angst. Kaum war ich mit ihm allein, wollte ich wissen, was sich zugetragen hatte.

Er berichtete mir vom Wiedersehen mit seinem Bruder.

»Es war nicht Charles' Schuld«, sagte er. »Trotz seiner

Minister… trotz des Volkes… er wollte nicht, daß ich ging.«

»Dann… dann wirst du bleiben?«

»Auch das geht nicht. Der Druck ist zu groß. Nur wer in London war, kann verstehen, wieviel Unruhe diese infame Verschwörung gebracht hat. Nur der kann ermessen, welchen Schaden sie anrichtete. Das Volk ist außer sich. In den Straßen hört man den Ruf ›Kein Pfaffentum!‹ Titus Oates wird geglaubt, als predige er Gottes Wort. Er hat den Haß gegen die Katholiken geschürt.«

»Und du läßt alle wissen, daß du einer bist«, sagte ich ein wenig vorwurfsvoll.

»Ich bin, was ich bin.«

»Sag mir, was jetzt geschehen wird.«

»Man schickt mich nach Schottland.«

»Nach Schottland! Ins schottische Exil!«

»Nein, diesmal nicht ins Exil. Diesmal gehe ich in allen Ehren. Ich werde dort als Hochkommissar amtieren. Das wird mich beschäftigen.«

Ich empfand Erleichterung.

»Charles meint, die Familie solle in London bleiben. Er wird sich um sie kümmern. Von Anne wird natürlich erwartet, daß sie bleibt, aber Maria Beatrice wird darauf bestehen, mich zu begleiten.«

»Nun ja, es ist immerhin besser als das hiesige Exil«, sagte ich.

Er lächelte wehmütig. »Es ist ja doch auch ein Exil… ein diplomatisches. Wie ich mir wünsche, wir könnten zu glücklicheren Tagen zurückfinden!«

Wieder empfand ich einen Anflug von Ungeduld. Wäre nicht dein offenes Bekenntnis zu deinem Glauben, dann stünde glücklicheren Tagen nichts im Wege, dachte ich.

Wieder folgten Abschiedsschmerz und die Frage, wann ich die Meinen wiedersehen würde.

An diesen Abschied sollte ich mich in den kommenden Jahren immer wieder erinnern.

# Eine überstürzte Heirat

Dr. Ken, der Dr. Hoopers Stelle eingenommen hatte, war, obschon zierlich und von kleiner Statur, ein Mann von großer Präsenz und starkem Charakter. Er machte keinerlei Zugeständnisse an die Mode, trug keine Perücke und ließ sein schütteres langes Haar zu beiden Seiten des Gesichtes gerade herunterhängen. Von aufbrausendem Temperament, war er dennoch sehr gutmütig und wie sein Vorgänger Dr. Hooper völlig furchtlos, so daß er jeder Meinung, von der sein Gewissen ihm sagte, sie sei richtig, Ausdruck verlieh.

Ich mochte ihn von Anfang an, und ich glaube, bei ihm war es ähnlich. Aus diesem Grund war ich froh, daß er gekommen war.

Er und William fanden aneinander keinen Gefallen. Tatsächlich mochte William ihn noch weniger als Dr. Hooper. Ich wußte inzwischen, daß er die englischen Seelsorger, die den Platz der holländischen Geistlichen seiner Wahl einnahmen, allesamt liebend gern losgeworden wäre. Verständlich, daß die Situation nicht nach seinem Geschmack war.

Dr. Ken merkte sehr rasch, daß William es mir gegenüber am nötigen Respekt fehlen ließ. In einem Schreiben an meinen Onkel brachte er seine ›große Unzufriedenheit mit dem Benehmen des Prinzen seiner Gemahlin gegenüber‹ zum Ausdruck. Er fügte hinzu: »Ich werde es, auch auf die Gefahr, hinausgeworfen zu werden, zur Sprache bringen.«

Das tat er denn auch. William war verärgert, doch es muß ihm wohl klar gewesen sein, daß er wenig tun konnte. Die Lage in England war äußerst heikel, und er mußte berücksichtigen, welche Auswirkungen sein Vorgehen dort hatte. Ständig mußte er sich vor Augen halten, daß er allein durch mich Anspruch auf den Thron hatte, und daß ich es war, der man zujubeln würde, sollte jener langersehnte Tag je kommen. Dr. Ken zu ersuchen, er möge gehen, mochte eine Bagatelle sein, aber wer konnte voraussehen, welche Nachwirkungen dies haben mochte?

William war sehr gut imstande, die Nadelstiche eines Mannes wie Dr. Ken aus kluger Berechnung zu ertragen.

Dann geschah etwas, das ein gerüttelt Maß an Mut meinerseits erforderte, ein Ereignis, das ich als einen Wendepunkt in der Beziehung zu meinem Mann ansehe. Es hätte nie passieren können, wäre William anwesend gewesen, doch weilte er oft in Regierungsgeschäften in anderen Landesteilen, und dies war eine dieser Gelegenheiten.

Seit einigen Wochen schon war mir aufgefallen, daß mit Jane Wroth etwas nicht stimmte. Da sie von Natur aus ein lebhaftes und zum Frohsinn neigendes Mädchen war, fiel die Veränderung umso mehr auf.

Ich ließ sie zu mir kommen, und sie kam, still, bedrückt, und plötzlich bemerkte ich, daß sich auch ihre Gestalt verändert hatte.

»Jane, Ihr solltet mir lieber sagen, was Euch bekümmert«, sagte ich.

Sie schlug die Augen nieder und schwieg.

»Es ist nicht zu übersehen«, fuhr ich fort. »Wäre es nicht an der Zeit, daß Ihr an Heirat denkt?«

Arme Jane. Sie blickte mich tieftraurig an.

»Euer Hoheit, das ist leider nicht möglich.«

»Warum nicht? Ist er schon verheiratet?«

Sie schüttelte den Kopf.

»Warum dann nicht?«

»Madam, es liegt daran, wer er ist.«

»Nun sagt schon«, drängte ich sie.

Wieder schwieg sie still, so daß ich sie in gebieterischem Ton ermahnte: »Jane, ich fordere Euch auf, es mir zu sagen.«

»Es ist William Zulestein, Euer Hoheit.«

Zulestein! Ein Verwandter Williams, den er sehr schätzte. Und wer war Jane Wroth? Sie entstammte keiner der großen Familien und konnte von Glück reden, eine Stellung bei Hof bekommen zu haben.

»Wie konnte das passieren?« Eine dumme Frage. Wie passierten diese Dinge schon? Sie passierten immer wieder und oft dort, wo man es am wenigsten erwartete. William würde sicher Wert darauf legen, daß Zulestein eine gute Partie machte, eine, die für das Haus Oranien von Bedeutung war, da er trotz seiner illegitimen Geburt als Mitglied des Hauses anerkannt wurde. Ach, was für eine Närrin Jane gewesen war!

»Wie habt Ihr es nur zulassen können!« rief ich aus. »Ihr habt Euch verführen lassen. Er kann Euch doch nicht die Ehe versprochen haben!«

»Doch, das hat er«, behauptete sie.

»Er hat Euch also die Ehe versprochen. Und jetzt?«

»Er sagt, der Prinz würde es nie zulassen. Er selbst würde es tun... wäre da nicht der Prinz.«

»Seid Ihr sicher, daß er es versprach?«

»Ja, Madam, das bin ich.«

»Ihr hättet es besser wissen sollen, als auf Versprechungen zu hören. Also... was gedenkt Ihr nun zu tun?«

Jane sah mich mitleiderregend an. Sie hatte keine Wahl. Man würde sie nach Hause schicken, und ihre Familie würde ihr mit Mißbilligung begegnen. Sie hatte sich ihre Chancen verdorben: Nachdem für sie unter großen Schwierigkeiten eine Stellung gefunden worden war, hatte sie einer Torheit nachgegeben, hatte sich verführen lassen und stand nun im Begriff, mit einem unehelichen Kind ihre Aussichten auf eine gute Heirat vollends zunichte zu machen. Arme Jane! Nach Hause gehen zu müssen, verachtet zu werden und wegen einer unbedachten Jugendtorheit ihr Leben lang geschmäht zu werden.

Ich mochte Jane sehr gern und empfand großes Mitleid mit ihr.

»Nun, ich weiß nicht, was wir tun sollen«, sagte ich.

Sie fing leise an, vor sich hinzuweinen. »Ich werde gehen«, schluchzte sie. »Ich werde Euer Hoheit nicht länger dienen. Ich kann es nicht ertragen.«

»Habt Ihr mir Zulestein darüber gesprochen?«

Sie nickte.

»Und er ist gewillt, Euch zu verlassen. Ist das so?«

»Etwas anderes wagt er nicht. Er sagt, der Prinz hätte für ihn andere Pläne.«

»Und das hat er Euch zuvor nicht gesagt?«

»Er sagte, daß er mich liebt. Wir hätten geheiratet... trotz allem.«

»Jane, zieht Euch jetzt zurück«, sagte ich. »Ich will mir überlegen, was man tun muß.«

Da ging sie. Ich empfand Mitleid für sie und Zorn auf den Mann, der sich gedankenlos sein Vergnügen genommen hatte, der gelogen und betrogen hatte, um es sich zu verschaffen.

Dr. Ken traf mich in nachdenklicher Stimmung an und fragte mich, was mir das Herz beschwere. Ich sah ihm an, daß er dachte, mein Unmut könne nicht durch eine Lieblosigkeit des Prinzen ausgelöst worden sein, da dieser abwesend war.

»Dr. Ken, ich bin in großer Sorge«, gestand ich. »Es geht um eine meiner Hofdamen, um Jane Wroth. Sie ist guter Hoffnung und völlig verzweifelt.«

»Der Mann, der die Verantwortung trägt, ist bei Hof?«

»Ja.«

»Dann muß er sie ehelichen.«

»Dem steht ein kleines Hindernis entgegen. Es handelt sich um William Zulestein.«

»Um den Vetter des Prinzen! Aber was hat das mit der Sache zu tun? Er hat das Mädchen geschwängert und muß es nun heiraten.«

»Der Prinz wird es nicht gestatten.«

»Das ist eine Sache von Recht und Unrecht, und an der Verpflichtung dieses Mannes gibt es nichts zu deuteln. Er hat dieses Mädchen verführt, sie ist schwanger, und er muß sie heiraten.«

»Ich glaube, der Prinz wird nicht einverstanden sein.«

Dr. Kens glattes Gesicht hatte sich in entschlossene Falten gelegt. »Dann wird der Prinz eben nicht einverstanden sein.«

»Er wird es nicht gestatten.«

»Er ist nicht zugegen, also kann er es nicht verhindern. Und wenn sie erst verheiratet sind, dann kann der Prinz nichts mehr machen.«

»Heißt das, Ihr würdet...?«

»Sie trauen? Und ob. Gebt mir Euren Segen, und ich tue es.«

»Aber der Prinz...«

»Euer Hoheit, Ihr seid die Prinzessin von Oranien. Die Frau steht in Euren Diensten. Es ist eine Angelegenheit, die in Eure Kompetenz fällt. Es könnte sein, daß Ihr dereinst Königin von England werdet. Der Prinz würde in diesem Fall an der Macht nur so viel Anteil haben, wie es Euch beliebt. Ihr neigt dazu, Euch von ihm beherrschen zu lassen. Gegenwärtig seid Ihr nur Prinzessin von Oranien, und er ist der Prinz. Aber Ihr seid auch die Erbin des britischen Throns. Laßt nicht zu, daß man Euch beiseite drängt. Ihr solltet Stärke beweisen. Wenn man zuläßt, daß dieser Mann seine Versprechungen nicht erfüllt, wenn diese junge Frau in Schande leben muß, weil der Mann, der mit ihr sündigte, seiner Verpflichtung nicht nachkommt, und wir nicht alles in unserer Macht Stehende tun, um dies zu verhindern, vernachlässigen wir unsre Christenpflicht. Betet um Gottes Beistand. Morgen komme ich zu Euch, und wir werden diesen irrenden jungen Menschen vor Augen führen, was getan werden muß.«

»Aber der Prinz...«, setzte ich an.

»Das ist nicht seine Sache. Er ist abwesend. Es ist Eure Pflicht, ohne ihn zu handeln.«

»Ich wage es nicht.«

Er bedachte mich mit einem bekümmerten Lächeln. »Nur weil er Eure Stellung vergißt, dürft Ihr sie nicht vergessen.«

Ich sagte, daß ich die Sache überdenken wollte.

Und das tat ich denn auch. Die ganze Nacht über dachte ich an seinen Zorn, wenn er erfahren würde, was wir getan hatten, wohl wissend, daß es gegen seinen Willen geschähe. Dann dachte ich an Jane, die schmachvoll nach Hause geschickt werden sollte. Und mir kam der Gedanke, daß Zulestein sich womöglich weigern würde, sie zu heiraten, selbst wenn Dr. Ken darauf beharrte.

Ich schäme mich, sagen zu müssen, daß dies einen Funken Hoffnung in mir weckte, denn es wäre ein Ausweg aus dem Dilemma gewesen. Da ging mir auf, was für ein Feigling ich war. Ich hatte Angst vor Williams Zorn. Ich kämpfte mit mir. Ich mußte an meine Stellung denken. Ich dachte daran, wie sich Dr. Ken und andere darüber empörten, daß der Prinz mich so behandelte.

Nein, ich wollte ihm entgegentreten. Wenn irgendein Mann ein Mädchen mit einem Eheversprechen verführt hat, würde man ihn dazu bringen, sein Versprechen einzulösen. Warum also nicht auch Zulestein?

Ich war der Meinung, der Mann sollte Jane heiraten. Und Dr. Ken teilte diese Meinung.

Mein Entschluß stand fest.

Dr. Ken war entzückt, als ich ihm meine Entscheidung mitteilte.

»Ihr tut das Rechte«, sagte er. »Gott hat Euch in dieser Sache geleitet.«

Ich ließ Zulestein kommen, und als er eintrat, warteten ich und Dr. Ken bereits.

Er war kein junger Mann mehr, etwa fünf Jahre älter als William, doch er sah sehr gut aus und war eine imponierende Persönlichkeit mit aristokratischem Auftreten, das er wegen seiner illegitimen Geburt vielleicht zu stark betonte.

Ich sah sofort, daß es meines ganzen, neuerworbenen Mutes bedurfte, um mit diesem Mann zu verhandeln. Aber neben mir stand Dr. Ken, einer der eindrucksvollsten und wortgewaltigsten Prediger, die ich je gehört hatte.

Ich begann, indem ich ihm eröffnete, daß ich mit Jane Wroth gesprochen hätte und von ihrem Zustand und seinem Anteil daran wüßte.

Sichtlich erschrocken war er momentan um Worte verlegen.

Dr. Ken sagte zu ihm: »Tatsache ist, daß diese junge Frau im Begriff steht, Euer Kind zu gebären. Ihr habt ihr die Ehe versprochen und dieses Versprechen zurückgezogen. Angesichts dessen, was geschah, ist es erforderlich, daß Ihr Jane Wroth unverzüglich ehelicht.«

»Ich würde es tun, wenn es möglich wäre«, sagte darauf Zulestein.

»Seid Ihr schon verheiratet?« fragte Dr. Ken.

»Nein.«

»Dann gibt es keinen Grund, weshalb es Euch unmöglich ist, Jane Wroth zu heiraten.«

»Ihr kennt meine Beziehung zum Haus Oranien.«

»Ich weiß, daß Euer Vater der außereheliche Sohn Henry Fredericks, des Prinzen von Oranien, war.«

»Dann werdet Ihr gewiß begreifen...«

»Ich fürchte, nein. Wenn ein Mann ein Eheversprechen gibt, muß er es halten, andernfalls er in den Augen Gottes ein Betrüger und Lügner sein wird, und für solche ist kein Platz im Himmel.«

Zulestein wurde gewahr, wie schwierig seine Lage war. Er wandte sich an mich.

»Euer Hoheit wird gewiß verstehen. Der Prinz wünscht, daß ich eine Ehe aus Staatsräson schließe. Es wurde darüber bereits gesprochen.«

Dr. Kens Anwesenheit verlieh mir Standfestigkeit.

»Das muß gewesen sein, ehe das Ergebnis Eurer Vereinigung mit meiner Hofdame bekannt war«, sagte ich mit Nachdruck. »Dies ändert natürlich alles. Euch bleibt nur ein Weg offen. Ich teile Dr. Kens Meinung. Ein Aufschub kommt nicht in Frage.«

»Madame... Euer Hoheit, der Prinz wird höchst ungehalten sein.«

»Wenn der Prinz ein Ehrenmann ist, wird er um vieles ungehaltener sein, wenn Ihr Eurer Verpflichtung nicht nachkommt«, sagte Dr. Ken.

»Es betrifft eine Dame meines Hofstaates«, warf ich ein, »und daher obliegt die Entscheidung mir. Ich kann nicht glauben, daß ein Angehöriger des Hauses Oranien sich unehrenhaft beträgt. Ich rate Euch, bedenkt diese Sache sehr ernst. Kommt morgen wieder und gebt mir Antwort. Ich bete darum, daß es die richtige und ehrenhafte Antwort sein möge.«

Dr. Ken fügte hinzu: »Ich komme mit Euch, mein Sohn, und wir werden gemeinsam beten und Gott bitten, er möge Euer Gewissen leiten.«

Ich habe bereits erwähnt, daß Dr. Ken einer der beredtesten Prediger war, die ich je hörte, doch entzieht es sich meiner Kenntnis, was er zu Zulestein sagte. Möglich, daß er ihn überzeugte, er würde der ewigen Verdammnis anheimfallen, wenn er Jane nicht heiratete; ebenso möglich, daß Zulestein Jane wirklich liebte. Jedenfalls zeigte er sich einverstanden, sie zu heiraten, und Dr. Ken traf unverzüglich alle notwendigen Vorbereitungen.

Die Trauung fand in meiner kleinen Privatkapelle statt, und Jane Wroth wurde Zulesteins Frau.

Als William zurückkam und entdeckte, was geschehen war, zeigte er sich zunächst sehr erstaunt und dann sehr zornig. Zu gern hätte ich gewußt, was er zu Zulestein sagte, der ihm einen Bericht über das Geschehene lieferte. Als William zu mir kam, konnte er nur mit Mühe seiner Wut Herr werden. Innerlich bebend, zwang ich mich, mir meine Angst nicht anmerken zu lassen.

»Zulestein mit diesem Mädchen verheiratet!« schrie William mich an. »Wer ist sie denn? Nichts... ein Niemand! Und er mein Vetter! Und du hast deine Einwilligung gegeben! Nein, du hast auf Heirat gedrängt, darauf sogar bestanden.«

Ich hörte mich trotzig erwidern: »Es war eine Heirat, die schon vor Monaten hätte stattfinden sollen.«

»Hast du vergessen, daß er zu *meiner* Familie gehört?«

»Um so mehr Grund, daß er seine Verpflichtungen einhalten soll.«

Ich spürte, wie mein Mut wankend wurde, und befürchtete schon, ich würde klein beigeben und gestehen, daß ich unrecht hätte. Aber etwas in mir drängte mich, stark zu bleiben. Wenn ich mich jetzt in die Knie zwingen ließ, würde seine Verachtung für mich wachsen. Ich mußte jetzt stark bleiben. Ohnehin würde er nicht wagen, rüde gegen mich vorzugehen, weil ich für seine Pläne viel zu wichtig war.

Hocherhobenen Hauptes sagte ich: »Ich habe getan, was Dr. Ken und ich für richtig hielten.«

»Ach, dieser Mensch steckt also dahinter. Dieser Intrigant...«

»Dr. Ken ist ein guter Mensch. Er hat Zulestein vor Augen geführt, wo seine Pflicht liegt.«

»Du hast gewagt...?« Er hielt inne. Aus seiner Miene sprach Fassungslosigkeit. Er glaubte, daß ich nie so vorgegangen wäre, hätte Dr. Ken mich nicht überredet.

»Jane Wroth gehört zu meinem Hofstaat«, erwiderte ich kühl. »Daher obliegt mir die Sorge für sie. Ich glaube, daß es meine Pflicht war, dafür zu sorgen, daß ihr Recht widerfährt.«

Diese Veränderung meiner Haltung beunruhigte ihn, und er war in Zukunft auf der Hut. Ich aber wußte, daß ich, ganz abgesehen vom moralischen Standpunkt, recht getan hatte, ihm in diesem Fall die Stirn zu bieten.

Dr. Ken, der im Raum daneben gelauscht haben mußte, wählte just diesen Moment, um anzuklopfen und um Einlaß zu bitten.

»Ja, tretet ein«, rief William laut. »Wie ich höre, habt Ihr es auf Euch genommen, für meinen Vetter eine Heirat zu arrangieren.«

»Eine verspätete, aber notwendige Zeremonie«, sagte Dr. Ken.

»Ihr seid unverschämt«, erwiderte William, der nun seine Wut, die er gegen mich empfand, an Dr. Ken ausließ. »Ihr ratet der Prinzessin, meine Wünsche zu mißachten.«

»Es war meine eigene Entscheidung«, gab ich zurück. Mit Dr. Ken an meiner Seite fühlte ich mich stark.

»Ich zweifle nicht, daß er dich beraten hat.«

»Die Prinzessin ist sehr wohl imstande, eigene Entscheidungen zu treffen – und kraft ihrer Stellung hat sie auch das Recht dazu.«

Damit gab er William zu verstehen, daß er mich behutsamer behandeln mußte. Ich sah Williams Augen vor Zorn blitzen.

»Ihr seid ein intriganter Pfaffe«, stieß er hervor. »In Zukunft überlaßt Ihr Angelegenheiten, die Euer Verständnis überschreiten, denjenigen, deren Sache sie sind, und hebt Eure Ansichten von Gut und Böse für jene auf, die sie hören wollen. Eines laßt Euch gesagt ein: Ich werde nicht dulden, daß Ihr Euch in Angelegenheiten dieses Landes einmischt.«

»Ich bin gekommen, um hier meinen Beruf auszuüben«, erwiderte Dr. Ken. »Und nichts wird mich daran hindern.«

»*Ich* werde Euch daran hindern, Euch auf anmaßende Weise in meine Angelegenheiten einzumischen«, sagte darauf William.

»Euer Hoheit, ich kann mich in meiner Pflichterfüllung nicht behindern lassen und werde unverzüglich Vorkehrungen für meine Rückkehr nach England treffen. Ich glaube, dort gibt es etliche, die es interessieren wird, welch barsche Behandlung der Prinzessin zuteil wird.«

»Geht, so rasch Ihr wollt«, sagte William. »Für mich kann es gar nicht früh genug sein.«

Damit ließ er uns allein.

Ich blickte Dr. Ken unglücklich an.

»Ihr könnt nicht gehen«, sagte ich.

»Eine Alternative habe ich nicht.«

Ich hatte von diesem Mann Mut bezogen, ich brauchte ihn an meiner Seite.

»Ohne Euch werde ich mich sehr allein fühlen«, sagte ich.

»Dazu liegt kein Grund vor. Der Prinz ist ein ehrgeiziger Mann. Er wird es nicht wagen, bei Euch noch weiter zu gehen. Ich habe es bereits laut ausgesprochen. Er weiß es, und es paßt ihm nicht. Hoheit dürfen niemals Eure hohe Stellung vergessen. Er denkt nämlich ständig daran, und sie gefällt ihm nicht. Er will Euch in der Hand haben. Vergeßt nicht, teure Prinzessin, daß er nicht weit gehen kann. Ihr verfügt über Waffen, um zurückzuschlagen. Aber jetzt muß ich gehen und Vorbereitungen treffen.«

»Bitte, Dr. Ken, ich brauche Euch dringend. Überdenkt Eure Entscheidung. Ich weiß, daß Ihr in allem recht habt. Ihr habt mir große Kraft verliehen. Bitte, geht nicht. Ich flehe Euch an – bleibt. Bleibt ein wenig länger.«

Er sah mich liebevoll an.

»Ihr habt gehört, was gesagt wurde, und Ihr wißt, wie es um meine Position bestellt ist. Ich muß zurück nach England.«

»Wenn Ihr nur noch eine Weile bleiben könntet.«

»Meine Vorbereitungen werden ein, zwei Tage in Anspruch nehmen.«

»Bitte, Dr. Ken, Ihr habt mir Mut gemacht. Ich brauche Euch hier. Bitte, geht noch nicht.«

»Ich will etwa einen Tag warten«, sagte er.

Mir erschien es sehr wichtig, daß er blieb.

An jenem Tag kam William später noch einmal zu mir. Er war ruhig und kühl, ganz wie immer.

»Hast du Dr. Ken gesehen?« fragte er.

»Ich habe ihn gebeten zu bleiben«, gab ich mit einem Anflug von Trotz zurück.

Wie erstaunt war ich, als ich sah, daß er erfreut schien.

»Was sagte er?«

»Er sagt, daß er nicht bleiben könne.« Ich hielt den Kopf hoch. »Ich möchte nicht, daß er geht.«

Zu meiner Verwunderung sagte William nun: »Es ist für ihn besser, wenn er die vereinbarte Zeit bliebe. An seiner Stelle bekämen wir ja doch wieder nur einen wie ihn.«

»Aber du hast ihm das Bleiben erschwert. Du hast ihm zu verstehen gegeben, er müsse gehen.«

»Nur, als er seine Absicht zu gehen äußerte. Du solltest ihn zum Bleiben überreden.«

Ich lächelte ein wenig ironisch. Natürlich wollte er nicht, daß Dr. Ken in England verbreitete, wie jämmerlich der Prinz mich behandelte. Das hätte das Volk gegen ihn aufgebracht. Die Gefühle der Menschen gerieten sehr leicht in Aufruhr. Dr. Ken würde ein Bild der armen Prinzessin zeichnen – ihrer englischen Prinzessin –, die von einem Holländer wie ein Niemand behandelt wurde. Und wenn die Zeit käme – wenn sie denn wirklich käme – und er mit mir durch die Straßen Londons ritt, würden alle sich des Holländers entsinnen, der sich ihrer Prinzessin gegenüber so niederträchtig betragen hatte.

Ich sah ihm an, wie sein Verstand arbeitete. Die Heirat

Zulesteins hatte ihn so erbittert, daß er vorübergehend sein kühles Urteilsvermögen verloren hatte – was vermutlich kaum jemals vorkam – und etwas gesagt hatte, das besser ungesagt geblieben wäre. Und jetzt wünschte er sich nichts dringender, als Dr. Ken unter seiner Aufsicht zu halten, damit dieser nicht zurück nach England ging und gegen William von Oranien predigte.

Ich konnte mir die Andeutung eines Lächelns nicht verkneifen, als ich mich zu ihm umdrehte.

»Ich habe versucht, ihn zu überreden. Wenn du möchtest, daß er bleibt, solltest du ihn selbst darum bitten.«

William schien ob dieser Aussicht erschrocken.

»Du könntest ihn überreden«, sagte er.

»Ich habe es versucht, aber ich glaube, daß du ihn zu tief gekränkt hast, und daß man ihm ausdrücklich sagen muß, seine Anwesenheit sei dir nicht unangenehm.«

Eine sonderbare Wendung. Nun war ich es, die William Ratschläge erteilte.

»Hm, ich werde den Mann vielleicht aufsuchen«, sagte er.

Ja, er hatte Angst davor, daß Dr. Ken nach England ging und schlimme Dinge über den Prinzen von Oranien verbreitete.

Wenige Stunden später sah ich Dr. Ken. Er lächelte.

»Der Prinz hat mich aufgesucht«, sagte er. »Ja, er begab sich zu mir und hat mich nicht zu sich kommen lassen. Eine seltene Herablassung. Er hat seinem Verlangen, daß ich bleiben möge, sehr nachdrücklich Ausdruck verliehen. Die plötzliche Heirat seines Vetters sei für ihn ein Schlag gewesen, da er andere Pläne mit ihm gehabt hätte, erklärte er. Doch er sähe meinen Standpunkt ein und ihm sei klar, daß ich nur getan hätte, was ein Geistlicher unter diesen Umständen tun mußte. Er sagte, die Prinzessin sei durch meine Belehrung sehr getröstet worden und durch meinen drohenden Abschied zutiefst verstört. Aus diesem Grund hoffe er, ich würde meinen Entschluß überdenken.«

»Und Ihr habt ihn überdacht?«

Dr. Ken lächelte.

»Ich habe gesagt, ich wolle noch ein Jahr bleiben, doch deutete ich an, daß die Behandlung Eurer Hoheit zu wünschen übrig lasse. Es mag Euch verwundern, daß er keine Mißbilligung erkennen ließ. Ich hätte gedacht, daß er wieder seinem Verlangen Ausdruck verleihen würde, mich loszuwerden, doch hat er es unterlassen. Statt dessen sagte er, ich sei sehr willkommen in Den Haag, wenn ich der Prinzessin zuliebe ein wenig länger bliebe.«

So kam es, daß Dr. Ken bei uns blieb.

Ich hatte mich ganz entschieden verändert, hatte etwas von meiner Demut verloren. Außerdem hatte ich der Bedeutung der britischen Krone Nachdruck verliehen und damit William ein für allemal zu verstehen gegeben, daß der einfachste Weg zu ihr über mich führte.

## Frohes Treiben in Den Haag

Ich war überglücklich, daß Dr. Ken bei uns blieb. Er war mir ein Trost, und damals brauchte ich Trost.

Frances Apsley hatte Sir Benjamin Bathhurst geheiratet. Da sie auf die Zwanzig zuging, wußte ich, daß sie sich früher oder später verheiraten würde. Ihre Briefe hatten sich verändert. Sie schrieb mir, daß sie sehr glücklich sei, und bald darauf wurde sie schwanger. Sie war noch immer meine liebste Freundin, doch ich sah ein, daß es in ihrem Leben nun Wichtigeres gab – ihre Ehe und das Kind, das sie erwartete. Ich beneidete sie, und doch freute ich mich über ihr Glück. Aber es entrückte sie mir, und ich wußte, daß es fortan nicht mehr wie früher sein würde. Vielleicht war es ja nie das gewesen, was ich mir vorgestellt hatte, doch allein der Glaube daran war für mich unendlich wichtig gewesen.

Ich sehnte mich nach einer glücklichen Ehe, nach einem eigenen Kind. Aber ich war mit William verheiratet. Konnte ich ihn je dazu bringen, mich zu lieben, wie Sir Benjamin Frances offenbar liebte? War es denn möglich? Sollte ich es versuchen?

Ich hatte immer eine blühende Phantasie gehabt und fing nun an, mir ein Bild häuslichen Glücks zu schaffen, das ein genaues Gegenteil der Realität war: William, der entdeckt, wie sehr er mich liebt – ein William, der sich vom verbissenen, ehrgeizigen Mann, den ich kannte, völlig unterschied. Seine wahren Gefühle waren unter der strengen Fassade, die er der Welt zeigte, verborgen gewesen. Ich hatte ihn zur Liebe erweckt. Merkwürdig genug, ich glaubte allmählich, daß es wahr sein könnte.

Und dann regte sich sogar in meinen realistischsten Augenblicken das Gefühl, daß meine Träume ein Körnchen

Wahrheit enthalten könnten, denn William und ich entdeckten ein gemeinsames Interesse. Er war von Bauwerken fasziniert und ich ebenso – besonders von Gartenanlagen.

Er stand im Begriff in Loo einen Palast zu erbauen, und ich staunte, als er mir die Pläne zeigte. Gut möglich, daß dies auf Dr. Kens Kritik am Umgang mit meiner Person zurückzuführen war – aber nach dieser Begründung suchte ich nicht.

Ich war begeistert. Es würde ein herrlicher Palast werden.

»Der Garten wird sehr groß«, erklärte er mir. »Vielleicht möchtest du die Bepflanzung wählen und die Anordnung bestimmen. Du wirst natürlich deine eigene Suite bekommen, zu deren Ausstattung du Vorschläge machen kannst.«

Ich stürzte mich Hals über Kopf in dieses Projekt. Wir kamen überein, daß unter den Fenstern ein Springbrunnen angelegt werden sollte, und da ich eine Vorliebe für Statuen hatte, sollte ich deren Standorte im Garten wählen. Das alles war sehr interessant, und ich beobachtete die Baufortschritte mit großer Freude. Und was alles so angenehm machte, war Williams veränderte Haltung. Er war entgegenkommender und machte nun eher Vorschläge, als daß er Anordnungen getroffen hätte.

Frances schrieb von ihrem Glück mit Sir Benjamin und ihren gemeinsamen Interessen, und ich schilderte wiederum mein Leben mit William in glühenden Farben.

Ich liebte den Palast in Loo sehr, vermutlich, weil ich bei seinem Bau hatte mitwirken dürfen. Ich ließ ein Gehege für Geflügel anlegen, in dem ich verschiedene Sorten von Federvieh züchten wollte. Es war mir eine große Freude, mich unter dem Getier zu bewegen, es zu füttern und mich von ihm umflattern zu lassen. So kam es, daß ich in Loo sehr viel Zeit verbrachte.

Leider bekam ich William viel seltener zu Gesicht, sobald der Palast fertiggestellt war. Ich konnte nicht erwarten, daß er sich ständig in Loo aufhielt, wenn die Staatsgeschäfte seine Anwesenheit in Den Haag erforderten.

Aus England erreichten uns Nachrichten. Meine Schwester Anne stand im Mittelpunkt eines Skandals.

Sie war jetzt sechzehn, in einem Alter, in dem ich bereits verheiratet gewesen war. Inzwischen hatte sich die Lage sehr verändert. Seitdem ich England verlassen hatte, war es mit der Beliebtheit meines Vaters rapide bergab gegangen. Dafür hatte Titus Oates gesorgt. Der König war in die Jahre gekommen, und sein Alter und das Unvermögen meines Vaters, einen Sohn in die Welt zu setzen, ließen es wahrscheinlich erscheinen, daß ich – und William mit mir – eines Tages den Thron besteigen würde. Wenn ich keine Kinder bekäme, womit man rechnen mußte, würde Anne mir nachfolgen.

Nun war es schwer vorstellbar, daß Anne sich soweit hinreißen ließ, in einen Skandal verwickelt zu werden. Sie war trotz ihrer Fülle auf ihre Art hübsch. Als ich sie das letzte Mal gesehen hatte, war ihr Teint sehr frisch und gesund gewesen; und ihr unbestimmter Blick, der auf ihre Kurzsichtigkeit zurückzuführen war, konnte auf manche sehr anziehend wirken.

Jedenfalls hatte es den Anschein, als hätte John Sheffield, Earl of Mulgrave, sich in sie verliebt. Ihre Romanze war entdeckt worden, der arme Mulgrave in Ungnade gefallen.

Er war um etliches älter als sie – sechzehn oder siebzehn Jahre, glaube ich –, aber ein sehr gutaussehender und wortgewandter Mann. Ich glaube, sie hat sich von seiner poetischen Ader bezaubern lassen.

Als man jedoch entdeckte, daß Mulgrave sich mit Heiratsplänen trug – und Annes Einverständnis hatte –, gab es Verdruß.

Ich konnte mir vorstellen, wie Anne sich betrug. Sie würde ihr gleichmütiges Lächeln zur Schau tragen, und man würde einsehen, daß es keinen Zweck hatte, sie zu schelten.

Beim armen Mulgrave war es anders. Er wurde gerügt und nach Tanger geschickt. Hinterher hörte ich, daß sein Schiff ein Leck hatte, und es wurde gemunkelt, daß man gehofft hätte, ihn auf See loszuwerden. Ich freilich glaubte das nicht. Mein Onkel hätte sich für einen derartigen Plan nie hergegeben, doch gegen hochgestellte Persönlichkeiten werden immer wieder Anschuldigungen solcher Art laut. Und als ich entdeckte, daß sich auch der Earl of Plymouth an Bord befand, wußte ich mit Sicherheit, daß die Anschuldigung falsch war, denn der Earl of Plymouth war ein illegitimer Sohn des Königs. Mein Onkel, der alle seine Kinder innig liebte, hätte nie zugelassen, daß eines von ihnen in einem nicht seetüchtigen Schiff auf Fahrt ging.

Mulgrave selbst brachte nie eine Anschuldigung vor und erklärte, man hätte das Leck erst auf halber Strecke nach Tanger entdeckt. Wäre das Schiff beim Auslaufen schon leck gewesen, hätte man dies sehr rasch gemerkt.

Annes Liebelei mit Mulgrave machte es wünschenswert, einen Ehemann für sie zu finden, ehe sie in weitere Affären verwickelt wurde.

Prinz Georg von Hannover traf in Holland ein. Er befand sich auf dem Weg nach England, und den Grund für seinen Besuch konnten wir uns denken. Er sollte Gelegenheit bekommen, Anne kennenzulernen.

Die Geschehnisse am englischen Hof waren für William immer von größter Wichtigkeit. Manchmal dachte ich mir, für ihn wäre es günstiger gewesen, Mrs. Tanner hätte bei seiner Geburt nicht die Vision von den drei Kronen gehabt. Vielleicht wäre er dann von dem Verlangen, sie zu erringen, nicht so besessen gewesen. Aber es war ebensogut möglich, daß er, ehrgeizig wie er war, dennoch nach den Kronen gestrebt hätte.

Georg besaß einen Anspruch auf den Thron, da sein Vater Ernst August Sophia geheiratet hatte, eine Tochter Elizabeths, der Königin von Böhmen, und Urenkelin James I. von England. Georgs Beziehung zu den Stuarts mißfiel William. Ich glaube, er hätte es lieber gesehen, wenn Anne heimlich Mulgrave geheiratet hätte.

Der Besuch Georgs von Hannover lockte mich aus meiner Abgeschiedenheit in Loo. Ich fand Georg wenig anziehend. Er sah zwar auf seine Art ganz gut aus, ließ es aber an Charme und Benehmen fehlen. Schlicht gekleidet, machte er durch sein Auftreten klar, daß er nicht gewillt war, Zugeständnisse zu machen. Von der Liebenswürdigkeit der Stuarts hatte er jedenfalls nichts mitbekommen. Ich fragte mich, was Anne von ihm halten mochte.

Er blieb nicht lange bei uns, und nachdem er weitergereist war, wartete ich begierig auf Nachrichten über seine Begegnung mit meiner Schwester.

Es gab darüber mehrere Versionen, die indes darin übereinstimmten, daß diese Begegnung alles andere als erfolgreich verlaufen war. Meiner Vermutung nach mußte Elizabeth Villiers die wichtigste Informationsquelle gewesen sein, da sie in ständigem Kontakt mit ihren Schwestern stand, die am englischen Hof lebten. Meist waren ihre Informationen zutreffend.

Georg und Anne hatten offenbar keinen Gefallen aneinander gefunden. Arme Anne! Sie muß ihn mit Lord Mulgrave verglichen haben, und der Gegensatz war wohl zu groß gewesen.

Wie wünschte ich mir, bei ihr sein zu können, um ihre wahren Gefühle zu erfahren. Anne war keine Briefschreiberin. Mit der Feder hatte sie immer schon auf Kriegsfuß gestanden. In dieser Hinsicht war sie ganz anders als ich, und jede Nachricht, die ich von ihr bekam, fiel daher sehr knapp aus. Ich konnte nur hoffen, daß sie nicht zu unglücklich war.

Ich hörte, daß Georg nach der Begegnung mit Anne eine Verbindung ablehnte, und daß Anne ähnlich dachte. Das Bedauern dürfte sich also in Grenzen gehalten haben, als der junge Mann nach Hannover abberufen und fast unmittelbar danach mit Sophie Dorothea von Celle verlobt wurde.

Georgs Zukunft war also gesichert, und ich war sicher, daß man bald jemanden für Anne finden würde.

Aus der Heimat kamen traurige Meldungen. Die kleine Isabella war gestorben, ein Todesfall, der mich sehr betrübte. Ich hatte meine kleine Halbschwester bei ihren Besuchen liebgewonnen und konnte mir vorstellten, wie Maria Beatrice unter dem Verlust litt. Es war so grausam, daß ihr dieses Kind – das einzige, das ein paar Jahre am Leben geblieben war – geraubt worden war.

Mein Vater schrieb mir zutiefst bekümmert. Ich wußte, daß er schwere Zeiten durchmachte. Der König erfreute sich nicht allerbester Gesundheit, die Mißstimmung im Land war groß. Er gab seiner Hoffnung Ausdruck, daß ich glücklich sei. Dr. Ken hatte gemeldet, daß er die Art, wie ich am Hof meines Gemahls behandelt würde, alles andere als zufriedenstellend fände.

Ich schrieb ihm zurück und versicherte ihm, daß ich wohlauf sei und keinesfalls unglücklich. Dr. Ken hätte vermutlich übertrieben. Es bekomme ihm offenbar schlecht, fern der Heimat leben zu müssen, zudem hätte er mit dem Prinzen über religiöse Fragen Meinungsverschiedenheiten.

Mein Vater hatte auch geschrieben, er glaube, über ihn seien Gerüchte im Umlauf, und er hoffe, ich ließe mich nicht gegen ihn einnehmen. Er forderte mein Versprechen, daß die Gefühle, die wir füreinander empfänden, unverändert seien.

Ich gab ihm das Versprechen, wenngleich ich mich später fragte, ob dies wirklich der Wahrheit entsprach. In meiner Kindheit hatte ich ihn gottähnlich, vollkommen in jeder Hinsicht gesehen. Aber in jüngster Zeit hatte sich bei mir Unwille über ihn geregt. In haßte Konflikte, und es wurde mir zunehmend klarer, daß viele unserer Schwierigkeiten erst gar nicht entstanden wären, wenn mein Vater sich zu seiner Religion nicht öffentlich bekannt hätte.

Nach Dr. Kens Rückkehr nach England nahm Dr. Covell seine Stelle ein. Dr. Covell war weitgereist und ganz anders als Dr. Ken. Er war sanfter und eher geneigt, seine Ansichten für sich zu behalten, aber ich merkte rasch, daß er für William wenig Sympathie empfand, was mich nicht wunderte, da ihn wie Dr. Ken der Mangel an Respekt mir gegenüber erbitterte.

Aus England gab es, Anne betreffend, neue Nachrichten. Auch diesmal war der Bewerber ein Georg, ein dänischer Prinz. Nach allem, was man hörte, schien er eine angenehme Erscheinung und von bescheidenem Wesen zu sein, und da er nur der zweite Sohn König Fredericks war, konnte er seinen Wohnsitz in England nehmen; von Anne wurde nicht erwartet, daß sie ihr Zuhause verließ. Ich konnte mir vorstellen, daß dieser Umstand ihr den jungen Mann sehr angenehm erscheinen ließ – und als ich erfuhr, daß Colonel Churchill ein Freund des Prinzen war, der seinerseits den Colonel sehr schätzte, war ich sicher, daß Georg bei Sarah Billigung finden würde, was für Anne sehr viel zählte. Es wunderte mich daher nicht, als ich hörte, daß sie mit der Verbindung einverstanden war, und ich freute mich sehr, da ich nicht wollte, daß meine Schwester das gleiche durchmachen mußte wie ich.

Damals führte ich ein sehr beschauliches Leben. Anne Trelawny war mir ein großer Trost, zudem hatte ich meine alte Kinderfrau, Mrs. Langford, bei mir. Ihr Mann war Geistlicher und einer meiner Kapläne. Dann hatte ich die Villiers, Betty Selbourne sowie Jane Wroth – die nun Jane Zulestein hieß – und ein recht hübsches holländisches Mädchen mit Namen Trudaine.

Catherine, eine weitere der Villiers-Schwestern, war in Holland eingetroffen. Sie hatte einen Monsieur Puisars geheiratet, einen Franzosen, der einen Posten in Den Haag innehatte.

Mein Vater schrieb mir nun regelmäßig, und ich wußte, daß William dies nicht recht war. Er überwachte mein Tun ganz genau und wollte nicht, daß ich mich oft in der Öffentlichkeit zeigte. Wenn ich es aber tat, was sehr selten der Fall war, dann brachte mir das Volk großes Interesse entgegen, und ich hatte das Gefühl, daß ich beliebt war. Das Lächeln der Menschen zeigte dies an. Die Holländer, die kein Menschenschlag sind, der seinen Gefühlen freien Lauf läßt, zeigten mir, daß sie mich liebten. William, dem dies nicht entging, reagierte mit Verwunderung und Mißfallen. Er selbst wurde immer höchst respektvoll begrüßt, selten aber mit Herzlichkeit. Bei mir war es umgekehrt, und dies gab ihm zu denken und mag der Grund dafür gewesen sein, daß er meine öffentlichen Auftritte einschränkte.

Er hatte es so eingerichtet, daß ich neben den Hofdamen, die meine Freundinnen waren, einige holländische Bediente bekam. Sie waren angewiesen, sich um meine Bedürfnisse zu kümmern und dafür zu sorgen, daß es mir an nichts mangelte. Zunächst lehnte ich sie ab, da sie mir wie Kerkermeisterinnen erschienen, dann aber entdeckte ich, daß es sehr nette Mädchen waren, und ich gewann sie lieb.

Nun hatte ich viel Muße und merkte, daß ich seinerzeit meine Lektionen nicht mit dem nötigen Eifer gelernt hatte. Meine Unwissenheit störte mich, und da ich ein besonderes Interesse für Literatur entdeckte und es für mich außer Spaziergängen im Garten, Handarbeiten oder dem Umgang mit meinem Federvieh in Loo nichts zu tun gab, vertiefte ich mich in meine Bücher. Ich malte sogar ein wenig und versuchte, mir die Anweisungen meines Zwergs Richard Gibson in Erinnerung zu rufen.

Mit diesen Beschäftigungen vergingen die Tage höchst angenehm. Aber immer mehr Menschen in meiner Umgebung fragten sich, wieso ich mich von meinem Mann dermaßen beherrschen ließ. Es hieß allgemein: »Die Prinzessin von Oranien lebt wie eine Einsiedlerin, auf Wunsch ihres Gatten, wie es scheint.«

Doch ich genoß meine Bücher und meine Malerei. Vermutlich lag es an meinem friedliebenden Naturell, das es mir verwehrte, auf meinen Rang zu pochen. Ich glaube, ich wünschte mir mehr als alles andere, mit meiner Umgebung in Einklang zu leben. Und zudem glaube ich, daß William eine gewisse Faszination auf mich ausübte. Ich wußte, daß es ihm an gutem Aussehen, an einer stattlichen Figur mangelte, daß er kalt, distanziert und bar aller Zärtlichkeiten war. Angesichts dieser Eigenschaften möchte man meinen, daß er keine liebenswerten Züge besaß. Doch William hatte etwas Kraftvolles an sich. Ehrgeiz hatte ich schon des öfteren an Männern kennengelernt, nicht aber jene Kraft, von der ich glaube, daß sie auf manche Frauen einen gewissen Reiz ausübt. Gut möglich, daß ich zu ihnen gehöre.

So lebte ich mein stilles Leben im *Haus in den Wäldern* oder in Dieren – und natürlich im Palast in Loo. Doch meine Umgebung – unter anderem auch englische Besucher in Den Haag, Dr. Covell, Betty Sherbourne, Mrs. Langford und Anne Trelawny – führte fortgesetzt Klage darüber, daß der Prinz von Oranien seine Gemahlin sehr schlecht behandle.

Auf Nachrichten aus England wartete man mit großer Ungeduld. Daß eine Krise drohte, schien unvermeidbar. Die *Exclusion Bill*, die verhindern sollte, daß mein Vater nach dem Tod des Königs den Thron bestieg, war wieder einmal nicht angenommen worden, einfach weil der König dies durch Auflösung des Parlaments verhindert hatte.

Einer, der in den allgemeinen Blickpunkt rückte, war

der Duke of Monmouth, protestantischer Sohn des Königs, wenn auch – zu seinem und, wie einige meinten, zu Englands Schaden – unehelich geboren. Wäre er der legitime Sohn gewesen, hätte es diese Unruhen nicht gegeben.

Doch war es nicht unmöglich, die Angelegenheit ins Lot zu bringen.

Ich konnte mir vorstellen, wie der König die Streiche seines Sohnes mit jener Belustigung verfolgte, die er allen Dingen entgegenbrachte, wichtigen wie unwichtigen, als wollte er sagen: Es liegt an euch, alles zu regeln, wenn ich nicht mehr bin.

Mein Vater war aus Schottland zurückgekehrt, und der König hatte ihn freudig empfangen. Die Minister, die sich für sein Exil ausgesprochen hatten, waren von jenen überstimmt worden, die für seine Rückkehr plädierten. Doch die Tatsache, daß der Thronerbe überhaupt ins Exil geschickt worden war, hatte eine höchst brisante Situation geschaffen.

Mein Vater hatte seine alten Verpflichtungen wieder übernommen. Er hatte noch immer seine Gegner, doch schienen sie nicht mehr so mächtig, und trotz seiner Unbeliebtheit hieß es, daß viele es vorzögen, ihn aus dem Exil zurückzuholen, um ihn in England besser im Auge behalten zu können.

Damit waren nicht alle einverstanden, vielleicht mit einer der Gründe für die Rye House-Verschwörung.

Daß es eine Verschwörung gegen das Leben des Königs geben könnte, schien unglaublich. Er war so beliebt wie eh und je, und alle hofften, daß er sehr lange leben würde. Solange er den Thron innehatte, war alles in Ordnung. Doch er hatte verhindert, daß die *Exclusion Bill* Gesetz wurde, und nun war sein Bruder, der Thronerbe, wieder im Land. Viele waren der Meinung, daß die Bruderliebe des Königs die Oberhand über seinen gesunden Menschenverstand gewonnen hatte. Und dann gab es diejenigen, die fest entschlossen waren, mit allen Mitteln zu verhindern, daß der Duke of York den Thron bestieg. Deshalb arbeiteten sie auf seinen wie auf des Königs Tod hin. Und deshalb das Rye House-Komplott.

Zum Glück war es schlecht geplant; einer der Verschwörer bekam es mit der Angst zu tun und gestand, daß Attentate bevorstanden. Der König und sein Bruder sollten auf dem Rückweg von Newmarket ermordet werden, in einem Haus in Hertfordshire, das einem Mälzer gehörte und *Rye House* hieß. Ich war sehr erleichtert, als ich hörte, daß meinem Vater und dem König nichts zugestoßen war.

Dies war für viele in Den Haag von besonderem Interesse, da einige der Verschwörer hier gut bekannt waren. Lord Russell war einer, Algernon Sidney ein anderer. Bis dahin hatte ich natürlich vermutet, diese Männer weilten in Den Haag, um sich mit William konspirativ auf die Zeit nach dem Tod meines Onkels vorzubereiten.

William trauerte tief, wenn schon nicht um Sidney und Russell – die nach dem Prozeß hingerichtet wurden, der aufgezeigt hatte, wie tief sie in die Sache verstrickt waren –, so doch um das Scheitern der Verschwörung, die, wäre ihr Erfolg beschieden gewesen, all jene beseitigt hätte, die zwischen mir und der Krone standen.

Anne wurde mit Georg von Dänemark verheiratet. Wie wünschte ich mir, an jenem Tag in der königlichen Kapelle zu St. James dabeisein zu können. Sie hatte Mulgrave tatsächlich rasch vergessen und war mit dem für sie erwählten Bräutigam ganz und gar zufrieden. Wie selten kam dies vor, und welcher Segen für jene, denen es widerfuhr!

Anne würde durch das Leben segeln wie seit jeher, die kleine Affäre mit Mulgrave ausgenommen, die von Anbeginn an zum Scheitern verurteilt war.

Sarah Churchill war bei ihr und würde bei ihr bleiben.

Dafür würde Anne sorgen, und Sarah würde der Vorteile wegen, die ihre Position mit sich brachte, einverstanden sein.

Unterdessen mußte ich mein ruhiges Leben fortführen, lesen, malen, spazierengehen, und auf Gesellschaft meist verzichten.

Als mir zu Ohren kam, daß man den Duke of Monmouth verdächtigte, am Rye House-Komplott beteiligt gewesen zu sein, war ich in größter Sorge.

Ich glaubte, daß er seinen Vater aufrichtig liebte, denn er hatte immer schon große Zuneigung für ihn gezeigt. Daß er und mein Vater keine Freunde waren, wußte ich. Jemmy hielt meinen Vater sicher für einen Dummkopf, weil er aus seinem Katholizismus kein Hehl machte. Und mein Vater war natürlich nicht entzückt, wenn er Jemmy in der Öffentlichkeit mit dem huldvollen Gebaren eines Prince of Wales auftreten sah, als stünde ihm diese Rolle von Rechts wegen zu.

Und jetzt steckte Jemmy in Schwierigkeiten. Das war zuvor auch schon der Fall gewesen, doch hatte sich der König stets nachsichtig gezeigt und ihm immer wieder verziehen. Jemmy besaß den Charme der Stuarts im Übermaß und war in mancher Hinsicht seinem Vater sehr ähnlich – nur mangelte es ihm leider an dessen Weisheit.

Diesmal würde er kaum Verzeihung finden. Sidney und Russell waren wegen ihrer Rolle beim Komplott hingerichtet worden, wie also hätte Jemmy ungestraft davonkommen können? Der König tat, was er in einer solchen Situation immer tat. Er wählte einen Kompromiß. Jemmy wurde nicht eingekerkert, sondern außer Landes geschickt. Brüssel bot sich als der geeignetste Zufluchtsort an, und so kam er in diese Stadt.

William sorgte dafür, daß man ihn bei seiner Ankunft in Holland willkommen hieß, etwas, das bemerkt und kommentiert wurde.

Mir wurde berichtet, daß der König, als er davon hörte,

aufs höchste amüsiert war und auf seine trockene Art bemerkt hatte, er sei erstaunt, daß der Duke of Monmouth und der Prinz von Oranien so gute Freunde sein könnten, da sie doch derselben Geliebten nachstellten – womit er die englische Krone meinte.

Allenthalben herrschte Unsicherheit. Jeder wartete darauf, was als nächstes geschehen würde. Wie meinem Onkel, der wußte, daß alle seinen Tod herbeiwünschten, zumute sein mochte? Ich konnte mir vorstellen, wie sehr er bedauerte, nicht zugegen sein zu können, um seine Nachfolger zu beobachten.

Algernon Sidney war als englischer Botschafter von Thomas Chudleigh abgelöst worden, der von William nicht sehr gnädig empfangen wurde. Chudleigh war mit dem Auftrag entsandt worden, die Augen offenzuhalten, da Williams Vorliebe für Sidney und Russell wohlbekannt war.

Chudleigh fügte sich in die Reihe jener ein, die beklagten, wie der Prinz mich behandelte, und die noch immer in Briefen nach England darüber berichteten.

Die Wochen verflogen jedoch, und ich genoß die Betätigungen, die mein beschauliches Leben ausfüllten. In politische Konflikte wollte ich nicht hineingezogen werden, zumal jetzt nicht, da die Gegnerschaft zwischen meinem Mann und meinem Vater immer mehr wuchs.

Hin und wieder dachte ich mit großer Zärtlichkeit an meinen Vater, rief mir Ereignisse aus meiner Kindheit ins Gedächtnis, doch mein Unmut über ihn trat spürbarer zutage, weil er all diese Schwierigkeiten heraufbeschworen hatte.

Je eingehender ich mich mit den Lehren der Kirche befaßte, desto mehr festigte sich in mir die Überzeugung, daß der Bruch mit Rom für England ein Segen gewesen war, und daß eine Religion, die sich der Inquisition mit all ihren Grausamkeiten bedienen konnte, um keinen Preis geduldet werden sollte. Gewiß, es hatte auch Verfolgungen durch die Protestanten gegeben, doch war es in England nie wieder zu solchen Grausamkeiten gekommen wie unter Mary der Blutigen, und es war nur recht und billig, alles zu unternehmen, um sicherzustellen, daß sich ähnliches nie wieder ereignete. William würde es verhindern. Mein Vater würde es anstreben.

Eines Tages kam William zu mir und sagte: »Der Duke of Monmouth wird nach Den Haag kommen.«

»Nach Den Haag!« rief ich verblüfft aus. Jemmy hatte sich in Holland aufgehalten, und William hatte ihm seine Reverenz erwiesen, aber ihn nach Den Haag einzuladen – und wenn er kam, dann als hochgeehrter Gast –, war eine Brüskierung nicht nur meines Vaters, sondern auch meines Onkels, des Königs. Jemmy war ein Sohn des Königs, gewiß, aber er war verbannt worden.

»Aber...« setzte ich an.

William winkte ungeduldig ab. Auf Erklärungen ließ er sich nicht ein. Es genügt zu sagen, daß Jemmy auf seine Einladung hin kommen würde.

»Wir müssen ihm einen angemessenen Empfang bereiten«, sagte er.

»Ich?«

Er blickte mich kalt an, verärgert, weil ich ihn daran erinnerte, daß ich zu solchen Anlässen meist nicht zugezogen wurde.

»Natürlich, du wirst zu seiner Unterhaltung beitragen. Halte dich also bereit.«

Er verweilte nicht länger, und er war nicht gewillt, Fragen zu beantworten. Unsere knappe Unterredung war beendet.

Ich war erstaunt und überlegte, ob ich mir diese Behandlung gefallen lassen sollte. Einfach eingesperrt zu werden, als stünde ich unter Hausarrest, und dann plötzlich von einem Moment zum anderen herausbefohlen zu werden. Den Grund kannte ich – natürlich. Ich war die Tochter meines Vaters. Und mein Vater und Monmouth waren Feinde.

Ich war nie standfest genug, aber zuzeiten verspürte ich den heftigen Wunsch zu protestieren. Meine Gefühle für William waren mir selbst unbegreiflich. Er war zu mir meist kühl, nie zärtlich und liebevoll, und doch verhielt ich mich ihm gegenüber unterwürfig. Immerzu war ich mir der ihm innewohnenden Kraft bewußt, jener Eigenschaft, die mich vergessen ließ, daß er im Vergleich zu anderen Männern zu klein und körperlich zu schwach war. Aber irgendwie schaffte er es, daß er sie alle geistig überragte. Ich wußte, daß er oft mit seiner Schwäche haderte und daß seine schmerzenden Gelenke ihn quälten. Eingestanden hätte er dies jedoch niemals, und die Natur hatte ihm überragende Geisteskraft verliehen, die er zur Verfolgung seiner großen Ziele einsetzte.

Es gab noch einen Grund, weshalb ich seiner Aufforderung mit Freuden nachkam. Ich hatte Jemmy sehr gern. Anne und ich hatten uns auf seine Besuche immer gefreut. Er hatte mit uns getanzt und uns wilde, aufregende Geschichten von seinen Heldentaten erzählt, von seiner Tollkühnheit und seinem unübertroffenen Wagemut. Alles war pure Erfindung, wie wir wußten – dennoch hörten wir ihm gern zu.

Deshalb würde ein Wiedersehen, und sei es noch so kurz, sehr aufregend sein. Ich würde mich bemühen, mein Unbehagen hinsichtlich seiner Rolle beim Rye House-Komplott zu vergessen, damit nichts meine Freude auf das Wiedersehen mit Vetter Jemmy trüben sollte.

Es war schon einige Zeit her, seit ich bei Hof erschienen war. Einen besonderen Anlaß hatte es gegeben, da hatte ich es nur mit großem Zögern getan und konnte es nie wieder vergessen.

In St. James hatten wir immer des Todestages meines Großvaters gedacht. Anne und ich waren an diesem Tag in unseren Räumen geblieben und hatten für die Seele unseres Großvaters gebetet.

Diese Gewohnheit hatte ich auch in Holland beibehalten, so daß dieser Tag immer in aller Stille vergangen war, bis zu jenem Tag zu Jahresbeginn.

Ich fastete damals und betete schwarzgekleidet in meinem Gemach, als William eintrat.

Mein Anblick erregte seinen Unmut.

»Genug davon«, herrschte er mich an. »Du sollst heute mit mir zu Abend speisen.«

»Aber heute faste ich. Es ist der Jahrestag der Ermordung meines Großvaters«, erwiderte ich.

»Zieh dieses Kleid aus und lege das farbigste an, das du hast«, befahl er.

Ich starrte ihn ungläubig an. »Das könnte ich nicht.«

»Eine deiner Frauen soll dir zur Hand gehen. Dieses Trauergewand kannst du nicht tragen. Ich wünsche, daß du dich in deinem prächtigsten zeigst.«

»In England haben wir immer...«

»Du bist jetzt nicht in England.«

»Aber hier...«, sagte ich.

»Ich wünsche, daß du mit mir erscheinst. Und es darf kein Anzeichen von Trauer geben. Verstanden?«

In diesem Augenblick trat Betty Selbourne mit Anne Trelawny ein. Er mußte nach ihnen geschickt haben.

»Die Prinzessin muß in einer Stunde fertig sein«, sagte er zu ihnen. »Bringt ihr das prächtigste ihrer Gewänder.«

Damit ging er.

»Aber es ist der Jahrestag«, setzte Betty an.

Anne blickte mich fragend an. »Was wünscht Eure Hoheit?«

Ich zögerte. »Bring das Gewand und hilf mir beim Ankleiden«, sagte ich dann.

Ich merkte, daß Anne wütend war und Betty schon überlegte, was sie nach Hause berichten wollte. Man würde in England bald erfahren, daß man mir befohlen hatte, den Trauertag nicht einzuhalten.

Als die beiden mir beim Anziehen halfen, war ich wie

benommen, doch ich war bereit, als der Prinz kam, um mich nach Den Haag mitzunehmen.

Ich weiß noch sehr gut, wie ich dasaß, wie die Teller vor mich hingestellt wurden und ich keinen Bissen hinunterbrachte. Mein Jammer drohte mich zu ersticken... Jammer, um meinen Großvater, der brutal ermordet worden war. Jammer auch, weil man so mit mir umsprang. Dr. Ken hatte gesagt, fast hätte man meinen mögen, ich sei Williams Sklavin.

Damals verachtete ich mich und haßte William. Natürlich sah ich, was er im Sinn hatte. Er wollte den Menschen zeigen, daß es für ihn keinen Blick zurück gab, keine Trauer für einen Vorfahren, der durch seine Torheit ein Königreich verloren hatte. William blickte in die Zukunft.

Es dauerte lange, bis ich ihm dies verzeihen konnte.

Vielleicht hätte ich für mein zurückgezogenes Leben dankbar sein sollen. Ich eignete mir Bildung an, sah über das Augenscheinliche hinaus, bemühte mich, meine Position zu verstehen. In meinem Leben gab es auch kleine, unbeschwerte Freuden, die ich nicht mehr gekannt hatte, seit ich England verließ.

Ich hatte es mir zur Gewohnheit gemacht, mich ziemlich zeitig zurückzuziehen, da ich mir gern ausreichend Zeit für meine Gebete und für die Lektüre der frommen Bücher nahm, die Dr. Covell mir empfahl. Wie Dr. Ken war auch er ängstlich bemüht zu verhindern, daß ich mich nicht der viel puritanischer eingestellten holländischen Kirche zuwandte, da beide überzeugt waren, William würde versuchen, sie mir aufzuzwingen.

Als ich mich eines Abends in meine Lektüre vertieft hatte, kam Anne Trelawny in mein Kabinett und meldete, ein Bote sei eingetroffen und wünsche, ohne Verzug bei mir vorgelassen zu werden.

Er wurde zu mir geführt.

»Der Duke of Monmouth ist eingetroffen, Euer Hoheit,

und befindet sich im Palast zu Den Haag«, meldete er. »Der Prinz bittet Euch, dort unverzüglich zu erscheinen.«

»Ich werde ihn am Morgen aufsuchen. Ich wollte mich eben zurückziehen«, sagte ich darauf.

»Euer Hoheit, der Prinz gab mir Anweisung, nicht ohne Euer Hoheit zurückzukommen. Er wünscht, daß Ihr Euch passend kleidet und zu ihm in den Palast begebt.«

Meine Gedanken schweiften zu jener anderen Gelegenheit, als ich auf sein Geheiß hin die Trauerkleidung hatte ablegen müssen.

Angenommen, ich weigerte mich? Das konnte ich nicht. Das wagte ich nicht. Aber ich fragte mich, was er tun würde, wenn ich es täte? Würde er Jemmy zu mir bringen? Würde er selbst kommen? Und ich wünschte mir sehr, Jemmy zu sehen.

Ich zögerte nur kurz. Dann sagte ich zum Boten, er solle unten warten, ich würde bald kommen, und dann könnten wir die Suite des Prinzen aufsuchen.

Dort traf ich Jemmy mit William an. Es war herrlich, meinen Vetter wiederzusehen. Ich vergaß alle Förmlichkeit, und er tat es mir gleich.

Wir umarmten einander, und er drückt mich an sich.

»Kusinchen, was für eine Freude, dich wiederzusehen!« rief er aus.

»Jemmy«, murmelte ich, »lieber Jemmy.«

»Laß dich anschauen... Donnerwetter, aus dir ist ja eine Schönheit geworden. William, Ihr müßt sehr stolz auf sie sein.«

William gab keine Antwort, und ich vermied es, ihn anzusehen.

»Ach, Jemmy«, setzte ich an.

Er drückte meine Hand. »Ich weiß, es wird sich eine Gelegenheit zur Aussprache ergeben.«

Bei Tisch zeigte William sich sehr liebenswürdig, ja so gutgelaunt, wie ich ihn selten erlebt hatte, was mich nicht wenig wunderte, da beide nach dem englischen Thron strebten. Jemmy mit seinem blendenden Äußeren und seinem Charme würde die Menschen bezaubern und viele für sich gewinnen. Er war die Hoffnung der Protestanten – oder zumindest eine ihrer Hoffnungen. Aber ob er es jemals schaffen würde, seiner Illegitimität zu entrinnen? William und er waren jedenfalls Rivalen.

Hinter Williams Liebenswürdigkeit mußte Berechnung stecken, doch daran wollte ich nicht denken. Mir genügte, daß Jemmy da war.

William war entschlossen, ihm während seines Besuches in Den Haag eine dem Duke of Monmouth würdige Unterkunft anzubieten, und schlug den Prinz Maurice-Palast vor.

Jemmys Augen leuchteten auf. Aus der Vergangenheit wußte ich, daß es wenig gab, was ihn mehr freute, als wenn er mit der seinem Rang zukommenden Ehrerbietung behandelt wurde.

»Laßt mich wissen, was Ihr an Bedienten benötigt«, sagte William. »Ich werde dafür sorgen, daß Ihr sie bekommt.«

Er behandelte ihn mit ausgesuchter Zuvorkommenheit, hörte sich höflich und geduldig an, was Jemmy zu sagen hatte, und ermutigte ihn zu reden – obwohl es dieser Ermutigung kaum bedurfte.

Ich dachte bei mir, daß Jemmy sehr auf der Hut sein mußte, wenn er gedachte, sich mit William zu messen.

Es war ein angenehmer Abend – vielleicht sollte ich sagen, der angenehmste seit meiner Ankunft in Holland. William behandelte sogar mich mit einem Anflug von wohlwollender Aufmerksamkeit. Mein Herz wurde mir leicht. Und doch lag über allem ein Hauch Traurigkeit. Jemmys Besuch rief mir zu deutlich mein Zuhause in Erinnerung.

Die nächsten Tage gehörten zu den aufregendsten meines Lebens.

Ich mußte mich mit William und Monmouth überall sehen lassen, und man begegnete mir mit größter Zuvorkommenheit. Die Menschen jubelten mir zu – ich glaube sogar, der Beifall fiel für mich herzlicher aus als jener für William. Natürlich entging es ihm nicht, doch zeigte er kein Anzeichen von Bedauern. Ich dachte bei mir, daß es sich vielleicht herumgesprochen hätte, wie er mit mir umsprang, und daß die Menschen mir auf diese Weise zu verstehen geben wollten, wie leid ich ihnen täte. Ich freute mich und fühlte mich geschmeichelt.

Jemmy war begeistert, da man auch ihm zujubelte, was für ihn von größter Bedeutung war. Armer Jemmy, sein Leben lang hatte er getrachtet, dem Stigma der unehelichen Geburt zu entrinnen.

Seine Beliebtheit wuchs sehr rasch, nicht zuletzt, weil er bei jeder Gelegenheit seine starke Bindung an den Protestantismus betonte.

Daß er so beliebt war, stellte auch für mich eine Genugtuung dar. Ich selbst sah seiner Gesellschaft immer mit großer Freude entgegen. Er war zu mir immer so umsichtig und liebevoll, daß ich mir fast einbilden konnte, er hätte sich in mich verliebt.

Ein lächerlicher Gedanke, aber ich hungerte nach Zuneigung. Schließlich war ich jung, weltfremd und sentimental.

Ich wußte, daß Jemmy mit dem König und meinem Vater die spezielle Schwäche der Stuarts teilte, nämlich ihre Vorliebe für schöne Frauen, eine Vorliebe, die sie zum Lebensziel erhoben hatten.

Lady Henrietta Wentworth war in Den Haag eingetroffen und zur Verwunderung aller so empfangen worden – auch von William –, als sei sie die Duchess of Monmouth. Von Lady Henrietta war selbstverständlich bekannt, daß sie seit einigen Jahren die Geliebte Jemmys war. Ich vermutete, daß die wirkliche Herzogin, seine Gemahlin, in England geblieben war. Die Ehe war nicht glücklich. Für Jemmy war es eine blendende Partie gewesen, doch war anzunehmen, daß er, einmal im Besitz ihrer Titel und ihres Vermögens, sofort vergaß, woher sie kamen – wie so viele.

Es war absurd, daß ich mir Illusionen über Jemmy machte, aber zuweilen kann man sehr absurd reagieren, insbesondere wenn man nach Jahren des Einsiedlerlebens in eine Welt voller Vergnügen und Fröhlichkeit gerät.

Lady Henrietta wirkte keineswegs störend, was heißen soll, daß Jemmys Aufmerksamkeit weiterhin ungeteilt mir galt. Es war erstaunlich, daß William, der zuvor bestimmt hatte, wer mich besuchen durfte, nun mir und Jemmy absolute Freiheit einräumte.

Jemmy tanzte gern, und ich ebenso. Hin und wieder hatte ich sogar mit meinen Damen in meinen Gemächern getanzt.

Jemmy berichtete nun, in Whitehall seien ein paar neue Tänze in Mode, und er wollte mir einige beibringen. William erhob keine Einwände, und dies gab Jemmy und mir Gelegenheit, uns ungestört auszusprechen.

Die Tänze erlernte ich rasch, und dann setzten wir uns und führten ein Gespräch.

»Wir haben gehört, wie es dir hier ergeht«, sagte er zu mir. »Sag mir als erstes, ob du glücklich bist?«

Vor Jemmy konnte ich ganz offen reden. »Die Gewohnheit erleichtert vieles.«

Er schnitt eine Grimasse. »Mein armes Kusinchen. Ich weiß, anfangs muß es schwer für dich gewesen sein. Du warst so verängstigt. Mein Herz hat geblutet.«

»Danke, Jemmy. Aber das widerfährt so vielen. Zumindest hat man es mir gesagt. Ich war so unglücklich, weil ich meine Lieben verlassen mußte.«

»Und dein Gemahl?«

»Anfangs verstand ich ihn nicht.«

»Und jetzt schon?«

»Er ist ein Mensch, der nicht leicht zu verstehen ist.«

»Darin gebe ich dir recht«, sagte Jemmy finster.

»Aber wirklich unglücklich bin ich jetzt nicht mehr. Ich

bin oft allein, aber ich kann lesen... und nachdenken. Ich kann meine Zeit ausfüllen.«

»Eine sonderbare Art, die Prinzessin von Oranien zu behandeln.«

Ich schwieg eine Weile, ehe ich sagte: »Und du, Jemmy? Für dich muß alles sehr betrüblich sein.«

»Des Landes verwiesen zu werden? Ja, das ist es.«

»Es ist nicht das erste Mal.«

Er lachte. »Man könnte sagen, daß meine Position sehr heikel ist. Mary, du glaubst doch etwa nicht, daß ich in ein Komplott verwickelt war und den Tod deines und meines Vaters plante?«

»Wenn du mir sagst, daß es nicht so war, dann werde ich dir glauben.«

»Nie könnte ich meinem Vater etwas antun. Du weißt, daß ich ihn liebhabe.«

»Wie wir alle.«

»Es ist schwierig... Die Engländer, wie du selbst weißt, werden nie einen Katholiken auf dem Thron dulden.«

»Wenn der rechtmäßige Erbe Katholik ist, werden sie es müssen.«

»Von ›müssen‹ kann beim Volk keine Rede sein, und beim englischen schon gar nicht.«

»Was dann?«

Er zog die Schultern hoch und schweig.

»Und was wird aus dir, Jemmy?« fragte ich.

»Ich bin der Sohn des Königs«, sagte er. »Daran kann kein Zweifel bestehen. Der König selbst hat es nie in Abrede gestellt.«

»Aber deine Mutter war mit dem König nicht verheiratet.«

»Es wird behauptet, daß es eine Eheschließung gab.«

»Das kann doch nicht wahr sein. Der König hat es immer abgestritten.«

Jemmys Miene verhärtete sich. »Und wenn es Beweise gäbe«, sagte er.

»Wie könnte es sie geben?«

Seine Hand umschloß meine. »Liebe Mary, man soll im Leben nie die Augen vor Möglichkeiten verschließen.«

»Jemmy, wenn es so wäre...«

»Ach, wenn es so wäre!« sagte er. »Und jetzt zeige ich dir noch einen Tanz. Er war in Whitehall sehr beliebt, ehe ich fortging.«

»Ach, Jemmy, wie sehr ich mir wünsche, diese Schwierigkeiten wären vorüber. Ich hoffe, der König wird ewig leben. Dann kann alles so bleiben, wie es ist.«

»Ja. Lang lebe der König. Aber du weißt, daß es nicht immer so bleiben wird.«

Er stand auf und reichte mir die Hand. Ich erhob mich; er führte mich aufs Parkett und gab mir Anweisungen für den neuen Tanz aus Whitehall.

Es gab Verdruß mit Chudleigh, dem englischen Botschafter, mit dem William seit dessen Eintreffen nicht auf bestem Fuß stand.

Williams vertrauter Umgang mit Sidney und Russell, die des Verrats überführt worden waren, hatten dazu geführt, daß Chudleigh William mit größtem Argwohn begegnete und ihn dies in seiner taktlosen Art auch spüren ließ.

Er war entsetzt – und ich nahm an, daß viele zumindest erstaunt waren –, daß William zu diesem Zeitpunkt dem Duke of Monmouth so viel Aufmerksamkeit widmete. Der König selbst hatte sich gewundert und seine spöttischen Bemerkungen gemacht, weil es außergewöhnlich war, daß der Herzog unter den gegebenen Umständen als hochgeehrter Gast empfangen wurde. Dazu kam, daß die Prinzessin von Oranien, die bis dahin meist in Abgeschiedenheit gelebt hatte und Tochter eines der beabsichtigten Opfer des Rye House-Komplotts war, ihm schmeichelhafteste Aufmerksamkeit zuteil werden ließ.

Ich konnte verstehen, wie merkwürdig sich dies ausnehmen mußte. Wie gern hätte ich erklärt, daß es mein Gemahl war, der angeordnet hatte, ich solle mithelfen, Monmouth zu unterhalten, und daß ich ihm nur gehorcht hatte. Ich glaubte nicht, daß Monmouth ernsthaft den Tod meines Vaters oder Onkels angestrebt hatte. Seine Tollkühnheit ließ es möglich erscheinen, daß er in die Verschwörungen anderer blindlings hineinschlitterte, ohne tatsächlich daran beteiligt zu sein. Ich aber war in Hochstimmung, weil ich mit jemandem zusammen sein konnte, der mich fröhlich machte und mir meine Lebensfreude wiederschenkte.

Es gab so vieles, das die Menschen nur schwer begriffen hätten. Ich begriff es ja selbst nicht ganz.

Eifrig darauf bedacht, seinen neuen Pflichten nachzukommen, und entsetzt, daß William einem Verbannten aus England so viel Ehre zuteil werden ließ, wurde Chudleigh tätig.

Er gab den unter holländischem Befehl stehenden Truppen Anweisung, daß sie dem Duke of Monmouth keine Ehrenbezeugungen erweisen durften.

Als William davon erfuhr, geriet er außer sich und ließ Chudleigh kommen. Was nun geschah, konnten mehrere mithören, und es wurde offen darüber gesprochen, so daß auch ich es erfuhr.

Wie er es hatte wagen können, der holländischen Armee Befehle zu geben, wollte William von Chudleigh wissen.

Seiner selbst sicher, erwiderte Chudleigh: »Der Duke of Monmouth, Euer Hoheit, ist aufgrund seiner Teilnahme an einem gegen das Leben des Königs und des Duke of York gerichteten Komplotts des Landes verwiesen worden. Seiner Majestät Regierung, der ich diene, hat nun Grund zur Verwunderung, daß er hierzulande so geehrt wird. Ich halte es für meine Pflicht zu verhindern, daß dem Herzog jene Ehre widerfährt, die ihm hier offenbar zuteil wird, da er ein Verräter an meinem Land ist, das auch das seine ist.«

»Ihr solltet wissen, daß Ihr den Gesetzen dieses Landes zu gehorchen habt, solange Ihr Euch hier aufhaltet«, lautete die Antwort des Prinzen.

»Ich muß Euer Hoheit erinnern«, gab Chudleigh zurück, »daß ich nicht Euer Untertan bin. Ich bin hier, um *meinem* Land zu dienen, und das werde ich stets tun.«

William hatte wie so oft einen Stock bei sich, weil er zuweilen von Schwäche übermannt wurde und das Bedürfnis spürte, sich aufzustützen. Er hob nun seinen Stock, der bis auf wenige Zoll an Chudleighs Gesicht herankam, in der klaren Absicht, ihn zu züchtigen. Ich konnte mir die bange Stille vorstellen und auch die Wirkung, wenn William seine Absicht in die Tat umgesetzt hätte.

William zügelte sich offenbar rechtzeitig, eingedenk der Höflichkeit, die dem Gesandten eines befreundeten Landes zustand.

Chudleigh sagte nun kühl: »Mit Eurer Hoheit Erlaubnis möchte ich mich nun zurückziehen.«

Damit fand die Szene ein Ende.

William muß vor Wut geschäumt haben.

Chudleigh würde mit Sicherheit melden, was sich zugetragen hatte, und ich wußte, daß mein freundlicher Umgang mit einem Mann, den man ins Exil geschickt hatte, weil er verdächtigt wurde, meinem Vater nach dem Leben getrachtet zu haben, auf großes Befremden stoßen würde.

Ein Brief meines Vaters erreichte mich. Er war gekränkt und wütend, weil dem Duke of Monmouth am Hof zu Den Haag ein so freundlicher Empfang bereitet worden war und ich daran nicht nur Anteil hatte, sondern auch noch Freude gezeigt hatte. Er gab seiner Verwunderung über mein Verhalten Ausdruck. Der Duke of Monmouth sei unter dem Verdacht verbannt worden, ihm und dem König nach dem Leben getrachtet zu haben. Es sah aus, als verhielte sich nun der Prinz von Oranien, ein Anverwandter, eher als Feind denn als Freund.

Er fuhr fort, indem er zum Ausdruck brachte, er wüßte sehr wohl, daß ich mich in diese Dinge nicht einmische, doch sollte ich mit dem Prinzen darüber sprechen und ihm zu verstehen geben, welche Wirkung dies zeitigte.

Als ich mir ausmalte, wie ich dies William erläutern sollte, mußte ich lächeln. Mein Vater hatte vom Stand der Dinge hier keine Ahnung.

Er fuhr fort: »Soll der Prinz sich nach Belieben seinen Hoffnungen hingeben, der Duke of Monmouth wird jedenfalls alles daransetzen, um ihm die Krone streitig zu machen, falls er, Monmouth, den König und mich überleben sollte.«

Ich legte den Brief aus der Hand. Glaubte er wirklich, Monmouth oder William würden bis zu seinem Tod warten? Mein armer, schwacher Vater! Wie konnte er sich selbst so belügen?

Wie wenig wußte er von dem, was um mich herum vorging!

Das fröhliche Leben nahm seinen Fortgang. Monmouth zu Ehren wurde ein Ball gegeben. Das war ganz außergewöhnlich, da William Bälle haßte. Für ihn waren sie nichts weiter als närrische Frivolitäten und eine Zeitverschwendung. Aber zu diesem Ball erschien er, wenn er auch nicht lange blieb. Mit mir tanzte er tatsächlich einmal – etwas, das ich nie für möglich gehalten hätte.

Ich glaube, er war sehr darauf bedacht, seine enge Verbindung mit der protestantischen Sache zu zeigen, und da Monmouth eingefleischter Protestant war, wollte er allen zu verstehen geben, wie viel ihm daran lag, auf dem englischen Thron einen protestantischen Herrscher zu sehen. Wenn das Volk sich für den Bastard Monmouth entscheiden würde, wollte er ihn seiner Religion wegen akzeptieren.

William tanzte also – gewiß, nicht allzu elegant, aber er tanzte!

Was mich betraf, so hätte ich am liebsten die ganze Zeit getanzt. Es erinnerte mich an zu Hause und wie wir die Abende damals verbrachten. Kein Wunder, daß Monmouths Besuch in Holland mir fortan wie ein Traum in Erinnerung bleiben sollte.

Natürlich war dies allein Jemmy zuzuschreiben – Jemmy, der voller Tatendrang steckte und gern Spaß machte. Von unseren gemeinsamen Spaziergängen im Garten wußte William, und er hatte nichts dagegen, obwohl ich zuvor ohne seine Billigung niemanden hatte empfangen dürfen. Die Veränderung war gewaltig, und ich fühlte mich wie ein zu lange in einem Käfig eingesperrter Vogel, der just seine Freiheit wiedergewonnen hat.

Wir lachten sehr viel, denn wo Jemmy war, gab es immer viel zu lachen. Und wir sprachen von der Vergangenheit und gelobten einander, daß dieser Besuch nicht der letzte sein sollte. Diese glücklichen Tage mußten eine Wiederholung finden.

Das Wetter wurde sehr kalt. Schließlich befanden wir uns mitten im Winter. Die Teiche gefroren.

»Wir müssen unbedingt eislaufen«, schlug Monmouth vor.

Ich wandte ein, daß ich noch nie zuvor auf dem Eis gelaufen war.

»Dann werde ich es dir beibringen. Eine so gute Gelegenheit darf man sich nicht entgehen lassen. Es ist so kalt, daß das Eis schön fest ist, und Angst brauchst du keine zu haben, da meine Arme dich auffangen werden. Bei mir bist du völlig sicher.«

Was für ein Spaß es war, als wir dahinglitten, mit Eiskufen, die an die Schuhe geschnallt wurden, und ich mit meinen bis zu den Knien hochgerafften Unterröcken!

»Erst der eine Fuß, dann der andere«, sagte Jemmy mir vor. Und wir kamen aus dem Lachen nicht mehr heraus. Verlor ich das Gleichgewicht, landete ich in Jemmys Armen.

Die Leute sahen es und stimmten in unser Lachen ein. Ich glaube, alle freuten sich zu sehen, wie ich das Leben genoß. Schon lange war ich nicht mehr so unbeschwert und glücklich gewesen. Und ein schlechtes Gewissen brauchte ich nicht zu haben, da ich Williams Erlaubnis hatte, mich dem Vergnügen des Augenblicks hinzugeben. Einen unangenehmen Zwischenfall aber gab es doch.

Ich hatte gehört, daß Karneval sei, doch war mir nicht bekannt, daß es in Holland zu dieser Zeit ein tolles Treiben gab. Wäre Jemmy nicht gewesen, ich hätte gar nichts davon erfahren.

Im ganzen Land glitten die Menschen maskiert und kostümiert in Schlitten über das Eis der Seen und Weiher.

William hatte angekündigt, daß ich mit ihm fahren müsse. Jemmy war natürlich immer in unserer Nähe.

Es war sehr ungewöhnlich, daß William an einer solchen Lustbarkeit teilnahm, aber er lenkte den Schlitten, und ich saß an seiner Seite. So glitten wir über das Eis dahin.

Der Weiher war ziemlich bevölkert, und als wir so dahinfegten, kam uns ein Schlitten entgegen. In diesem saß maskiert, aber unverkennbar Botschafter Chudleigh. Er fuhr uns direkt entgegen, und wir erwarteten, daß er ausweichen würde, da er uns wohl erkannt haben mußte. Aber Chudleigh tat nichts dergleichen, so daß wir es waren, die seitlich ausweichen mußten, um ihm den Weg freizugeben.

Ich sah, daß William die Lippen zusammenkniff, und hörte ihn halblaut flüstern: »Diese Unverschämtheit lasse ich mir nicht länger bieten. Ich werde ihn abberufen lassen.«

Sein Unwille hatte sich auch nach unserer Heimkehr nicht gelegt, so daß er sich sofort daranmachte, einen Brief nach England abzuschicken, in dem er Chudleighs Ablösung forderte.

Chudleigh war nun nicht der Mann, der sich die Schuld

für etwas in die Schuhe schieben ließ, das in seinen Augen korrektes Verhalten war. Auch er schrieb nach England. Im nachhinein hörte ich, er hätte erklärt, daß er sich so verhalten hätte, wie ein Mann von edler Abkunft sich in dieser Situation verhalten könne. Er hätte Vorfahrt gehabt, und in der Annahme, Prinz und Prinzessin von Oranien wollten nicht erkannt werden, da sie maskiert waren, hatte er sie nicht erkannt. Er fügte hinzu, daß man am Hofe von Den Haag besondere Privilegien nur jenen Engländern einräume, die bereit waren, gegen das eigene Land zu arbeiten, während gegen treue britische Untertanen ständig Klage geführt werde.

Ungeachtet seiner Proteste wurde Chudleigh nach London abberufen, und bald darauf nahm Bevil Skelton seine Stelle ein. Ich glaube, daß William nach einiger Zeit mit Sicherheit wünschte, der Wechsel hätte nicht stattgefunden, da es für ihn günstiger gewesen wäre, Chudleigh zu behalten.

Nie werde ich jenen Tag im Februar vergessen, als die Nachricht in Den Haag eintraf. Jemmy und ich, die wir die Tage sehr genossen, hatten nicht geahnt, daß alles so schnell und auf diese Weise enden würde.

Ich hatte dieses angenehme Zwischenspiel sehr genossen und mich geweigert, daran zu denken, daß es nicht ewig dauern konnte. Aber daß es ein so abruptes Ende finden würde, hatte ich nicht erwartet.

Von William kam Nachricht, daß ich unverzüglich zu ihm kommen solle, denn er hätte eine Nachricht, die er mir mitteilen müsse. Wie gewohnt, so gehorchte ich auch diesmal sofort. Kaum stand ich vor ihm, sagten mir der Puls an seiner Schläfe und seine unterdrückte Erregung, daß die lange erwartete Nachricht endlich eingetroffen war.

»König Charles ist tot«, eröffnete er mir. »Er ist vor einigen Tagen gestorben. Die Nachricht hat uns mit Verzögerung erreicht. Er hat am Ersten des Monats einen Schlaganfall erlitten, und zunächst glaubte man, er würde sich erholen, doch es war das Ende.«

Ich war wie benommen. Wir hatten es zwar erwartet, doch als es soweit war, kam es als großer Schock. Ich würde meinen lieben Onkel, der für mich immer ein Lächeln übrig gehabt hatte, nie wiedersehen, und mein Kummer kannte keine Grenzen, denn mit der Trauer kam die Erkenntnis, daß die Mißhelligkeiten nun erst richtig ihren Anfang nehmen mußten. Mein Vater, William, Jemmy – für sie alle bedeutete dieses Ereignis so viel, und sie alle strebten nach demselben Ziel.

Ich wünschte mir nichts mehr, als allein sein zu können.

William klang grimmig. »England hat einen neuen König«, sagte er. »Man hat deinen Vater als James II. akzeptiert.«

Ich sah, wie es um seine Lippen zuckte. Nie hatte er geglaubt, es würde dazu kommen. Daß James Katholik war, hatte man vergessen und ihn, weil er der legitime Thronfolger war, zum König gemacht. Die Krone war ganz einfach von einem König auf den anderen übergegangen.

Ich aber konnte nur daran denken, daß mein lieber Onkel tot und für immer dahin war.

Ich saß allein in meinem Schlafgemach, noch nicht zum Zubettgehen bereit, da ich wußte, daß ich keinen Schlaf finden würde. In Gedanken war ich in Whitehall. Wie ich mir wünschte, dort zu sein!

Was würde nun geschehen? fragte ich mich. Mein Vater war König. Ich spürte, daß wir an der Wende zu großen Ereignissen standen, und empfand Angst.

Ein leichtes Pochen an der Tür, und Anne Trelawny trat ein.

»Der Duke of Monmouth ist da«, meldete sie. »Er müsse sofort mit dir sprechen.«

»So spät…« Ich war beunruhigt.

»Er sagt, es dulde keinen Aufschub.«

Ich begab mich in einen Vorraum, und da stand Jemmy in Reisekleidung, traurig und verzweifelt.

Er ergriff meine Hände, zog mich an sich und gab mir einen Kuß.

»Mary, meine liebe, liebe Mary, ich breche auf.«

»Doch nicht heute?«

Er nickte. »Ich war die ganze letzte Stunde bei William. Er sagt, ich müsse gehen. Ich könnte nicht bleiben. Zu Lebzeiten meines Vaters war es anders. Er hat mich geliebt, Mary, und ich kann dir gar nicht sagen, wie sehr ich ihn liebte. Und jetzt ist er nicht mehr… und es gibt niemanden…«

»Jemmy, was hast du vor? Wohin gehst du?«

»Fort von hier. William hat mir Geld gegeben. Er sagt, er könne den neuen König nicht brüskieren, indem er mir hier Zuflucht gewährt.«

»Das alles ist so traurig.«

»Mary, dein Vater ist jetzt König, und ich weiß, daß er dich sehr liebt. Wenn du dich bei ihm verwenden könntest, daß er mir die Rückkehr gestattet… Wenn du ihm schreiben würdest, daß ich unschuldig bin.«

»Ich will sehen, was ich machen kann. Zwischen uns ist es nicht mehr so wie früher. Es gibt religiöse Differenzen, die für viel Unstimmigkeiten sorgen. Jemmy, was wird nun aus dir?«

»Ich weiß es nicht. Ich kann es nicht sagen. Wenn nur mein Vater länger gelebt hätte… Solange es ihn gab, wußte ich immer, daß ich einen Freund habe.«

»*Ich* bin dein Freund, Jemmy.«

»Ich weiß. Ich weiß es sogar sehr gut. Deswegen frage ich dich: Wirst du für mich ein gutes Wort einlegen… wenn die Zeit gekommen ist?«

Ich nickte.

»Noch nicht. Noch ist es zu früh. Er muß sich jetzt mit

anderen Dingen befassen. Aber du wirst es für mich tun?«

»Ja, das werde ich. Aber Jemmy, heute kannst du nicht gehen.«

»Ich muß. William hat gesagt, ich müßte. Aber erst mußte ich dir Lebewohl sagen. Ich werde dich wissen lassen, was mit mir geschieht, und du wirst es für mich tun... deinen Vater bitten, daß er mir die Heimkehr gestattet.«

»Jemmy, ich werde es tun.«

»Liebe Mary, liebes Kusinchen.«

»Gott segne dich, Jemmy. Ich werde für dich beten.«

Eine letzte Umarmung – und fort war er.

Es trafen Briefe von meinem Vater ein. Einer war für mich bestimmt; er berichtete von den letzten Stunden des verstorbenen Königs und von der Nachfolge des neuen. Bis zum Ende war er bei ihm geblieben. Sodann gab mein Vater seiner unveränderten Liebe zu mir Ausdruck. Es war ein zärtlicher und bewegender Brief. William hingegen erhielt nur die förmliche Ankündigung seiner Nachfolge.

William las den an mich gerichteten Brief und behielt ihn. Ich war erstaunt, als er ihn dem Rat vorlas, als sei er für ihn, William, bestimmt gewesen.

Da die Thronbesteigung meines Vaters nun stattgefunden hatte, fand er sich offenbar widerspruchslos damit ab und wollte wohl den Eindruck erwecken, als wäre ihm nie der Gedanke gekommen, es könnte auch anders sein.

Merkwürdig genug, er zeigte mir den Brief, den er als Antwort schrieb. Ihm war wohl klargeworden, daß ich in den Wochen, als ich mein Einsiedlerleben hinter mir ließ und mich mit Jemmy unter die Höflinge mischte, etwas von seinen Hoffnungen und Plänen erfahren haben mußte.

Nun sah es so aus, als wolle er in mir den Eindruck erwecken, er freue sich über die Thronbesteigung meines Vaters.

Er versicherte meinem Vater, daß Monmouth als Bittsteller an den Hof gekommen sei und er ihn mit der üblichen Gastfreundschaft aufgenommen hätte, weil er der Sohn des verstorbenen Königs Charles sei und er von der Zuneigung des Königs zu dem jungen Mann wußte. Jetzt hätte er ihn fortgeschickt. Weiter schrieb er, daß seine eigene Zuneigung für meinen Vater unverändert sei und es keinen unglücklicheren Menschen als ihn auf der Welt gäbe, wenn der König dies nicht glaube. Er wolle bis zum letzten Atemzug mit Eifer und Treue König James' Freund sein.

Es erstaunte mich nicht wenig, daß er sich einer solchen Sprache bedienen konnte – für einen Mann seiner Wesensart sehr ungewöhnlich, zumal wenn man seine wahren Gefühle für meinen Vater kannte. Aber William war ein Mensch, der sich durch kein Hindernis abhalten ließ, ein einmal gestecktes Ziel beharrlich zu verfolgen. Ich fragte mich, wie die Reaktion meines Vaters auf diesen Brief ausfallen mochte. Vielleicht würde ich es eines Tages erfahren.

In der Zwischenzeit überfiel mich tiefe Melancholie. Ich mußte ständig an meinen Onkel denken und daran, wie anders es nun in Whitehall sein würde. Auch war ich in Sorge um meinen Vater. Als König hatte man ihn akzeptiert, aber was stand ihm weiterhin bevor?

Und dann fragte ich mich, was aus Jemmy werden würde – ich vermißte ihn sehr.

In Den Haag stellte sich ein Gefühl der Niedergeschlagenheit ein. William war sichtlich betroffen, da er damit gerechnet hatte, daß mein Vater nie die Thronfolge antreten würde. Aber so war es nun gekommen, und es sah aus, als würde sich keine Stimme gegen ihn erheben. Am Tag des heiligen Georg wurde er vom Erzbischof gekrönt;

ein paar Minister wurden ausgetauscht, aber nichts deutete auf die Vorliebe des Königs für Katholiken hin.

Am Ostersonntag freilich besuchte er die katholische Messe, und ich bekam das Gefühl, daß der Friede nicht lange anhalten würde.

In Gedanken war ich ständig bei Jemmy. Ich wußte, daß er den Kontinent durchstreifte, ein Verbannter, der nicht nach Hause durfte. William wollte ihn in Den Haag nicht mehr empfangen, da es nun sein Ziel war, meinen Vater von seiner Loyalität zu überzeugen. Der arme Jemmy konnte nun in Holland nicht mehr mit Gastfreundschaft rechnen. Wie sehr mußte sich sein gegenwärtiges Leben von den glücklichen Tagen unterscheiden, die wir zusammen verbracht hatten.

Ich schrieb, wie ich Jemmy versprochen hatte, an meinen Vater und bat ihn, eine Aufhebung der Verbannung zu erwägen. Ich sagte, daß ich überzeugt wäre, Monmouth hätte beim Rye House-Komplott nicht mitgewirkt. Er sei sehr unglücklich und ersehne die Erlaubnis zur Heimkehr. Und ich erinnerte meinen Vater daran, daß er selbst am besten wüßte, was es hieß, aus dem eigenen Land verbannt zu sein.

Mein Vater erwiderte, daß der Zeitpunkt für Monmouths Rückkehr nicht günstig sei. Später wolle er sich die Sache gern überlegen.

Das zeigte mir, daß er Jemmy nicht traute, und so sehr ich mich für ihn verwandte, er wollte die Erlaubnis nicht geben, nach der der arme junge Mann sich verzehrte.

Von Den Haag aus hatte Jemmy sich auf der Suche nach einer Zuflucht in die unter spanischer Herrschaft stehenden Niederlande begeben, aber nicht für lange. Man machte ihm bald klar, daß er nicht willkommen war.

Ich konnte mir vorstellen, wie er sich fühlte und wie er Pläne für seine Rückkehr schmiedete. Ich hoffte nur, er würde nichts Unbedachtes unternehmen. Aber da ich ihn so gut kannte, befürchtete ich, daß er dazu sehr wohl imstande war.

Und wie recht sollte ich behalten!

Als ich erfuhr, daß er gegen meinen Vater ins Feld zu ziehen plante und ihm den Thron streitig machen wollte, war ich unglücklich und verzweifelt. Wenn ich nur mit ihm hätte reden können, dann hätte ich ihm vielleicht seine unbedachte Torheit ausreden können, sagte ich mir immer wieder. Aber er hätte ohnehin nicht auf mich gehört. Er hing seinen großartigen Träumen nach und redete sich ein, sie würden wahr werden. Ich malte mir die Erregung in seinen schönen Augen aus, während er seine Pläne schmiedete.

Was aus diesen wilden Träumen wurde, ist bekannt. Die Hoffnung, daß sie in Erfüllung gehen würden, war gering. Ich malte mir aus, wie er seinen Stuart-Charme spielen ließ, um Anhänger auf seine Seite zu ziehen.

Als ich erfuhr, daß er im West Country gelandet war, zitterte ich um ihn. Mein Vater kannte ihn als Jungen, der zur Unüberlegtheit neigte. Er durfte nicht zu hart über ihn urteilen, und doch würde er es tun, denn Jemmy wollte meinem Vater die Krone rauben und sie sich selbst aufsetzen. Er erklärte sich zum Thronerben, als Sohn seines Vaters und als aufrechter Protestant; er versprach, einen Beweis für die Ehe seines Vaters mit Lucy Walter zu erbringen. Wollten denn die Engländer zulassen, daß ihr Land den Katholiken hilflos in die Hände fiele?

Das Warten auf Nachrichten kostete Nerven. Boten kamen und gingen, und William wartete voller Spannung. Der Ausgang von Monmouth' Rebellion konnte für ihn von größter Bedeutung sein. Und einmal sah es sogar aus, als könne Jemmy auf Sieg hoffen. Sein großer Trumpf war die Religion.

Anne Trelawny, die immer rasch Neuigkeiten erfuhr, kam zu mir.

»Der Duke of Monmouth wurde auf dem Markt von

Taunton zum König ausgerufen«, wußte sie zu vermelden.

»Kann er sich denn gegen meinen Vater wirklich behaupten?« fragte ich.

Sie wiegte zweifelnd den Kopf. »Ich hätte mit Nein geantwortet, aber jetzt...«

Später hörte ich, daß Jemmy auf den Kopf meines Vaters einen Preis ausgesetzt hätte.

»James ist ein Verräter«, hatte er erklärt, »und das Parlament ist eine Versammlung von Verrätern.«

Das ging zu weit. In meinem Herzen wußte ich, daß ihm der Erfolg versagt bleiben mußte. Und wenn er siegte, was würde dann aus meinem Vater werden? Aber er konnte nicht siegen. Die Armee war gegen ihn, und was waren schon einige Tausend Bauerntölpel gegen gedrillte Soldaten?

Ich konnte mir die Begeisterung vorstellen. Im West Country wurde er König Monmouth genannt. Doch als er auf Bath zu marschierte, zweifellos in Erwartung desselben Jubels, der ihn in Taunton empfangen hatte, erhob sich Bath gegen ihn, und in diesem Stadium muß er den Mut verloren haben.

Soweit es mir möglich war, verfolgte ich seinen Weg. Ich wußte, wann sich in ihm die Furcht vor der Niederlage zu regen begann und wann er sie als Gewißheit vor sich sah. Ich litt mit ihm, da ich ihn so gut kannte.

Armer, armer Jemmy mit seinen grandiosen Träumen, die keinen Bezug zur Realität hatten.

Und dann war die Schlacht von Sedgemoor gekommen und die Niederlage seiner Gefolgsleute, während Jemmy, als Bauernknecht verkleidet, entkommen konnte. Eine Verkleidung, die mir ein müdes Lächeln entlockte. Es war eine Rolle, die ihm nicht paßte. Das Bewußtsein seiner königlichen Abkunft würde er nie verleugnen können.

Seine Festnahme und Einkerkerung im Tower waren die unvermeidliche Folge.

Sein Ende stand fest. Er wußte es, und sein Mut ließ ihn im Stich. Er litt große Angst.

Ich schrieb an meinen Vater und bat ihn, bei Jemmy Milde walten zu lassen. Gewiß, er sei hitzig und unbedacht, aber er sei unser Vetter. Sein Vater, der ihn über alles liebte, hatte ihm immer wieder vergeben. Die Rebellion sei nur eine tollkühne, zum Scheitern verurteilte Geste. Jemmy hätte jetzt wohl endgültig seine Lektion gelernt.

Mein Vater antwortete mir, daß Monmouth ein Tor sei und seine Lektion nie lernen würde. Man könne ihm nicht trauen, zudem seien Toren oft gefährlich. Er sei außerdem ein Feigling, der um sein Leben gefleht hatte. Er, der seine Treue zum Protestantismus betont hatte, als er Männer im West Country warb – und viele waren ihm daraufhin gefolgt –, schwöre nun, er würde zum katholischen Glauben übertreten, wenn man ihm das Leben schenke.

Jede Hoffnung war zunichte. Er wurde aufs Schafott geführt.

Die Geschichten, die ich von seiner Hinrichtung hörte, waren gräßlich. Jemmy hatte angesichts des Unausweichlichen seinen Mut wiedergefunden. Er erklärte, daß er Angehöriger der englischen Kirche sei, doch er weigerte sich, seine Rebellion zu bereuen. Hocherhobenen Hauptes bestieg er den Henkersblock.

Jack Ketch, der Henker, holte fünfmal mit der Axt aus, und immer noch war das Haupt nicht abgetrennt, so daß er mit dem Messer letzte Hand anlegen mußte.

So starb der Duke of Monmouth.

Er verfolgte mich bis in meine Träume. Ich hatte Jemmy liebgehabt. Immer wieder ließ ich im Gedächtnis die herrlichen Tage an mir vorüberziehen, die wir gemeinsam verbracht hatten. Ich stellte ihn mir mit Todesangst im Blick auf dem Schafott vor – und dann wieder als den jungen Mann, der mich gelehrt hatte, auf dem Eis zu laufen und zu tanzen! Ich stellte mir Jack Ketch vor, wie er die Axt schwang, und Jemmys Haupt abgetrennt und blutig auf dem Block. Und meine Trauer wich glühendem Zorn. Er war zu jung, um zu sterben, zu hübsch, zu liebenswert. Und es war mir unerträglich, daß ich ihn nie wiedersehen sollte.

Er war tollkühn und töricht gewesen, als er glaubte, er könne den Sieg erringen. Er hatte sich nach der Krone verzehrt, die ihm von Rechts wegen nicht zustand. Er hatte danach gegiert wie ein Kind nach buntem Tand. Und einen kurzen Augenblick hatte er gehofft, sie in Reichweite zu haben. König Monmouth! König jener redlichen schlichten Männer, die Sense und Heugabel aus der Hand gelegt hatten und ihm in Tod und Schande gefolgt waren.

Und nun war er tot, und mein Vater hatte dieses schreckliche Geschehen zugelassen. Er hatte ihm Milde verweigert. Jemmy, dieser arme verängstigte Junge, hatte ihn angefleht, und er hatte ihm den Rücken gekehrt. Und Jemmy, mein lieber Vetter, den ich geliebt hatte, war auf dem Schafott eines grausamen Todes gestorben.

In jenen Augenblicken voller Trauer kam mir der Gedanke, daß ich den Tod Jemmys nie würde vergessen können... ja, daß ich meinem Vater nie würde verzeihen können.

Ständig redete ich mir ein, daß sein Vorgehen von sehr vielen als klug bezeichnet werden würde. Aber wenn er nie öffentlich seine Religion praktiziert hätte, wenn er sich so verhalten hätte wie sein Bruder, der König, dann wäre das alles nicht geschehen, denn mein Onkel Charles war Katholik gewesen, und es wurde sogar behauptet, daß er die katholischen Sterbesakramente empfangen hätte. Aber Charles hatte sich klug verhalten, mein Vater dagegen töricht. Ich hatte Jemmy geliebt, und mein Vater hatte ihn getötet. Ich würde es nie vergessen und konnte es ihm in meinem Herzen nicht vergeben.

## Die Geliebte

Bevil Skelton, der neue englische Gesandte in Holland, stand mit William nicht auf bestem Fuß. Vom Tag seiner Ankunft an hatte gegenseitiges Mißtrauen geherrscht, und die Berichte, die Skelton nach Hause schickte, übten herbe Kritik an Williams Verhalten.

Damals wußte ich nicht, daß mein Vater, der sich von allem Anfang an gegen die Ehe mit William ausgesprochen hatte, meine Scheidung und Neuvermählung plante.

Die Art, wie William mich behandelte, hatte in England viel Unwillen erregt. Einen Grund für die Scheidung zu finden, würde nicht schwierig sein.

Dies war jedoch das allerletzte, was William wollte. In seinen Augen besaß ich großen Wert, wenngleich dies jedem unglaublich erscheinen mußte, der den Grund nicht kannte und Zeuge seines Verhaltens mir gegenüber wurde.

Gewiß, ich hatte meinem Vater geschrieben, daß ich nicht unglücklich sei. Ich hatte viele Interessen gefunden – vor allem hatte ich Zeit gehabt, Bücher über Religion zu studieren.

Mein Vater wußte, was für Bücher das waren, und das mißfiel ihm. Ich glaube sagen zu können, daß er in mir noch immer das kleine Mädchen sah, das er all die Jahre geliebt hatte, und er glaubte noch immer, meine Ansichten ändern zu können, wenn man mich nur von William trennte.

Später erfuhr ich, daß mein Vater einen Plan ausheckte, an dem Skelton und mein Kaplan Dr. Covell mitwirken sollten. Anne Trelawny und meine alte Kinderfrau Mrs. Langford wurden ebenfalls eingespannt, weil ich auf sie mehr als auf alle anderen hörte. Ich sollte aus jedem

Treueverhältnis, durch das ich mich an William gebunden fühlen mochte, herausgelöst werden.

Wenn ein Mann seine Frau betrügt, dann merken dies andere meist eher als seine Frau, obwohl sie die hauptsächlich Betroffene ist.

William war so ernsthaft, und es mangelte ihm so sehr an Leichtlebigkeit jeder Art, daß ich nie auf den Gedanken gekommen wäre, er könnte sich auf eine Affäre mit einer Frau einlassen.

Als Anne und Mrs. Langford eines Tages bei mir waren, bemerkte ich, daß sie Blicke miteinander tauschten, als teilten sie ein Geheimnis. Fast war es, als warteten sie auf ein Stichwort, um etwas zur Sprache zu bringen.

Dann sagte Mrs. Langford endlich: »Euer Hoheit, dies zu sagen ist nicht einfach, und ich hoffe, Ihr werdet nicht zürnen, aber…«

Sie zögerte mit einem hilflosen Blick zu Anne, die sagte: »Ihre Hoheit soll es wissen. So viele andere wissen es. Wenn man sie in Unwissenheit beließe, wäre es nicht recht.«

»Bitte sagt mir, war ihr mir beizubringen versucht«, sagte ich darauf.

Sie zauderten noch immer. Mrs. Langford nickte Anne zu, die mir eröffnete: »Der Prinz hat eine Geliebte. Schon seit geraumer Zeit.«

Ich starrte sie fassungslos an.

»Es ist so«, sagte sie. »Man hat es vor dir geheimgehalten, aber Dr. Covell und Mr. Skelton… sie glauben, man sollte dich darüber aufklären.«

»Das ist Unsinn…«, setzte ich an.

Anne schüttelte den Kopf. »Es geht schon sehr lange. Es ist nicht richtig, daß du es nicht wissen sollst. Ist dir denn nicht aufgefallen, wie dreist diese Frau ist?«

»Du meinst…«

»Elizabeth Villiers, ganz recht.«

»Aber sie… sie schielt.«

Anne lächelte spöttisch und zog die Schultern hoch. »Sie ist gerissen... und steckt voller Ränke. Es hat angefangen, als du hierherkamst.«

»Ich glaube es nicht.«

Hilflose Blicke wurden gewechselt.

»Er sucht sie fast allnächtlich auf«, sagte Mrs. Langford.

»Nein!«

»Nun, wir haben unsere Pflicht getan«, sagte Anne. »Wenn Ihre Hoheit uns nicht glaubt...«

»Nicht von William... nein.«

»Es ist bei den meisten Männern so.«

»Er ist anders.«

Anne schüttelte den Kopf. »Wir waren der Ansicht, daß du es wissen solltest. Unseren Teil haben wir getan. Wenn Euer Hoheit uns nicht glaubt, dann gibt es nichts mehr zu sagen.«

»Nun, es dürfte nicht so schwierig sein, den Beweis zu erbringen«, setzte Mrs. Langford hinzu.

»Was soll das heißen?« fragte ich.

»Wenn Ihr Euch auf der zu ihren Räumen führenden Treppe verbergt, könnte Ihr ihn beobachten, wenn er ihr Schlafgemach aufsucht.«

»Verpaßt du ihn eine Nacht, dann siehst du ihn in der nächsten«, setzte Anne hinzu. »Er ist dort ein häufiger Besucher.«

»Ihr meint... ich sollte ihm nachspionieren?«

Anne zog die Schultern hoch. »Das kommt darauf an, für wie wichtig du die Sache hältst.«

»Du hast William nie gemocht«, warf ich ihr vor.

»Ich bin nicht die einzige. Unter uns sind viele, denen es mißfällt, wie er dich behandelt.«

»Laßt mich jetzt in Frieden. Ich möchte allein sein«, gab ich zurück.

Beide gehorchten sofort.

Ich war völlig verwirrt, weil ich es nicht glauben konnte, und doch war es im Grunde unvermeidlich.

Elizabeth Villiers! Beileibe keine Schönheit – selbst wenn man von ihrem Schielen absah. Sie besaß eine starke Persönlichkeit; sie war eine Frau, die man in einer Menschenmenge nicht übersehen konnte. Und sie besaß Würde. Ich versuchte herauszufinden, was er an ihr anziehend finden mochte.

Er hatte gar keine Zeit für Frauen. Er tat ab und zu seine ›Pflicht‹ mit mir, aber das geschah zu einem bestimmten Zweck.

Plötzlich empfand ich Eifersucht, wie sie größer nicht hätte sein können. Er wollte mich nicht, und doch galt ich als schön. Ich weiß, daß das von allen Prinzessinnen behauptet wird, aber bei mir traf es zu. Gewiß, ich neigte zur Fülle, aber das war nicht unattraktiv. Doch er hatte für mich wenig Zeit und ging zu Elizabeth Villiers. Ich konnte es nicht glauben.

Da fiel mir die Geschichte aus seiner Jugend ein, als er unter der Einwirkung starker Getränke die Fenster zu den Gemächern der Hofdamen eingeschlagen hatte, um zu ihnen zu gelangen. Er mußte also männliche Bedürfnisse haben wie jeder Mann, doch diese wurden durch mich nicht befriedigt, und deshalb wandte er sich Elizabeth Villiers zu.

Nein, nein und nochmals nein, sagte ich mir. Doch eine innere Stimme verhöhnte mich. Warum nicht? Ich dachte an die Position, die sie bei Hofe errungen hatte. Sie war für die Hofdamen eine Art Gouvernante geworden, nach deren Anordnungen man sich richtete. Als ihre Schwester William Bentinck geheiratet hatte, war William nicht dagegen gewesen. Ich dachte an das Ärgernis, das Jemmy Wroth und Zulestein dargestellt hatten. Die Villiers waren zwar eine vornehme Familie, aber Bentinck… nun, er war Williams Freund, und die Heirat hatte das Band zwischen Elizabeth und William gefestigt.

Verzweifelt bemühte ich mich, der Geschichte keinen

Glauben zu schenken, doch allmählich kam mir alles immer plausibler vor.

Anne kam abermals zu mir.

»Verzeih, ich hätte es dir nicht sagen sollen«, entschuldigte sie sich.

»Wenn es die Wahrheit ist, habe ich es erfahren müssen.«

»Aber es hat dich zutiefst getroffen. Und das ist das letzte, was ich möchte.«

»Anne, das weiß ich. Du warst immer meine teure Freundin. Ich vertraue darauf, daß du es immer sein wirst. Für mich ist es besser, die Wahrheit zu kennen.«

Sie nahm meine Hand und küßte sie.

»Er verbringt die meisten Nächte bei ihr«, sagte sie. »Wenn du ihn dabei beobachtest, hast du den Beweis dafür. Ja, es ist besser, man kennt die Wahrheit, sei sie auch noch so schmerzlich. Ich habe lange darüber nachgedacht. Aber Dr. Covell ist der Meinung, du solltest erfahren, was dem ganzen Hof bekannt ist.«

»Dr. Covell?«

»Er ist außer sich, weil man so mit dir verfährt. Er hat deinem Vater geschrieben.«

»Mein Vater... weiß davon?«

Sie schwieg.

»Anne, weiß mein Vater von William und Elizabeth Villiers?«

»Ja«, gab sie nun zurück.

»Ich kann es nicht glauben. Es sind Lügen, die über den Prinzen verbreitet werden, um ihm in den Augen meines Vaters zu schaden.«

»Du kannst dich selbst überzeugen.«

Mein Entschluß stand fest. Ich würde meinem Gemahl nachspionieren.

Wir befanden uns in unserem Versteck, einem großen Schrank auf der Treppe, die zu Elizabeth Villiers führte. Ihre Gemächer waren von denen der anderen Damen abgesondert. Der Grund dafür lag auf der Hand.

Anne war nicht sicher, wann er kommen würde, aber daß er kommen würde, davon war sie überzeugt – wenn nicht diesmal, dann in der nächsten Nacht.

Was ich da machte, erschien mir abscheulich, gemein und hinterhältig. Aber ich mußte Gewißheit haben und die einzige Alternative wäre gewesen, ihn zu befragen. Und dazu konnte ich mich nicht überwinden.

Plötzlich faßte Anne nach meiner Hand und lauschte angestrengt. Auf der Treppe hörte man das unverkennbare Geräusch von Schritten – verstohlen und leise. Sie waren schon ganz nahe, als Anne die Schranktür lautlos einen spaltbreit aufschob. Ich sah Williams Rücken, als er die Treppe hinaufging, ich sah, wie er die Tür von Elizabeth Villiers Schlafgemach erreichte. Er trat ein.

Anne wandte sich mir triumphierend zu.

»Jetzt hast du den Beweis«, stieß sie hervor.

Ich sagte kein Wort, bis ich mein Schlafgemach erreicht hatte. »Es ist also wahr«, sagte ich dann.

»Es tut mir leid«, meinte Anne, die den Arm um mich legte. »Es ist aber besser, als in Unwissenheit gelassen zu werden«, fügte sie besänftigend hinzu.

»Und die Leute wissen es… Dr. Covell, Mr. Skelton… und mein Vater.«

»Und noch viel mehr.«

»Was soll ich tun?«

»Dein Vater wird dir raten.«

»Nein. Darüber könnte ich nie mit ihm sprechen. Vielleicht… wenn der Prinz erfährt, daß ich es weiß… wird er sie fallenlassen.«

Anne sah mich ungläubig an.

»Ich muß nachdenken«, sagte ich.

»Grüble nicht darüber. Es ist geschehen. Nur wenige Männer sind treu.«

»Anne, laß mich jetzt allein. Wenn ich dich brauche, werde ich dich rufen.«

Als sie gegangen war, senkte sich wieder dieses Nichtglauben-können über mich. Es stimmte nicht. Andere Männer mochten treulos sein. Nicht so William. Nicht daß ich ihm diesbezüglich Skrupel zugetraut hätte, doch konnte ich mir nicht vorstellen, daß er Liebe, weiblichem Zauber, körperlicher Erfüllung Bedeutung beimaß. Und schon gar nicht, wenn es bedeutete, daß er nachts Hintertreppen erklimmen mußte. Ich wußte von den Abenteuern des verstorbenen Königs, von jenen meines Vaters und der meisten Höflinge zu Whitehall, doch hatte ich geglaubt, William sei anders. Und jetzt hatte ich entdeckt, daß er doch wie alle anderen war. Meine vorherige Meinung hatte ich mir nur gebildet, weil *ich* ihn nicht reizte – und deshalb hatte ich mir vorgestellt, daß auch keine andere es vermochte.

Es wurde für mich eine schlaflose Nacht. Ich dachte an sie alle, die über diese Affäre klatschten, die mich bemitleideten und Elizabeth Villiers umschmeichelten, wie mir jetzt klar wurde.

Wie hatte sie ihn für sich einnehmen können, sie mit ihrem Mangel an weiblicher Anmut, mit ihrem Silberblick?

Ich dachte an die Tischgesellschaften in den Gemächern der Hofdamen. Gewiß war sie nicht nur seine Geliebte, sondern auch seine Spionin. Sie arbeitete für ihn, horchte die unzufriedenen Engländer in Den Haag aus und gab die Information weiter. Die Gesellschaften waren allein zu diesem Zweck arrangiert worden.

Ich empfand Übelkeit, so schrecklich war das alles.

Erst am Nachmittag des darauffolgenden Tages bekam ich William zu Gesicht. Er kam in meine Gemächer, und als ich ihn erblickte, wurde ich von Wut und Zorn so übermannt, daß ich meine Worte nicht bedachte und sie mir unbeherrscht über die Lippen kamen.

»Ich weiß jetzt, daß du eine Geliebte hast«, schleuderte

ich ihm entgegen. »Ich bin schockiert und erstaunt. Du... der du immer den Tugendhaften gespielt hast... und die ganze Zeit über bist du über die Hintertreppe zu Elizabeth Villiers geschlichen. Versuche nicht, es zu leugnen. Ich habe dich beobachtet. Ich habe dich gesehen.«

Er hob die Hand, um meiner Tirade Einhalt zu gebieten, doch sein Gesichtsausdruck hatte sich verändert. Seine Lippen waren verkniffen, seine Wangen gerötet.

»Was sagst du da?« fuhr er mich an.

»Ich hätte gedacht, das wäre klar. Du hast eine Geliebte. Diese Elizabeth Villiers. Und nicht erst seit kurzem. Es geht schon lange. Das ist auch der Grund für ihr hochmütiges Betragen.«

»Du bist hysterisch.«

»Und du treulos. Du hast als Tugendbold posiert... als Mann von Feingefühl, ohne menschliche Schwächen...«

»Ich habe mich nicht anders gegeben, als ich bin. Wenn du dir ein Bild von mir geschaffen hast, so ist das auf deinen Mangel an Vernunft und Welterfahrenheit zurückzuführen.«

»Leugnest du?«

»Nein.«

»Du gibst also zu, daß sie deine Geliebte ist?«

»Für Menschen in unserer Position sind diese Dinge nicht wichtig.«

»Für mich sind sie wichtig.«

»Bitte, sei vernünftig.«

»Soll ich sagen, daß es mir gleichgültig ist, wenn du nachts in die Schlafzimmer meiner Damen schleichst?«

»Wer hat dir das gesagt?«

»Spielt das eine Rolle? Ich weiß es eben.«

»Dahinter steckt dieser Skelton. Ich werde es herausfinden. Spione dulde ich nicht an meinem Hof.«

»Meine Freunde wissen davon, und es gefällt ihnen nicht, wie man mich behandelt.«

»Du bist meine Frau.«

»Und du bist in Elizabeth Villiers verliebt.«

Er vollführte eine Geste der Ungeduld. »Mich wundert nur, daß du, die du am freizügigsten Hof Europas aufgewachsen bist, so viel Aufhebens von dieser Sache machst.«

»Dies betrifft mich selbst... und meinen Mann«, setzte ich an. Ich spürte, wie mir die Tränen kamen.

Er sah sie, trat auf mich zu und legte mir eine Hand auf die Schulter.

»Mary«, sagte er lächelnd, »du bist in vielem ein Kind. Als ich dich sah, war ich entschlossen, dich zu heiraten.«

»Um dessentwillen, was ich dir bringen würde. Das weiß ich.«

»Sag mir... woher soll ich wissen, was du mir bringen wirst?«

»Die Prophezeiung der drei Kronen. Durch mich wirst du sie erlangen.«

»Ich hätte nie eine Frau geheiratet, wenn sie mir nicht gefallen hätte, und als ich dich sah, da wußte ich, das ist die Frau für mich. So versteh doch... ich bin nicht wie die Männer am Hof deines Onkels.«

»Mir scheint, du bist ihnen ähnlicher, als ich dachte.«

»Das ist gar nichts. Diese Dinge passieren hin und wieder – und in Den Haag viel seltener als an den meisten Höfen. Die Sache ist bedeutungslos. Ganz alltäglich... nichts mehr.«

»Dann wirst du sie nicht wiedersehen? Du wirst sie zurück nach England schicken?«

Er runzelte die Stirn. Dann lachte er leichthin. »Ach, du wirst sehen, daß es nicht wichtig ist. Man darf diese Dinge nicht aufbauschen. Es könnte ein falscher Eindruck entstehen. Wir müssen an unsere Position denken.«

Ich wünschte mir verzweifelt, besänftigt zu werden. Er war liebevoller als je zuvor. Und ich verzehrte mich danach, Elizabeth Villiers aus seinen Gefühlen zu verdrängen. Und schon begann ich mich in der Hoffnung zu wiegen, die Affäre sei wirklich bedeutungslos. Man hatte übertrieben. Es war eine vorübergehende Tollheit. Männer hatten solche Affären. Ich mußte versuchen, weltläufiger zu werden. Ich genoß seine Bemühungen, mich zu beschwichtigen.

»Mein Vater weiß es...«, sagte ich.

Seine Miene veränderte sich. »Wer hat dir das gesagt?«

Ich zögerte, da ich Anne Trelawny nicht anschuldigen wollte.

»Ich habe es gehört. Er soll nicht erbaut sein«, sagte ich.

William war nachdenklich geworden. Dann legte er seinen Arm um mich.

»Es tut mir leid, daß ich in letzter Zeit so wenig von dir gesehen habe«, sagte er.

»Du hast viel von Elizabeth Villiers gesehen.«

»Außer meinen Ministern habe ich sehr wenig Menschen gesehen. Aber wir könnten für ein paar Tage nach Dieren gehen.«

Er ist so weit betroffen, daß er Entschuldigungen sucht, dachte ich bei mir, und empfand eine gewisse Genugtuung.

Er küßte mich sanft. »Vergiß eines nicht«, sagte er. »Du bist es, die ich geheiratet habe. Du bist es, die ich liebe.«

Das war erstaunlich. Von Liebe hatte ich ihn noch nie sprechen gehört. Ich wußte, daß er versuchte, mich von Elizabeth Villiers abzulenken. Daher dieses an Zärtlichkeit grenzende Gebaren. Mir war klar, daß alles nur Berechnung war, dennoch fühlte ich mich ein wenig besänftigt.

Ich war weiterhin aufs höchste beunruhigt. Williams Gefühlsäußerungen hatten ihre Wirkung auf mich getan. Immer wieder dachte ich an das, was er zu mir gesagt hatte. Daß ihm meine Entdeckung höchst ungelegen kam, wußte ich. Doch die Tatsache, daß er sich die Mühe gemacht hatte, mich zu besänftigen, weckte meine Lebensgeister. Es hatte Zeiten gegeben, da glaubte ich ihn zu hassen, doch sicher war ich nie gewesen. Mein Haß war groß gewesen, doch er war der Tatsache zuzuschreiben, daß er mich ignorierte, während ich wollte, daß er Notiz von mir nahm. Ich wollte, daß ich um meiner selbst wichtig für ihn war und nicht nur wegen der Krone, die ich ihm vielleicht bringen würde.

Zwei Tage darauf fiel mir auf, daß ich weder Anne Trelawny noch Mrs. Langford gesehen hatte, seitdem sie mir von Williams Untreue berichtet hatten. Ich schickte nach Anne. Sie kam nicht. An ihrer Stelle kam Anne Villiers, die jetzige Anne Bentinck.

»Mistress Trelawny ist nicht da, Euer Hoheit«, sagte sie.

»Wo ist sie?«

»Sie… ist fort.«

»Fort? Wohin?«

»Nach England. Mrs. Langford ist mit ihr gegangen. Auch Dr. Covell ist fort.«

»Das verstehe ich nicht«, sagte ich. »Wie können Sie nach England gegangen sein, ohne daß ich davon weiß?«

»Man hat sie fortgeschickt, Euer Hoheit.«

Anne Bentinck wirkte ziemlich erregt. Sie war nie so hart gewesen wie ihre Schwester, und seit ihrer Heirat war ihr Wesen noch sanfter geworden.

»Fortgeschickt? Das begreife ich nicht.«

»Euer Hoheit, der Prinz hat befohlen, daß sie ohne Verzug aufbrechen. Gestern abend sind sie fort.«

»Ohne mir etwas zu sagen? Sie gehören zu meinem Gefolge.«

»Es geschah auf Befehl des Prinzen.«

»Warum? Warum nur?«

Ich wußte es natürlich. Anne und Mrs. Langford hatten mir eröffnet, daß Elizabeth Villiers die Geliebte des Prinzen war. Und Dr. Covell hatte in dieser Angelegenheit Briefe aus England empfangen. Deshalb hatte man sie fortgeschickt. William hatte es getan.

Anne versuchte mich zu trösten.

»Anne Trelawny ist meine beste Freundin«, klagte ich. »Sie ist seit meinen Kindertagen bei mir.«

»Ich weiß. Aber sie hat dem Prinzen eine Beleidigung zugefügt. Er war wohl der Meinung, daß sie, indem sie gegen ihn arbeitete, gegen sein Land arbeitete.«

»Er weiß, daß es Anne war, die mir sagte... was er nicht wollte, daß ich erfahre«, erwiderte ich.

Sie nickte. Neuigkeiten verbreiten sich bei Hof mit Windeseile. Ich konnte mir das Gerede vorstellen. Die Prinzessin hat entdeckt, daß der Prinz seine Nächte mit Elizabeth Villiers verbringt.

Ich wünschte, man hätte es mir nie gesagt. Für mich wäre es besser gewesen, weiterhin unwissend zu bleiben, als jene zu verlieren, die ich am innigsten liebte.

Ich sollte in der Zeit darauf viel Grund haben, mich sehr zu wundern. Nachdem ich entdeckt hatte, daß William sich eine Geliebte hielt, und er wußte, daß man mich darüber aufgeklärt hatte, erwartete ich, daß er sie aufgab. Er hatte gesagt, daß er mich liebte; daß er von der ersten Begegnung an entschlossen war, mich zu heiraten, daß er es auch nicht um einer Krone willen getan hätte, wenn ich ihm nicht gefallen hätte. Natürlich hatte ich geglaubt, er würde mich um Verzeihung bitten und sagen, ich möge seinen Seitensprung mit Elizabeth Villiers vergessen, der als flüchtige Versuchung begonnen, sich mit der Zeit mehr oder weniger zu seiner Gewohnheit entwickelt hätte, die er nun aufzugeben gedenke.

Nichts dergleichen. Er fuhr fort, sie zu besuchen. Und die Situation insgesamt hatte sich nicht geändert. Herausgekommen war dabei nur, daß ich meine Freundinnen verloren hatte – sogar meine teuerste Anne, die schon so lange bei mir lebte, daß sie Teil meines Lebens geworden war.

Ich war so verletzt und verwirrt, daß mir plötzlich ein

irrwitziger Plan in den Sinn kam und ich völlig spontan handelte. Hätte ich mir die Sache gründlicher überlegt, ich hätte wohl nie den Mut zur Ausführung aufgebracht.

In den letzten Tagen hatte ich William kaum gesehen, da er angeblich von Staatsgeschäften in Anspruch genommen wurde. Durch einen Zufall hatte ich jedoch erfahren, daß er in Wahrheit Elizabeth Villiers besuchte. Meine Demütigung hätte nicht tiefer sein können.

In meiner Naivität hatte ich mich leicht besänftigen lassen und ihm jedes Wort geglaubt, das er sagte. Ich war wutentbrannt, und wenn ich ihn nicht sah, dann wuchs mein Mut immer. Nur in seiner Gegenwart übermannt mich Bangigkeit.

Es ergab sich, daß er für ein paar Tage fort von Den Haag wollte, auf die Jagd.

Als ich sicher wußte, daß Elizabeth ihn nicht begleiten würde, kam mir die Idee.

Sehr gründlich überlegte ich nicht. Es gab niemanden, dem ich trauen konnte und der mir bei der Durchführung helfen würde. Wären Anne und Mrs. Langford bei mir gewesen, alles wäre anders gekommen. Die beiden waren die einzigen, auf die ich mich verlassen konnte.

William hatte meine Freundinnen fortgeschickt, ohne mir Gelegenheit zu geben, seine Entscheidung in Frage zu stellen. Es war geschehen, ehe ich überhaupt etwas gemerkt hatte. Nun, ich würde ihm das gleiche antun. Ich war meiner besten Freundin beraubt worden, und das würde nun ihm widerfahren.

Ich schickte nach Elizabeth Villiers, die nicht umhinkonnte zu gehorchen. Sie war immer noch meine Hofdame, auch wenn sie längst die Geliebte meines Mannes geworden war.

Ich war nicht allein, als ich sie zu mir rief, da ich ihr nicht die Chance geben wollte, freche Reden über ihre Beziehung zu William zu führen, was ich ihr durchaus zutraute, falls keine Zeugen zugegen gewesen wären.

Als sie eintrat, sagte ich: »Elizabeth, ich habe für Euch eine wichtige Aufgabe, die Ihr mit Eurer gewohnten Umsicht ausführen werdet. Deshalb ist meine Wahl auf Euch gefallen. Es geht darum, daß ein Brief mit größter Eile meinen Vater erreichen soll. Ich möchte, daß Ihr ihn für mich übergebt.«

Sie sah mich erstaunt an.

Ich fühlte mich stark und mutig, ganz die Tochter meines Vaters, Erbin des englischen Thrones. Sollte ich je diese Krone erlangen, dann würde ich eine bedeutende Herrscherin sein – bedeutender als William. Die Familie Villiers hatte immer gewußt, wem sie zu Gefallen sein mußte, und ich war eine dieser Personen.

Vermutlich hatte William Elizabeth gestanden, daß ich von ihrer Beziehung wüßte. Daher war es durchaus möglich, daß sie den Auftrag für einen Racheakt meinerseits hielt. Aber widersetzen konnte sie sich mir nicht, und William erreichen konnte sie auch nicht, damit er sie von dieser Pflicht entbände, die ich ihr auferlegte.

Ich wußte, daß ihr durchtriebener Verstand nun nach einem Weg suchte, meinen Befehl zu umgehen, doch das würde ich nicht zulassen.

»Ich werde Euch Begleitung mitgeben, die Euch zu einem Postschiff bringt und Euch dann weiter nach Whitehall geleitet. Dort werdet Ihr den Brief persönlich meinem Vater übergeben. Ihr müßt direkt zu ihm gehen. Seid morgen früh reisefertig.«

Ich bezweifelte, daß sie mich je königlicher erlebt hatte, als in den Momenten, wenn ich mich meiner Stellung besann. Einschüchtern ließ ich mich allein von William, und die Gewißheit, daß er außer Reichweite war, verlieh mir den nötigen Mut.

»Morgen bei Tagesanbruch werde ich reisefertig sein«, sagte sie betroffen.

Ich war verwundert, wie einfach es war, und schalt mich ob meiner bislang geübten Fügsamkeit. Ich brauchte nur durch mein Auftreten in Erinnerung zu rufen, wer ich war, und man legte Ehrerbietung an den Tag.

Ich lachte triumphierend, obgleich mich bei dem Gedanken an Williams Rückkehr und seiner Entdeckung, daß ich sein Liebchen fortgeschickt hatte, einen Anflug von Angst spürte. Aber im Moment fühlte ich mich sicher.

Noch am gleichen Abend schrieb ich an meinen Vater einen Brief, in dem ich ihm mitteilte, daß ich Williams Geliebte mit einem Brief zu ihm schicken wolle. In diesem Brief werde nichts Wichtiges stehen. Ich wollte ihn so versiegeln, daß man ihn nicht manipulieren konnte. War sie erst in England, sollte er sie dort behalten. Ich schrieb ihm, William wüßte, daß ich von seiner Affäre erfahren habe, und ich hätte mich entschlossen, der Sache ein Ende zu bereiten, da er sich weigerte, die Frau aufzugeben.

Ich schickte den Brief mit einem vertrauenswürdigen Boten ab, dem ich einschärfte, daß es dringend sei und er sich beeilen müsse, das Schreiben so rasch als möglich meinem Vater persönlich auszuhändigen.

Am nächsten Morgen machte Elizabeth sich auf den Weg.

Nun erst ging mir die Ungeheuerlichkeit meines Vorgehens auf, und ich erwartete voller Angst Williams Wiederkehr.

Er blieb nur einige Tage fort. Am nächsten Tag sah ich ihn bereits wieder, und zu meiner Verwunderung hatte sich seine Haltung mir gegenüber nicht geändert.

Ich wartete. Er würde bald entdecken, was sich zugetragen hatte, denn es wußten etliche, daß Elizabeth mit einer Botschaft nach England geschickt worden war. Ich war sehr nervös und fragte mich ständig, wie ich es zuwege gebracht hatte, so wagemutig vorzugehen.

Eine Woche verging, ohne daß sie erwähnt worden wäre. War es denn möglich, daß er ihre Abwesenheit noch gar nicht entdeckt hatte? In diesem Fall konnte ihre Beziehung nicht sehr fest gewesen sein. Vielleicht hatte ich überstürzt gehandelt und falsche Schlüsse gezogen.

Eine weitere Woche verging, und noch immer war kein Wort über ihre Abreise gefallen. Keine meiner Damen sprach davon, obwohl sie wußten, daß ich Elizabeth außer Landes geschickt hatte.

Eines Tages kam Jane Zulestein in heller Aufregung zu mir.

»Euer Hoheit, heute habe ich Elizabeth Villiers gesehen«, sagte sie.

»Ihr habt sie gesehen?« rief ich aus. »Wo denn?«

»Im Palast. Sie ging ganz rasch, mit einem Tuch um den Kopf, den sie gesenkt hielt, so daß man ihr Gesicht nicht richtig sehen konnte. Sie hielt auf die Suite der Bentincks zu.«

»Ihr müßt Euch geirrt haben«, meinte ich darauf.

»Nein, Euer Hoheit, ich bin meiner Sache ganz sicher.«

Ich war erschüttert. Die Suite der Bentincks, dachte ich bei mir. Sie lag neben Williams Räumen, und Elizabeths Schwester Anne war Bentincks Frau.

Mein Vater würde gewiß beachtet haben, was in meinem Brief stand. Er zürnte William, weil dieser mich schlecht behandelte, und hätte in jedem Fall alles getan, um mir zu helfen.

Einige Tage lang beruhigte ich mich damit, daß Jane sich geirrt hätte. Sie mußte jemanden, der Elizabeth ähnlich sah, in die Suite der Bentincks gehen gesehen haben.

Als ich einen Brief meines Vaters erhielt, erfuhr ich, was sich zugetragen hatte.

Er hatte auf die Ankunft Elizabeths gewartet und versicherte mir, daß er ihr, wäre sie gekommen, die Rückkehr nicht gestattet hätte. Aber sie war nicht gekommen. Seine Nachforschungen hatten ergeben, daß sie bei der Ankunft in Harwich mit ihrem Begleiter von Bord gehen wollte, zuvor aber innehielt und behauptete, sie hätte etwas vergessen und müßte es holen. Als der Mann anbot, es für sie zu holen, beharrte sie darauf, dies selbst zu tun. Damit ließ sie ihn stehen und ward nicht mehr gesehen.

Weitere Erkundigungen brachten zutage, daß sie ungesehen an Land gegangen war und ein Postschiff nach Holland erreicht hatte.

Das erklärte viel. Wie dumm war ich gewesen, als ich glaubte, diese Frau überlisten zu können.

Eine der Villiers-Schwestern hatte vor kurzem einen Monsieur Puisars, Sohn des Marquis de Thouars, geheiratet und in Den Haag Wohnung bezogen. Elizabeth lebte bei ihnen und suchte von Zeit zu Zeit William im Palast auf.

Wie klug sie doch waren! Wie gerissen! Und wie sie sich über meine erfolglosen Versuche, sie zu überlisten, lustig machen mußten!

Aber das Merkwürdigste an der Sache war, daß William mit mir nie darüber sprach und seine Haltung mir gegenüber sich nicht im geringsten änderte.

# William und Mary

Um diese Zeit kam ein Mann nach Holland, der großen Einfluß auf mich gewinnen sollte, da ich in meinem Leben einen Punkt erreicht hatte, an dem meine Unsicherheit überhandzunehmen drohte. Ich sehnte mich nach einer idealen Ehe. Ich bewunderte William in vielem, fühlte mich aber sehr gekränkt durch die Art, wie er mich behandelte. Meine Gefühle für ihn waren mir selbst völlig unbegreiflich, so gemischt und konfus waren sie. Mein Leben lang hatte ich meinen Vater zum Idol erhoben. Und jetzt war dieses Bild ins Wanken geraten. Ich gab ihm die Schuld an den Spannungen zwischen England und meiner Wahlheimat. Als ich mich wie in einer Wildnis verloren fühlte, als ich Führung benötigte, kam Gilbert Burnet und gab sie mir.

Burnet war ein brillanter Mann – in Griechisch und Latein hochgelehrt, Student des Zivil- und Feudalrechts. Sein Vater hatte ihn zum Kirchenmann bestimmt, so daß er sich auch noch der Theologie widmete.

Ehe er zu uns kam, hatte er ein abenteuerliches Leben geführt, und seine breitgefächerten Erfahrungen hatten ihn Toleranz gelehrt.

Burnet, hochgewachsen, mit braunen Augen unter dichten, fast schwarzen Brauen, besaß trotz seines ernsten Berufes ein heiteres Naturell und war eine außergewöhnliche Persönlichkeit.

Sogar William hieß ihn willkommen, weil Burnet die Zustände in England mißbilligte und in William und mir die nächsten Monarchen sah.

Seiner Ansicht nach steuerte mein Vater direkt auf eine selbstverschuldete Katastrophe zu. Und er war der Meinung, William und ich sollten bereit sein, wenn der Zeitpunkt gekommen war, die Regierung zu übernehmen; es könnte nicht mehr lange dauern. Dieser Mann half mit, William und mich einander näherzubringen, und er weckte in mir Verständnis für meinen Mann, wie ich es nie zuvor aufgebracht hatte. Ich glaube, er hatte auf William eine ähnliche Wirkung wie auf mich.

Gilbert Burnet besaß das Talent, ernste Dinge auf scherzhafte Weise zur Sprache zu bringen, ohne ihre Bedeutung zu schmälern.

Zu meiner Verwunderung entdeckte ich durch meine Gespräche mit ihm, daß ich etwas von Theologie verstand, denn ich hatte während meiner Zeit der Abgeschiedenheit sehr viel gelesen. Und jetzt konnte ich mit Wissen und Verständnis über diese Dinge sprechen, ein Umstand, der Gilbert beeindruckte. Als er William davon Mitteilung machte, entdeckte ich, daß mein Mann mir mit neuer Achtung begegnete – fast unmerklich, aber immerhin.

Mein Vater war natürlich nicht erbaut, daß Gilbert Burnet in Den Haag weilte. In dieser Sache wurde zwischen uns ein ausführlicher Briefwechsel geführt.

Mein Vater wünschte sich sehnlicher denn ja, daß ich katholisch werden sollte. Es schien nun fast sicher, daß ich den Thron erben würde, und ihm war der Gedanke unerträglich, daß seine Nachfolgerin alles zunichte machen könnte, was er vollbracht hatte, um den Katholizismus in England zu fördern.

Seine Torheit beunruhigte und ärgerte mich. Ich liebte ihn wie eh und je, doch im Lichte all dessen, was ich von Gilbert Burnet erfuhr, entstand in mir der Eindruck, er benähme sich wankelmütig wie ein Kind.

Meine Briefe an ihn lieferten mir selbst Grund zur Verwunderung. Ich hatte mich so lange als armselige Schülerin gesehen. Im Vergleich zu meiner Schwester Anne schnitt ich natürlich nicht so schlecht ab, aber sehr gelehrsam war ich nie gewesen. Und nun staunte ich über die

Leichtigkeit, mit der ich meine Gefühle in jenen langen Briefen an meinen Vater zu Papier brachte. Er beglückwünschte mich zu meiner Gelehrsamkeit, wiewohl er mit meinen Ansichten nicht übereinstimmte.

Meine langen Gespräche mit Gilbert Burnet halfen mir nicht über den Verlust von Anne Trelawny hinweg. Ich war es gewohnt, mit ihr über meine Gefühle zu sprechen, und es gab niemanden, dem ich mich so anvertrauen konnte wie Anne. Bei Gilbert Burnet war es anders, da wir nicht klatschten, wie Anne und ich es oft getan hatten, wobei ich es oft erstaunlich fand, was man aus Klatsch erfahren kann. Doch fand ich meine Diskussionen mit Gilbert sehr erhellend und tröstlich.

Er weckte in mir das Verständnis dafür, daß der Bruch mit Rom, das große Ereignis des vergangenen Jahrhunderts, durch die fleischliche Begierde eines Königs ausgelöst, der Nation viel Gutes gebracht hatte. England dürfe sich nie wieder unter das Joch Roms begeben. Und es war klar, daß mein Vater bestrebt war, das Land genau in diese Richtung zu führen.

Indem ich zwischen den Zeilen der Briefe meines Vaters las, konnte ich erkennen, welch wilde Träume er hegte. Er arbeitete nicht wie William auf sein Ziel hin – still, viele Umwege in Kauf nehmend, indem er seine Geheimnisse wahrte; er plante nicht mit dem Verstand, sondern mit dem Herzen. Und er war von inbrünstiger Frömmigkeit. Ich dachte an meinen Urgroßvater König Henri IV. von Frankreich, den Hugenotten, der um des Friedens willen die Religion gewechselt hatte. Er muß meinem Onkel Charles in nicht nur einer Hinsicht ähnlich gewesen sein. »Paris ist eine Messe wert«, hatte er gesagt und war deshalb von den Franzosen akzeptiert worden, die unter seiner Regierung eine Zeit der Blüte erlebten.

Mein Vater war ein guter, ein aufrichtiger Mensch. Und warum sollte ich ihn deswegen kritisieren? Ich hatte ihn immer sehr geliebt, doch ich konnte nicht umhin zu beklagen, was er seinem Land antat. Und dann sah ich immer Jemmys Haupt vor mir… das schöne Haupt, das ich so geliebt hatte – abgetrennt und blutend auf dem Henkersblock. Ich sah meinen Vetter vor mir, wie er meinen Vater anflehte, der sich abwandte und ihn seinem Schicksal überließ.

Meine Gefühle waren in Aufruhr.

Das müßte nicht sein, sagte ich immer wieder zu mir. Was ist ein Prinzip im Vergleich zu einem Menschenleben? Ich hatte über die spanische Inquisition gelesen, über die Folter und Grausamkeiten, die im Namen der Religion begangen worden waren. Sollten wir das alles in England wieder zulassen? Nein, niemals!

Gobert predigte Toleranz, und er hatte recht.

Inzwischen plante mein Vater meine Scheidung von William, damit ich einen katholischen Mann heiraten sollte. Weiter plante er meine Rückkehr nach England. Ich sollte mit meinem katholischen Mann in dem katholischen Land regieren, das er geschaffen hatte. Dazu durfte es nie kommen.

Eines Tages suchte Gilbert mich ziemlich echauffiert auf.

»Ein Komplott arbeitet darauf hin, den Prinzen zu entführen und ihn nach Frankreich zu schaffen«, sagte er. »Der Prinz soll unverzüglich zu Euch kommen. In Euren Gemächern ist es ruhiger. Ich möchte nicht, daß jemand mithört.«

William kam und begrüßte mich mit jener milden Andeutung von Zuneigung, die er seit Gilberts Ankunft erkennen ließ. Auch für Gilbert hatte er ein freundliches Wort übrig.

»Mr. Burnet hat beunruhigende Nachrichten«, eröffnete ich ihm.

William zog die Brauen hoch und wandte sich an Gilbert.

»Euer Hoheit reiten an den Abenden in den Dünen bei

Scheveningen, um sich Bewegung zu verschaffen«, sagte er.

»So ist es«, antwortete William.

»Morgen dürft Ihr es nicht tun.«

»Ich habe schon alles veranlaßt. Es ist mein bevorzugter Sport.«

»Morgen wollen Euch Eure Feinde umstellen und Euch in einem Boot nach Frankreich schaffen.«

William zog die Schultern hoch. »Ich werde es nicht zulassen.«

»Ihr werdet unzulänglich geschützt sein, und die anderen in der Überzahl. Haben sie Euch außer Landes geschafft, werden sie Eure Rückkehr zu verhindern wissen.«

»Das ist lächerlich«, sagte William. »Natürlich werde ich nicht zulassen, daß man mich entführt. Ich habe etliches an Arbeit zu erledigen.«

Ich legte meine Hand auf Williams Arm. »Nimm morgen die Eskorte mit«, bat ich.

Er bedachte mich mit einem merkwürdigen Blick. Aus meiner Miene sprach echte Besorgnis, und ich glaube, das rührte ihn, obwohl er sich nichts anmerken ließ. Fragte er sich, ob es mich kümmerte, was aus ihm wurde, nachdem er mich so schlecht behandelt hatte? Das hätte sich manch einer gefragt. Ich sah, wie er die Mundwinkel leicht hochzog.

»Ich halte es für unnötig«, sagte er.

»Du mußt die Wachen mitnehmen«, drängte ich. »Bitte, tu es.«

Mit unveränderter Miene wandte er sich an Gilbert und sagte: »Da meine Gemahlin es wünscht...«

Gilbert Burnet lächelte, und als William in den Dünen bei Scheveningen ausritt, nahm er seine Eskorte mit. Zum Glück für ihn, denn man hatte ihm einen Hinterhalt gelegt. Die Entführer ergriffen jedoch die Flucht, als sie sahen, daß der Plan verraten worden sein mußte, da William in Begleitung kam.

Burnets Warnung war rechtzeitig gekommen, ebenso meine Bitte, William solle Bewacher mitnehmen.

Der Zwischenfall war ein Anzeichen dafür, daß meine Beziehung zu meinem Mann in einer Veränderung begriffen war. Er hatte auch gezeigt, wie weit mein Vater zu gehen bereit war, um William loszuwerden und ihn durch einen Schwiegersohn seiner Wahl zu ersetzen.

Der Plan als solcher erbitterte mich. Ich wollte nicht von einer Ehe in die andere getrieben werden, nur damit mein Vater seiner Besessenheit frönen konnte. Ich wandte mich allmählich von ihm ab, und was ich in dieser Zeit für William empfand, konnte ich nicht erklären, weil ich meiner Sache nicht sicher war.

Ich erfuhr mehr von den Vorgängen in England und sah, daß mein Vater mit jedem Tag tiefer in die Katastrophe hineinschlitterte. Er war entschlossen, England katholisch zu machen, und das Volk war ebenso entschlossen, dies zu verhindern. Warum konnte er nicht erkennen, was da vor sich ging? Es sah aus, als hätte er sich den Glauben seines Vaters an die ›Göttlichen Rechte‹ des Königs zu eigen gemacht. Hatte er denn vergessen, daß dies seinen Vater das Leben kostete?

Sir John Trelawny – ein Anverwandter Annes – stritt mit ihm über den Erlaß zur Gewährung größerer Rechte für Katholiken und wurde in den Tower geschickt. Sieben Bischöfe wurden des Aufruhrs und der Verunglimpfung angeklagt. Im Herzogtum Cornwall sang man:

Mag man Tre Pol und Pen auch schmäh'n
Und mag Trelawny untergehn,
In Cornwall ist der Grund bekannt,
Von zwanzigtausend wird er genannt.

Es gab deutliche Hinweise auf das Kommende. Warum konnte mein Vater sie nicht erkennen? Ich glaube, er konnte es und weigerte sich einfach, sie zu sehen. Er war zum Märtyrer bestimmt.

Aus der Entfernung erkannte ich ihn, wie ich ihn aus der Nähe nie erkannt hatte. Es war, als betrachte man ein Bild. Man muß zurücktreten, um alle Teile deutlich zu sehen. Jetzt sah ich anstelle des gottähnlichen Wesens von ehedem einen Schwächling, dem der Sturz vorbestimmt war und der andere mitreißen würde, weil er sich an ein Prinzip klammerte, das jeder realen Grundlage entbehrte.

Noch immer schrieb er mir lange Briefe, in denen er die Tugenden des katholischen Glaubens pries. Fanatisch wie er war, gab er seine Bemühungen, mich zu bekehren, nicht auf.

Er wußte, daß es in Den Haag einen Jesuitenpriester gab – einen gewissen Pater Morgan –, und er glaubte, Zusammenkünfte mit ihm müßten für mich erbaulich sein. Er würde mir vieles erklären können, sagte mein Vater.

Ich erkannte sofort, welche Gefahren dies barg. Lud ich den Jesuiten ein, zu mir zu kommen, würde es nicht unbemerkt bleiben. Ich wußte, wie rasch sich Neuigkeiten dieser Art verbreiteten. Man würde annehmen, ich neigte der Religion meines Vaters zu.

Ob er das wußte? Wahrscheinlich. Er war aber gewillt, alles zu tun, um aus mir eine Katholikin zu machen und mich aus dieser Ehe zu befreien, damit ich eine neue Verbindung mit einem Mann seiner Wahl eingehen konnte – natürlich mit einem glühenden Katholiken.

Ich zürnte ihm. Ich war zu dieser Ehe gezwungen worden, obwohl ich meinem Vater daran nicht die Schuld geben konnte. Aber über meine Religion wollte ich allein entscheiden. Ich wollte nicht aus meiner Ehe befreit werden, wenngleich ich es einige Jahre zuvor begrüßt hätte; doch dies war nicht mehr der Fall.

Mein Vater mußte wissen, daß ein Treffen mit Pater

Morgan gleichbedeutend mit einer Erklärung war, ich erwöge ernsthaft den Übertritt zum Katholizismus.

»Ich werde ihn ganz sicher nicht sehen«, schrieb ich.

Und ich hatte Gelegenheit, mit William darüber zu sprechen.

Ich las Billigung in seiner Miene und empfand eine gewisse Genugtuung darüber.

»Du hast recht«, sagte er. »Du darfst diesen Mann nicht sehen.«

»Das werde ich ganz sicher nicht«, entgegnete ich. »Ich hoffe nur, daß es keine Gerüchte über ein mögliches Treffen geben wird. Für diesen Fall wäre es vielleicht angebracht, wenn ich einer kirchlichen Autorität in England schriebe, daß es mit diesen Gerüchten nichts auf sich hat. Mein Schreiben sollte an einen Bischof oder Erzbischof gerichtet sein und mein Festhalten an der Kirche von England bestätigen.«

»Bitte, tu das«, sagte William. »Es wäre nur recht und billig.«

Von seiner Zustimmung beflügelt, richtete ich ein Schreiben an William Sancroft, Erzbischof von Canterbury, in dem ich von meinen Gefühlen schrieb und hinzufügte, daß ich ihm, obwohl ich nicht den Vorzug hätte, ihn persönlich zu kennen, zur Kenntnis bringen wolle, wie groß mein Interesse für die englische Kirche sei, und welch große Befriedigung es für mich bedeute zu wissen, daß die gesamte Geistlichkeit im Glauben fest sei. Dies wecke in mir die Zuversicht, daß Gott die englische Kirche schützen werde, da ER sie mit so fähigen Männern ausgestattet hätte.

Angesichts des Konfliktes, der zwischen mir und meinem Vater schwelte, sagte dieser Brief klar aus, auf wessen Seite ich stand. Und angesichts meiner Stellung als Thronerbin war dies von allergrößter Bedeutung.

Als ich William den Brief zeigte, war sein Lächeln von solcher Herzlichkeit, daß ich mir einbildete, er blicke mich voller Liebe an. Aber natürlich bedeutete dies nur, daß er nicht mehr länger befürchten mußte, ich könnte für meinen Vater Partei ergreifen. Ich hatte nun eindeutig für William Stellung bezogen.

Gilbert Burnet sagte eines Tages im Verlauf eines Gespräches plötzlich: »Es ist nicht natürlich für einen Mann, seiner Frau untertan zu sein.«

Ich gab ihm recht. »In der heiligen Schrift steht ganz klar, daß eine Frau ihrem Mann gehorchen soll«, antwortete ich.

»So ist es«, fuhr Gilbert fort. Er machte eine Pause, ehe er weitersprach: »Die Ereignisse in England lassen vermuten, daß der Tag der Abrechnung nicht fern ist.«

»Was wird Eurer Meinung nach geschehen?« wollte ich wissen.

»Ich glaube, man wird den König nicht mehr lange dulden.«

»Es darf ihm nichts geschehen«, sagte ich. »Vielleicht wird er ins Kloster gehen.« Seine zahlreichen Liebschaften ließen dies allerdings unwahrscheinlich erscheinen. Wie hätte er es in einem Kloster aushalten können? Aber wohin sollte er sich wenden? Sollte er nach Frankreich ins Exil? Oder wie in seinen Jugendjahren von einem Ort zum anderen ziehen bis ans Ende seiner Tage? Solange man ihm nichts antut... dachte ich. Sein Königreich zu verlieren, war für ihn schon Schmerz genug.

Der Gedanke an sein Schicksal ließ mich melancholisch werden, aber Gilbert riß mich aus meiner trüben Stimmung.

»Es herrscht große Unzufriedenheit«, sagte er. »Das muß so sein, und er muß es spüren. Allerorts herrscht das Gefühl, daß er so nicht weitermachen kann.«

Ein Schauer überlief mich. Gilbert sah mich eindringlich an.

»Ich vertraue darauf, daß Euer Hoheit vorbereitet ist.«

»Man hat schon so viel davon gesprochen«, antwortete ich. »Und es hat schon so viele Andeutungen gegeben, daß diese Möglichkeit mir durchaus bewußt ist.«

»Wenn man den König absetzt, würde Hoheit Königin von England werden – und der Prinz Euer Prinzgemahl.«

Jetzt sah ich, worauf er hinauswollte. »Der Prinz stünde neben mir. Wir müßten Seite an Seite stehen.«

»Euer Hoheit, nicht gleichrangig, wenn Ihr es nicht befehlt.«

Als ich daraufhin schwieg, fuhr er fort: »Ich frage mich, ob der Prinz sich mit einer untergeordneten Stellung begnügen würde. Er ist ein Mann der Tat – ein Herrscher.«

»Er hat Anspruch auf den Thron«, sagte ich.

»Andere stehen vor ihm.«

»Anne«, sagte ich. »Und ihre Kinder.«

»Das läge in den Händen Eurer Hoheit. Wenn Ihr den Prinzen zum König erhebt... es müßte von Euch ausgehen. Euer Einverständnis würde ihn vom Prinzgemahl zum König erheben. Als König würde er neben Euch regieren. Und wie Ihr sagt, hat er ein gewisses Anrecht, aber Ihr wäret als Thronerbin die unbestrittene Königin. Ihr müßtet Euer Wort geben, daß der Prinz König sein solle und Ihr Königin, um gemeinsam zu regieren. Wäret Ihr dazu bereit?«

Ich spürte wohlige Wärme. »Ohne ihn würde ich nicht herrschen wollen. Ich brauche ihn. Er ist mein Ehemann. Sollte ich Königin sein, dann würde William mit Sicherheit König werden.«

Ich merkte, wie erfreut Gilbert war, so daß mir der Gedanke kam, er hätte dies schon seit langem klären wollen und sei nun erleichtert, weil er das gewünschte Ergebnis erzielt hatte. Weiter vermutete ich, daß William ihn gedrängt hatte, meine Gefühle in dieser Angelegenheit zu erkunden.

Vermutlich ging Burnet anschließend sofort zu William und berichtete ihm von meiner Antwort, denn von da an änderte sich Williams Haltung mir gegenüber.

Er war zugänglicher, besprach mit mir Staatsangelegenheiten und zeigte mir gegenüber sogar Zuneigung.

Ich war entzückt und glücklicher, als ich es seit den Tagen von Jemmys Besuch je gewesen war. Ich begriff nun, daß mein gewichtigerer Thronanspruch zwischen uns gestanden hatte. Nun aber waren wir gleichberechtigt, und als Mann glaubte er natürlich, daß der Vorrang ihm zustünde.

Sonderbar genug, aber ich hatte nichts dagegen einzuwenden, da die Veränderung in unserer Beziehung mich zu glücklich machte.

Zu dieser Zeit hörte ich regelmäßig von meiner Schwester. Sie schien in ihrer Ehe ihr Glück gefunden zu haben und hatte den Verlust Mulgraves allem Anschein nach überwunden. Georg von Dänemark schien ein sehr liebenswerter Mensch zu sein, zudem hatte sie Sarah Churchill, von der sie um nichts in der Welt lassen wollte, noch immer um sich.

Leider hatte Anne eine große Abneigung gegen unsere Stiefmutter entwickelt – was mich sehr verwunderte. Die Maria Beatrice, die ich kannte, war eine sehr liebenswerte Person gewesen, bestrebt, mit der Familie, in die sie eingeheiratet hatte, auf gutem Fuß zu stehen. Ehe ich England verließ, hatte ich noch gesehen, wie lieb sie unseren Vater gewonnen hatte. Mit seiner Treulosigkeit hatte sie sich längst abgefunden – aber waren wir nicht alle mit der Zeit in diesem Punkt nachsichtig geworden? Sie nahm ihn einfach, so wie er war, als gutherzigen, wenn auch unbeständigen Mann.

Ich konnte nur vermuten, daß es die Religion war, die das Verhältnis zwischen Maria Beatrice und Anne trübte – und das gleiche befürchtete ich für mich und meinen Vater.

Maria Beatrice war schwanger. Dies konnte sich als sehr bedeutsam erweisen, denn wenn sie einen Sohn gebar, würde er der Thronerbe sein. Ich verlor damit meine Vorrangstellung, zudem war es so gut wie sicher, daß man alles daransetzen würde, den Knaben zum Katholiken zu erziehen. Immer wieder lief alles auf diesen Punkt hinaus.

Aber Anne übte sich in wilden Anschuldigungen. Immer schon hatte sie eine Vorliebe für Klatsch gehabt und auf ihre etwas träge Art gern Intrigen gesponnen.

Sie schrieb, ›Mrs. Mansell‹ sei nach Bath gegangen und hätte nach ihrer Rückkehr viel korpulenter ausgesehen. Mrs. Mansell war der Name, den sie der Königin gab, während Mr. Mansell unser Vater war. Sie hatte noch immer ein Faible dafür, andere mit Namen zu belegen. Gewiß glaubte sie dadurch, der Information, die sie weitergab, eine gewisse Anonymität zu verleihen.

Ich wußte – und vermutlich wußten es auch andere – daß sie sich und Sarah Churchill andere Namen gegeben hatte. Sie war Mrs. Morely, Sarah Churchill hieß Mrs. Freeman. Und obwohl sich diese beiden sehr häufig sahen, schrieb Anne ihrer lieben Mrs. Freeman bei jeder sich bietenden Gelegenheit.

Ich erfuhr nun also, daß ›Mrs. Mansell‹ von ihrem Zustand viel Aufhebens machte und sehr gut aussähe, obwohl es während ihrer vorangegangenen Schwangerschaften um ihr Aussehen sehr schlecht bestellt gewesen sei.

Damit wollte Anne andeuten, daß unsere Stiefmutter in Wahrheit gar nicht schwanger war und ihren Zustand nur vortäuschte, damit sie in angemessener Zeit ein Neugeborenes präsentieren konnte, das gar kein ›kleiner Mansell‹ war.

Ich glaube, Anne genoß es sehr zu intrigieren, und das erstaunte mich, eingedenk der Liebe, die mein Vater ihr entgegengebracht hatte – fast soviel wie mir. Immer war er bestrebt gewesen, uns nach besten Kräften glücklich zu machen, denn daß er auf das Zustandekommen unserer Ehen keinen Einfluß gehabt hatte, war mir wohl bewußt.

Natürlich warteten wir alle angespannt auf die Geburt dieses so wichtigen Kindes, und Anne war nicht die einzige, die argwöhnisch war.

Inzwischen wurde Maria Beatrice immer beleibter.

»Sie ist sehr korpulent«, schrieb Anne. »Dabei sieht sie sehr gut aus, und ich glaube sagen zu können, daß die *grossesse* von Mansells Gattin ein wenig verdächtig ist.« Sie schrieb auch, daß es in jüngster Zeit Streit gegeben hätte, und ›Mansells Gattin‹ Anne einen Handschuh ins Gesicht geworfen hätte. Anne deutete an, daß das arme Geschöpf von tausend Ängsten geplagt wurde, und sie fragte sich schon, wie man dieses angebliche Kind zur Welt bringen würde. Anne wollte bei der Geburt zugegen sein, um alles mit eigenen Augen zu sehen.

Maria Beatrice tat mir leid. Ich konnte mir vorstellen, wie unglücklich sie sein mußte, nicht zuletzt, weil sie sicher in großer Sorge um meinen Vater war, da sie möglicherweise klarer als er sah, worauf er zusteuerte.

Immer wieder versuchte ich, ihn zu entschuldigen, doch wollten mir gewisse Bilder nicht aus dem Sinn... Jemmy, der ihn um Gnade anflehte, Jemmy auf dem Richtblock, wo ihm so grausam sein hübscher Kopf abgeschlagen wurde. Aber ich liebte meinen Vater noch immer.

Dann kam der Tag der großen Neuigkeit. Das Kind war ein Junge. Dies konnte alles verändern. Es gab nun einen Thronerben. Ich war von meinem Platz als Thronfolgerin verdrängt worden. Und wie stand es um William? Bereute er jetzt seine Ehe?

Die Geburt dieses Kindes war tatsächlich sehr bedeutungsvoll. Sie brachte den Höhepunkt, sie war der Faktor, der den Ausschlag gab für die Entscheidung, daß mein Vater gehen müsse.

An Gerüchten fehlte es nicht. Anne hatte der Geburt

doch nicht beigewohnt, da das Kind trotz Maria Beatrices *grossesse* einen Monat vor dem errechneten Geburtstermin zur Welt gekommen war.

Anne hatte zur Kur in Bath geweilt. Unser Vater hatte sie überredet, zu diesem Zeitpunkt dorthin zu gehen, obwohl die Ärzte es ihr nicht geraten hatten. Es sah aus, als würde jeder Schritt meines Vaters und seiner Gemahlin Anlaß zu Argwohn liefern. Anne schloß daraus, ihr Vater hätte sie zur Kur gedrängt, weil er nicht wollte, daß sie der Geburt beiwohnte.

Anne schrieb: »Mrs. Mansell wurde zu Bett gebracht, und nach kurzer Zeit wurde aus dem Bett ein ausnehmend hübscher Knabe hervorgeholt und den Leuten präsentiert.«

Eine absurde Geschichte war im Umlauf: das Kind solle in einer Wärmepfanne ins Bett geschafft worden sein, um dasjenige zu ersetzen, das meine Stiefmutter geboren hatte; oder aber, sie hätte überhaupt kein Kind bekommen, hätte die Schwangerschaft nur vorgetäuscht und gewartet, daß man das gesunde Baby in einer Wärmepfanne zu ihr brachte. Es war eine höchst unwahrscheinliche Geschichte. Tatsache war nur, daß man nicht glauben wollte, das Neugeborene sei das Kind des Königs.

Der allgemeine Entschluß stand fest: Mein Vater mußte gehen.

Annes Briefe trafen weiterhin ein. Es ging in ihnen meist um das Baby.

»Meine liebe Schwester kann sich meine Besorgnis und meinen Mißmut nicht vorstellen, weil ich leider nicht in der Stadt war, als die Königin sich ins Kindbett legte. So bleibt mir die Befriedigung versagt, mit Sicherheit zu wissen, ob das Kind echt oder falsch ist. Es könnte unser Bruder sein, aber Gott weiß...«

Ich las den Brief noch einmal. Konnte sie denn wirklich glauben, unser Vater würde sich eines solchen Betruges schuldig machen? Ich konnte es nicht glauben, obwohl ich es wünschte. Ich schämte mich, aber ich wollte nicht, daß William – und mir – die Krone entging, die William aufgrund der Weissagung der Hebamme sein Leben lang als sein Eigentum gesehen hatte. Was mich betraf, so wollte ich sie für ihn, denn wenn er sie nicht bekäme, würde unsere Ehe für ihn eine ständige Enttäuschung bedeuten. Ich hatte noch einen anderen Grund: Ich war nun völlig überzeugt, daß der Katholizismus niemals wieder nach England zurückkehren durfte, und es gab nur einen Weg, um dies zu verhindern, nämlich meinem Vater die Krone zu nehmen.

Ich glaubte, daß Anne sich aus demselben Grund gegen ihn gewandt hatte. Warum hegte sie eine so große Abneigung gegen unsere Stiefmutter? Ich wollte die Geschichte von der Wärmepfanne glauben, obwohl ich wußte, daß sie falsch sein mußte.

Anne hätte früher nie so viele Briefe schreiben können, deshalb fragte ich mich, ob Sarah Churchill sie zum Schreiben ermutigte. Überdies war Sarahs Mann – der in der Armee Macht und Einfluß gewonnen hatte – Williams Freund. Und Anne schrieb immer wieder von ihrem Zweifel hinsichtlich des kleinen Prinzen.

»Schließlich ist es durchaus möglich, daß es ihr Kind ist«, schrieb sie. »Aber auf jeden, der daran glaubt, kommen tausend, die es nicht glauben. Ich für meinen Teil werde immer zu den Ungläubigen gehören.«

Und später schrieb sie mit einem Anflug von Triumph: »Der Prince of Wales ist seit einigen Tagen krank, so sehr, daß man schon munkelt, er würde bald ein Engel im Himmel sein.«

Ich mußte immerzu an meinen Vater und meine Stiefmutter denken. Ob sie wohl wußten, was da vor sich ging?

Immer mehr Menschen trafen aus England am Hof zu Den Haag ein. Es waren Unzufriedene, die den Tag kaum erwarten konnten, an dem William nach England segeln und sich die Krone aufs Haupt setzen würde.

Der kleine Prinz starb nicht. Er erholte sich, und die Aktivitäten nahmen zu. Weitere Ankünfte und Geheimverhandlungen folgten, und in ganz Holland war man in Militärlagern und Werften eifrig am Werk. Es war offenkundig, daß bedeutsame Ereignisse bevorstanden.

Da bekam ich Nachricht von meinem Vater. Ich denke, er fand es unglaublich, daß ich auf seiten derjenigen stehen konnte, die gegen ihn arbeiteten.

Er schrieb: »Alles spricht von den Vorbereitungen, die in Holland getroffen werden, und davon, was die Flotte vorhat, die dort ausläuft. Die Zeit wird es zeigen. Ich kann nicht glauben, daß dir der Entschluß des Prinzen von Oranien bekannt ist, der die Menschen hier aufs höchste beunruhigt. Ich hörte, daß du in Dieren warst und daß der Prinz dich kommen ließ, um dir zweifellos von seiner bevorstehenden Invasion Mitteilung zu machen. Ich hoffe sehr, daß es für dich eine Überraschung war, da ich sicher bin, daß es deiner Natur nicht entspricht, ein so ungerechtfertigtes Unternehmen gutzuheißen.«

Ich vermochte kaum, den Brief zu Ende zu lesen. Ständig sah ich vor mir, wie wir vor Jahren beisammen gewesen waren: als kleines Kind von drei oder vier, das auf sein Kommen wartet, das hochgehoben und auf die Schultern gesetzt wird, während er mit seinen Kapitänen spricht und sie zu Komplimenten für seine reizende kleine Tochter animiert. Das war der Vater, den ich so sehr geliebt hatte. Und jetzt war er von Feinden umgeben.

Es kamen weitere Besucher aus England, begierig, an Williams Invasion teilzunehmen. Sie brachten Nachrichten, die ihn drängten, endlich aktiv zu werden. William wiegte sich in dem Glauben, daß ihn anstatt einer Verteidigungsarmee herzlicher Willkomm empfangen würde.

Die Flotte war zum Auslaufen bereit. Vor der Küste lagen fünfzig Schlachtschiffe und einige hundert Frachter. Der unausweichliche Höhepunkt rückte immer näher, und ich sah ein, daß es keinen anderen Ausweg gab. Insgeheim hatte ich immer noch auf irgend einen Kompromiß gehofft. Vielleicht würde mein Vater seinen Glauben aufgeben. Nein, das würde nie geschehen. Oder er würde abdanken. Dies wäre das klügste gewesen.

Ich wollte nicht darüber nachdenken, daß er im Begriff stand, Krieg gegen William zu führen.

Er schrieb mir und tadelte mich, weil ich ihm nicht antwortete.

»Ich kann nur glauben, daß es dir peinlich ist zu schreiben, nun, da der ungerechtfertigte Plan des Prinzen von Oranien, eine Invasion gegen mich zu führen, offenkundig ist. Wohl wissend, daß du eine gute Gattin bist, wie es sich gehört, möchte ich aus demselben Grund auch glauben, daß du eine ebensogute Tochter deines Vaters bist, der dich immer zärtlich liebte und der auch nicht das Geringste getan hat, um in dir an seiner Liebe Zweifel zu wecken. Mehr will ich nicht sagen, da ich glaube, daß dir die Sorge um einen Gatten und um den Vater sehr viel zu schaffen macht.«

Ich vergoß Tränen über diesem Brief, den ich für immer aufbewahrte. In den folgenden Jahren sollte ich ihn sehr oft lesen.

Und jetzt war die Zeit nahe. In der Nacht vor dem Auslaufen war William bei mir. Seitdem ich Gilbert Burnett gesagt hatte, William solle König und nicht nur Prinzgemahl sein, wenn ich Königin von England würde, hatte sich seine Haltung mir gegenüber geändert. Er unterhielt sich ernsthafter mit mir, und einmal besprach er sogar seine Pläne mit mir. Nach Elizabeth Villiers fragte ich ihn nicht. Ich schreckte davor zurück, da ich wußte, daß er noch immer ihr Geliebter war. Sie wohnte nicht mehr im Haus ihrer Schwester, sondern war an den Hof zurückgekehrt, wo nie eine Bemerkung über den nicht überbrachten Brief fiel, und auch nicht über die Art ihrer Rückkehr nach Holland, doch ertappte ich sie ein- oder zweimal dabei, wie sie mir einen herablassenden Blick zuwarf, als wolle sie sagen: Madam, versucht ja niemals wieder Eure kindischen Finten bei mir. Seid versichert, daß ich einen Weg finden werde, Euch zu überlisten.

Im Inneren wußte ich, daß sie dazu imstande war, und ich war froh, daß die Sache totgeschwiegen wurde. Dennoch war meine Eifersucht groß. Wäre sie schön gewesen, ich hätte es verstehen können, aber so war sie für mich ein Rätsel – ebenso wie William.

Ich erwog sehr wohl, ihm zu sagen: Gib Elizabeth Villiers auf, und ich mache dich zum König von England. Hältst du an ihr fest, dann bleibst du mein Prinzgemahl.

Zu gern hätte ich gewußt, wie seine Antwort ausgefallen wäre – ich konnte mir vorstellen, wie seine kalten Augen mich abschätzend ansahen –, aber ich konnte und wollte auf diese Weise nicht feilschen.

Ich mußte aus freien Stücken geben, und dafür war er mir dankbar. Meine Großmut hatte ihn mir nähergebracht, als jedes Feilschen es vermocht hätte.

Am Abend, bevor er sich einschiffte, ließ er mich echte Zuneigung spüren. Wie speisten zusammen und zogen uns früh zurück. Er wollte sich am nächsten Tag zum Palast von Hounsleardyke begeben und dann weiter nach Brill, wo er sich einschiffen sollte.

Er sprach ernster und gefühlvoller zu mir als je zuvor.

»Ich hoffe sehr, bei der Landung auf wenig Widerstand zu stoßen«, sagte er. »Von allen Seiten sind an mich Einladungen ergangen, ich solle endlich kommen. Damit steht fest, daß das englische Volk entschlossen ist, den König nicht länger zu dulden. Er hat seine Absichten zu offen gezeigt. Aber natürlich wird es einige geben, die ihm zur Seite stehen.«

»Du glaubst, es wird zu Kämpfen kommen?«

»Möglich ist es immerhin. Vielleicht ist es Gottes Wille. Wie kann man das mit Sicherheit wissen? Falls ich nicht wiederkehren sollte, wird es dringend geboten sein, daß du dich wieder vermählst.«

»Du wirst Erfolg haben«, sagte ich hastig. »Dessen bin ich sicher. Hast du Mrs. Tanners Prophezeiung vergessen?«

»Ich glaube fest daran, daß es vom Himmel kam, was sie sah. Mein ganzes Leben habe ich es geglaubt. Lange hat es gedauert, aber jetzt ist die Krone in Reichweite. Ich werde es schaffen. Der Triumph ist mein. Aber alles liegt in Gottes Hand, und seine Wege sind unerforschlich. Ich sagte, daß es deine Pflicht ist, ohne Verzug wieder zu heiraten, falls ich nicht wiederkehre. Du weißt sehr wohl, daß dein Vater alles in seiner Macht Stehende tun wird, um dich mit einem Papisten zu vermählen, was einer Katastrophe gleichkäme. Du mußt einen Protestanten zum Mann nehmen.«

Ich wandte mich ab. Es betrübte mich, daß er über meine Heirat mit einem anderen so gleichmütig sprechen konnte.

Er fuhr auf seine gelassene Art fort, von meinen Pflichten zu reden, bis ich es nicht mehr aushielt.

»Du mußt siegen«, sagte ich. »Etwas anderes will ich nicht denken. Ich will auch keinen anderen heiraten. Du bist mein Gatte. Es ist vorbestimmt, daß wir gemeinsam herrschen sollen.«

Zu meiner Verwunderung stimmte ihn dies milder. Ich glaube, meine aufrichtige Hingabe erstaunte ihn. Mich selbst übrigens nicht minder, doch wenn ich an die Gefahr dachte, in die er sich begeben würde, an die Möglichkeit, daß er nicht zurückkehren würde, und daran, daß man mich drängen würde, wieder zu heiraten, erkannte ich das Ausmaß meiner Bindung an ihn.

Ich wußte nun, daß ich mit ihm zusammen sein wollte, daß mein Platz neben ihm war.

War William auch für meine Hingabe dankbar, so konnte er die Momente meines Aufbegehrens nicht vergessen haben. Er würde an den Kummer der Kind-Braut denken, die um die Befreiung aus dieser Ehe gefleht hatte, an die Frau, die es gewagt hatte, Elizabeth Villiers mit einem Brief an den König nach England zu schicken. Ebenso würde er daran denken, wie bedingungslos ich zugestimmt hatte, daß er König von England und nicht nur mein Prinzgemahl sein sollte. Das vor allem mußte ihm als Triumph erscheinen – fast so groß wie ein Sieg über den König.

Ja, er war dankbar, und nie zuvor war er einem Liebhaber ähnlicher als in jener Nacht.

Am nächsten Tag brachen wir gemeinsam auf, da ich darauf bestand, ihn zu begleiten und Zeuge seiner Einschiffung zu werden.

Ich hatte ihm Lebewohl gesagt und ihm nachgeblickt, als er an Bord ging. Beim Gedanken an meinen Vater litt ich unter einer schrecklichen Vorahnung, und ich war nicht imstande, diese Gedanken zu verdrängen. Ich versuchte mich zu überzeugen, daß William wiederkehren würde, und war fest entschlossen, an Mrs. Tanners Weissagung zu glauben. Die drei Kronen mußten William zufallen. Aber war würde aus meinem Vater werden, aus meinem armen, schwachen Vater? Mir fiel ein, daß mein Onkel Charles einmal geäußert hatte: »James wird sich nicht länger als drei Jahre halten, wenn ich nicht mehr bin. Das Volk wird sich meiner niemals entledigen, denn das würde bedeuten, daß es James bekäme – deshalb ist meine Position so sicher.«

Wieder eine Prophezeiung!

»O Gott«, betete ich, »verschone ihn. Gib, daß er in aller Stille abzieht. Laß ihn in Frieden mit seinem Glauben leben.«

William und mein Vater. Der Triumph des einen bedeutete Demütigung und Niederlage des anderen. Und ich mußte zusehen, wie dies den beiden Männern widerfuhr, die die wichtigsten in meinem Leben waren.

William schiffte sich in Brill am 29. Oktober ein – nicht eben die günstigste Jahreszeit, um den tückischen Kanal zu überqueren. Es war die stürmische Jahreszeit und deshalb nicht verwunderlich, daß die Flotte tatsächlich in einen Sturm geriet.

Der Wind nahm zu. Panik erfaßte mich, und Williams Worte wollten mir nicht aus dem Sinn gehen. Hatte er eine Vorahnung gehabt? Dann hörte ich, daß einige Schiffe beschädigt worden waren und die restliche Flotte wieder den Hafen anlief.

Aus England kamen Nachrichten. Die holländische Flotte sei zerstört worden. Und wo war William?

Es sickerte durch, daß diese Berichte stark übertrieben waren, und ich war außer mir vor Freude, als ich von William einen Brief bekam. Zur Rückkehr nach Holland gezwungen, war er in Helvoetsluys gelandet, doch er wollte so rasch als möglich wieder in See stechen. Die Schäden an den Schiffen waren nicht so groß, wie zunächst befürchtet, und konnten rasch ausgebessert werden. Ehe er wieder lossegelte, wollte er mich sehen.

Unterdessen aber hatten meine Ängste mir so zugesetzt, daß ich erkrankte. Ich konnte nicht schlafen und fieberte. Rasch ließ ich einen Arzt kommen, der mich zur Ader ließ.

Die Erleichterung, William in Sicherheit zu wissen, und die Freude auf ein Wiedersehen waren meiner Genesung förderlich, und ich entschied, daß ich so weit wiederhergestellt war, um nach Brill fahren zu können.

Am fünften November traf ich dort bei finsterem und verhangenem Wetter ein. William stand im Begriff, Helvoetsluys zu verlassen und sich einzuschiffen.

Ich hörte, daß die Straße schlecht und das Wetter unsicher sei, und wartete deshalb in Brill, voller Angst, er würde nicht zu mir kommen können.

Was für eine Freude, als ich ihn erblickte! Er sagte, sein Aufenthalt könne nur kurz sein, doch hatte er versprochen, zu mir zu kommen, ehe er wieder in See stach; und er war entschlossen, sein Versprechen zu halten.

Ich umarmte ihn unter Tränen, und diesmal reagierte er nicht mit Ungeduld. Er sprach von der bevorstehenden Invasion.

»Ich weiß nicht, wie man mich empfangen wird«, sagte er. »Man hat Zeit gehabt, sich zu rüsten, und wird über unser Pech im Sturm frohlocken. Gerüchte sind im Umlauf, daß unsere Flotte zerstört wurde, aber mit Gottes Hilfe werden wir alle bald eines Besseren belehren.«

Wie rasch verflogen die zwei gemeinsam verbrachten Stunden! Im nachhinein versuchte ich mich an jedes unserer Worte zu erinnern, an jeden Blick, der zwischen uns gewechselt worden war.

Es war nur natürlich, daß Williams Sinnen und Trachten auf das große, vor ihm liegende Projekt gerichtet war, und ich war dankbar, daß er sein Versprechen eingelöst hatte und zurückgekommen war, um mich zu sehen.

Später am Tag brach ich nach Den Haag auf, und unterwegs kamen trotz des schlechten Wetters die Menschen auf die Straße gelaufen und jubelten mir zu.

Den nächsten Tag verbrachte ich dort in Erwartung von Nachrichten. Als sie dann kamen, konnte ich kaum glauben, was ich hörte.

William war sicher in Torbay angelangt, wo er an Land ging. Es war der zehnte November, ein wichtiges Datum, unser Hochzeitstag. Zu gern hätte ich gewußt, ob William auch daran dachte, aber ich vermutete, daß er zu sehr mit anderen Dingen beschäftigt war. Auf jenes Datum fiel noch ein anderer Jahrestag. Zu Hause hatten wir immer die Aufdeckung der Pulververschwörung gefeiert. Wichtige Gedenktage also, und jetzt gesellte sich noch einer dazu.

William konnte ungehindert an Land gehen. Er wurde von einer der wichtigsten Familien in Devon, den Courtneys, willkommen geheißen und bezog Quartier in deren Herrenhaus.

Die nächsten Tage verliefen ereignislos, und ich befürchtete schon, man würde uns in falscher Sicherheit wiegen, und die englische Armee würde ganz plötzlich zur Stelle sein.

Was damals geschah, sollte mir nie ganz klar werden. Alles war so unsicher. Es waren viele, die meinen Vater im Stich ließen. In seiner Jugend war er ein großer Feldherr gewesen, und er hätte es wieder sein können. Aber ich konnte mir vorstellen, wie entmutigt er gewesen sein mußte, wie verzweifelt, daß ihn jene verließen, die er für seine Freunde gehalten hatte.

Die größte Kränkung freilich mußte für ihn gewesen sein, daß Anne sich auf die Seite seiner Gegner schlug. Es kränkte auch mich, obwohl ich dasselbe getan hatte. Aber ich war mit William verheiratet. Hatte Anne so grausam sein müssen?

Churchill desertierte, um sich William anzuschließen, und Anne verließ London mit Sarah Churchill.

Seine innig geliebten Töchter hatten ihn im Stich gelassen, als er ihrer am dringendsten bedurft hätte.

Um wieviel beunruhigender ist es, nicht am Ort der Handlung sein zu können und sich verzweifelt zu fragen, was wohl vorgehen mag, anstatt mitten im Geschehen zu stecken; denn vorgestellte Katastrophen sind oft beängstigender als die Wirklichkeit. Aus England trafen Botschaften ein. Die holländische Flotte sei außer Gefecht, die holländische Armee besiegt, der Prinz von Oranien im Tower eingekerkert. Aber auch: die Holländer seien siegreich geblieben. Der Prinz hätte den König bezwungen. Was stimmt nun? fragte ich mich. Woher sollte ich es wissen.

Die Anspannung war fast unerträglich.

Ständig war ich in Gedanken bei meinem Vater. Was er wohl tun mochte? Und wie mochte er sich fühlen? Und William? Was, wenn die beiden einander von Angesicht zu Angesicht gegenübertraten?

Betete ich um Williams Erfolg, sah ich die vorwurfsvollen Augen meines Vaters vor mir.

»Bitte, lieber Gott«, betete ich, »wache über ihn. Gib, daß er sich dorthin in Sicherheit bringen kann, wo er seinem Glauben anhängen darf.«

Um diese Zeit erkrankte Anne Bentinck sehr schwer. Sie war schon länger leidend gewesen, nun aber hatte ihr Zustand sich sehr verschlechtert.

Ungeachtet des Mißtrauens, das ich den Villiers entgegenbrachte, hatte ich mit Anne Freundschaft geschlossen. Ich wußte, daß sie die Vertraute ihrer Schwester war und sich, da sie Bentinck geheiratet hatte, einer engen Beziehung zu William rühmen durfte. Das war unvermeidlich, da William Bentincks Wohnung wie die eigene benutzte und Bentinck mehr mit William zusammen war als mit der eigenen Familie. Es tat mir sehr leid, Anne so leidend zu sehen, da ich sie mochte und respektierte, obwohl ich einer Villiers nie ganz vertrauen konnte.

Als ich sie besuchte, war ich von der Veränderung, die mit ihr vorgegangen war, entsetzt.

Die Ärzte hätten sie eben besucht, sagte sie.

»Sie werden Euch bald kurieren«, sagte ich.

Anne schüttelte den Kopf. »Nein, Euer Hoheit, ich glaube, das ist das Ende.« Die Ehe der Bentincks galt als glücklich, deshalb erschrak ich, als ich sie vom Tod reden hörte.

»Ihr seid betrübt. Es ist für uns alle eine betrübliche Zeit.«

»Wie wahr. Ich möchte zu gern wissen, was geschieht. Ich wünschte, es würden Nachrichten eintreffen.«

»Ihr sollt sie hören, sobald sie kommen«, versprach ich, und sie dankte mir.

Ich blieb eine Weile bei ihr. Das Zusammensein mit Menschen erlöste mich aus meinen angsterfüllten Phantasiebildern bezüglich dessen, was sich zutragen mochte. Ich sagte, daß ich sie wieder besuchen würde, und fügte meinen täglichen Gebeten Fürbitten für ihre Genesung hinzu.

Noch immer warteten wir gespannt auf Nachrichten. Ich hörte, daß es Anne schlechter gehen würde, und besuchte sie wieder.

Sie schien erfreut und dankbar, weil ich gekommen war.

»Jetzt dauert es nicht mehr lange«, flüsterte sie so leise, daß ich mein Ohr nahe an ihre Lippen halten mußte. »Mylady, wir... wir waren zu Euch nicht immer so, wie wir hätten sein sollen. Ihr wart uns eine gute Herrin. Meine Schwester und ich...«

»Sorgt Euch nicht«, sagte ich. »Die Ärzte werden bald zur Stelle sein und etwas für Euch tun.«

Sie schüttelte den Kopf. »Nein– vergebt...«

»Ich habe nichts zu vergeben«, sagte ich.

»Doch... mein Mann ist mit dem Prinzen zusammen... immer mit dem Prinzen...«

»Zwischen ihnen ist eine große Freundschaft. Euer Mann hat sein Leben für ihn aufs Spiel gesetzt. Das vergißt der Prinz niemals.«

Sie lächelte. »Man muß dem Prinzen dienen.«

»Zwischen ihnen ist große Freundschaft.«

»Der Prinz fordert viel von denen, die ihn lieben. Mein Gatte... er ist wie sein Sklave. Für anderes hat er wenig Zeit. Freiheit ist ihm nur gestattet, wenn der Prinz anderweitig beschäftigt ist. Immer wird von ihm erwartet, daß er anwesend ist... auf der Stelle. So ist der Prinz eben.«

Diese lange Rede schien sie so erschöpft zu haben, daß sie nun länger schwieg.

Dann erst fuhr sie fort: »Mylady... meine Kinder... wenn ich nicht mehr bin... nehmt Euch meiner Kinder an.«

Ich versprach es.

»Sie sind noch klein. Wenn Ihr...«

»Ich werde dafür sorgen, daß alles seinen rechten Gang geht«, beruhigte ich sie. »Macht Euch keine Sorgen. Euer Mann wird für die Kinder sorgen. Er ist ein guter Mann. Anne, Ihr habt Glück gehabt...«

Sie nickte lächelnd.

»Euer Versprechen«, hauchte sie. »Eure Vergebung...«

»Ich gebe Euch mein Versprechen und vergebe, was immer zu vergeben ist.«

Sie bewegte die Lippen und lächelte, doch ich konnte nichts vernehmen.

Ich blieb bei ihr, in Gedanken bei dem Tag, als ich England als armes verängstigtes Kind verlassen hatte, in Gesellschaft der Villiers, die mir nicht genehm gewesen waren.

Anne blieb nicht mehr viel Zeit. Gemeinsam mit Lady Inchiquin, Madame Puisars und Elizabeth Villiers harrte ich an ihrem Sterbebett aus.

Wir saßen zu beiden Seiten des Bettes, die Geliebte meines Mannes und ich. Elizabeth wurde von Annes Tod tief betroffen. Sie hatten einander nähergestanden als die anderen Geschwister, und ich war sicher, daß sie Vertraulichkeiten über Elizabeths Beziehung zu William ausgetauscht hatten.

Was hatte Anne gemeint, als sie mich um Verzeihung bat? Der Tod ist eine ernste Sache. So kam es, daß ich nicht zu jenem Zorn fähig war, den ich ansonsten gegen meine Rivalin spürte. Da sie unter dem Verlust ihrer geliebten Schwester so sehr litt, konnte ich nur Mitleid für sie empfinden.

Noch immer war es sehr schwierig, etwas Neues zu erfahren. Soweit mir bekannt war, hatte es keine Kämpfe gegeben, und dafür war ich dankbar. Aber trotz meiner Dankbarkeit begriff ich nicht, wieso es so war.

Die Sorge meines Vaters hatte in erster Linie seiner Familie gegolten. Maria Beatrice und der Kleine waren fortgeschickt worden, in Sicherheit. Ich hörte, daß sie sich in Frankreich befanden. Anne hielt sich noch immer mit Sarah Churchill versteckt.

Hätte mein Onkel Charles sehen können, was passierte, er hätte sein spöttisches Lächeln gezeigt und gesagt: »Ich habe recht behalten. Alles ist so gekommen, wie ich es voraussagte. Armer, törichter, sentimentaler James. Das ist keine Art, ein Land zu regieren, Bruder.«

Es war herzzerreißend. Zuweilen glaubte ich, es nicht mehr ertragen zu können.

Noch vor Ende Dezember hörte ich, daß auch mein Vater sich in Frankreich aufhielt. Verlassen von seinen Freunden, von seinen Truppen im Stich gelassen, hatte es für ihn keine Alternative gegeben. Aber für eines war ich dankbar: Der Verlust an Menschenleben war gering, es war kaum Blut geflossen.

Und dann... Williams Einzug in St. James. Es sah aus, als sei das Unternehmen, das so lange besprochene, mit so großer Sorgfalt geplante und mit Bangen in Angriff genommene Unternehmen beendet und zwar erfolgreicher, als wir es uns in unseren optimistischsten Träumen vorgestellt hatten.

Von William kamen Botschaften. Aber sie wurden nicht mir übergeben, was mich zutiefst kränkte. Von William persönlich kam kein Wort an mich, keine Äußerung zärtlicher Zuneigung. Nach unserem letzten Zusammentreffen hatte ich mir eingeredet, in unserer Beziehung hätte sich etwas geändert.

Später begriff ich, daß er seiner Ablehnung mir gegenüber nicht Herr werden konnte. Obgleich er sich geändert hatte, seitdem Gilbert Burnet ihm zu verstehen gab, daß ich seinem Königsamt nicht im Weg stehen würde, kam ihm nun, da er in England war, die Meinung einiger Minister zu Ohren, und die Frage wurde von neuem aufgeworfen. Ich sei die Thronfolgerin, hoben sie hervor, und er sei, obschon mein Gemahl, nicht König aus eigenem Recht. Der alte Groll meldete sich wieder. William ertrug es nicht, den zweiten Rang hinter einer Frau einzunehmen. Das, wonach er sich verzehrte, gehöre seiner Frau, und sein Macht hinge von ihrem guten Willen ab, bedeutete man ihm. Deshalb schickte er offizielle Dokumente nach Holland und keine Mitteilung an mich.

Verstehen ist gleichbedeutend mit Verzeihen, heißt es. Hegt man zärtliche Gefühle für jemanden, sucht man nach Entschuldigungen. Ich wünschte, mir wäre dies damals klar gewesen. Ich hätte mich nicht so gekränkt zu fühlen brauchen, doch mußte ich mir sagen, daß das, was ich für Williams Zärtlichkeit gehalten hatte, eine vorübergehende Gefühlsaufwallung war. Er hatte sich von der Tragweite des Ereignisses und von der Möglichkeit, daß diese Begegnung unsere letzte auf Erden sein konnte, mitreißen lassen.

Ich erfuhr, daß William in London einzog und Tausende kamen, um ihn zu sehen. Ich konnte mir ihre Enttäuschung vorstellen, da mir noch deutlich in Erinnerung war, wie er seinerzeit nach London gekommen war und wie finster er neben dem König und den anderen Kavalieren gewirkt hatte. William hatte kein Lächeln fürs Volk übrig. Er sah auch nicht aus wie ein König. Und die Menschen reagierten mit Schweigen. Für den mürrisch aussehenden Holländer brandete kein Jubel auf. Welche Empfehlung brachte er denn mit, außer daß er Protestant und Gemahl der neuen Königin Mary war? Und wo war Königin Mary? Sie war es, die durch die Straßen hätte reiten sollen.

Bentinck, noch in Trauer um seine Frau, aber stets Williams ergebener Diener, versuchte auf ihn einzuwirken, worauf dieser antwortete, man hätte ihm zu verstehen gegeben, er sei nur Prinzgemahl der Königin. Die Rolle des Zeremonienmeisters seiner Frau zu spielen, liege ihm jedoch nicht.

Diese Bruchstücke an Information gelangten mir allmählich zu Ohren, und ich wußte, daß dieser Punkt vor allem Williams Haltung mir gegenüber geprägt hatte.

William Herbert, Duke of Powis, an Gicht leidend und ans Bett gefesselt, hielt einen Ministerrat in seinem Schlafzimmer ab. Bentinck durfte im Namen seines Gebieters teilnehmen und berichtete, was sich zugetragen hatte.

Bentinck brachte nun pflichtgemäß den Standpunkt Williams vor. Am besten wäre es, den Prinzen von Oranien zum König zu krönen, während ich nicht den Rang einer regierenden Königin einnehmen sollte, sondern jenen der Gemahlin des Königs.

Daraufhin vergaß Herbert seine Gicht, sprang aus dem Bett und griff nach seinem ständig griffbereiten Schwert, das er unter der Drohung schwang, er würde es nie wieder für den Prinzen von Oranien ziehen, wenn dieser mit seiner Frau so umspringe. Nach diesem Ausbruch ließ er sich schmerzgepeinigt wieder auf sein Lager sinken.

Bentinck sagte, der Prinz sei in Melancholie verfallen, als er dies hörte.

Zu Bentinck gewandt, hatte er gesagt: »Siehst du, was die Leute denken? Diese Engländer habe ich gründlich satt. Ich werde nach Holland zurückkehren und die Krone dem überlassen, der es schafft, sie sich anzueignen.«

Danach hatte William den Palast von St. James kaum mehr verlassen. Ständig suchten Minister ihn auf, deren Anliegen er zwar Gehör schenkte, sich aber nur selten dazu äußerte.

Kein Wunder, daß alle sich fragten, was das für ein Mensch war, dem sie den Weg nach England geebnet hatten.

Als die Zeit gekommen war und bei allen – wie von William beabsichtigt – die Unsicherheit wuchs, ließ er den Marquis of Halifax und die Earls of Shrewsbury und Danby, die er für seine Freunde hielt, zu sich kommen und erklärte ihnen die Gründe für seine ernsten Vorbehalte.

»Die Engländer wollen Königin Mary auf den Thron setzen und möchten, daß ich mit ihrer Genehmigung regiere. Nun kann kein Mann seine Frau höher schätzen, als ich es tue, aber ich bin von Natur aus so beschaffen, daß ich Macht nicht am Schürzenband ausüben könnte.«

Die drei Männer sahen ihn betroffen an. Dann sagte Danby, daß er sein Dilemma verstünde, daß man aber angesichts der Tatsache, daß Königin Mary rechtmäßige Herrscherin sei, keine andere akzeptable Lösung sähe.

Nun eröffnete William ihnen, daß Dr. Burnet die Angelegenheit mit mir besprochen hätte und ihnen bereitwillig Auskunft über den Verlauf dieses Gespräches geben würde.

Folglich wurde nach Dr. Burnet geschickt, und er lieferte einen Bericht unserer Unterredung, in deren Verlauf ich betont hatte, daß ich glaube, eine Frau solle ihrem Mann gehorchen, und ich demzufolge bereit sei, die Herrschergewalt William zu überlassen.

Lord Danby entgegnete darauf, daß man meiner Bestätigung bedürfte und keine weiteren Schritte unternehmen dürfe, ehe die Sache nicht in die Hände des Parlaments gelegt worden sei.

Ich erhielt nun Nachricht von Lord Danby, der mir den Fall darlegte und mich bat, ich solle ihn meine Entscheidung umgehend wissen lassen.

Ich schrieb sofort zurück, daß es mir als Gemahlin des Prinzen bestimmt wäre, diesem untertan zu sein, und ich niemandem Dank wissen würde, der es darauf anlege, mich durch einen Interessenkonflikt von meinem Mann zu trennen.

Das genügte ihnen.

Die beiden Häuser des Parlaments traten zusammen, und es wurde beschlossen, dem Prinzen von Oranien die drei Kronen Englands, Irlands und Frankreichs anzubieten. Schottland war natürlich ein eigenes Königreich, und der französische Titel ein Relikt aus der Vergangenheit. Doch die drei Kronen gehörten jetzt William. Mir gedachte man, die Mitregentschaft anzubieten. Königliche Dekrete sollten beide Unterschriften tragen, doch die Exekutivgewalt würde William innehaben. Sollten wir Kinder bekommen, dann würden sie den Thron erben, blieben wir kinderlos, sollte die Thronfolge auf Prinzessin Anne und deren Nachkommen übergehen.

William hatte erreicht, was er sich immer gewünscht hatte.

Während all dies geschah, war Weihnachten gekommen und gegangen, und der Januar war schon fast zu Ende. Dann kam eine Nachricht von William. Ich sollte Holland verlassen und nach England zurückkehren, um mit ihm gemeinsam gekrönt zu werden. Die Regentschaft von William und Mary sollte ihren Anfang nehmen.

# *Königin von England*

## Die Krönung

Als wir von Brill ausliefen, kam der Wind von achtern, so daß die Überfahrt rasch vonstatten ging. Ich war ganz meinen Gefühlen hingegeben und in Gedanken bei meinem Vater, ermahnte mich jedoch, mit ganzem Herzen hinter meinem Mann zu stehen. Denn hätte mein Vater nicht seiner Torheit nachgegeben, er hätte mit seiner traurigen Königin nicht ins Exil gehen müssen.

Ich mußte lächeln, unbeschwert sein, so tun, als freue ich mich. William war in Sicherheit, seine Aufgabe erfüllt, sein Traum Wirklichkeit geworden. Die drei Kronen waren nun sein, ich sollte sie mit ihm teilen.

Ich sah meine Heimatinsel näher kommen und dachte an das verängstigte und verweinte Kind, das vor Jahren Abschied genommen hatte. Jung war ich noch immer – nicht ganz siebenundzwanzig. Ich hatte die ersten Ehejahre überstanden und gelernt, mich mit dem Unabänderlichen abzufinden, meiner Meinung nach eine der wichtigsten Lektionen im Leben.

Unter den Frauen meiner Umgebung befand sich noch immer Elizabeth Villiers, in deren Gesellschaft ich mich noch nie wohl gefühlt hatte und die mich nun mit Widerwillen erfüllte. Ich war eifersüchtig auf sie. Sie war für mich ein Rätsel, ebenso wie William. Die beiden waren wirklich sonderbare Menschen. Vielleicht fühlten sie sich deswegen zueinander hingezogen. Fast hätte man meinen können, sie verfüge über Hexenkünste. Worin bestand die Macht dieser unscheinbaren Person, die William zu ihrem Sklaven gemacht hatte? Seit Jahren schon war er ihr Liebhaber. Worauf gründete sich diese merkwürdige Faszination?

Sie war zweifellos sehr klug. Sie hatte eine Ader für Staatsgeschäfte. Sie spionierte für ihn, trug ihm Informationen zu... Und William war zur Hingabe fähig, wie ich schon im Zusammenhang mit Bentinck beobachtet hatte. Diese beiden liebte er. Bentinck hatte ihm das Leben gerettet, deshalb konnte ich es verstehen. Doch gab es bei Hof so viele schöne Frauen. Warum war seine Wahl ausgerechnet auf Elizabeth gefallen?

Meine Bemühungen, sie auszuschalten, waren gescheitert. Sie hatte mich überlistet, wie sie mich vermutlich immer überlisten würde. Und hier war sie nun, mit mir unterwegs nach England, weil William sie niemals aufgeben würde.

In Gravesend wurden wir von einer Abordnung von Honoratioren erwartet. Für diese Gelegenheit hatte ich mich mit besonderer Sorgfalt gekleidet, weil ich wußte, daß die Blicke aller auf mir ruhen würden und ich diese Musterung mit Anstand überstehen mußte. Ich mußte ihnen zeigen, daß ich in allem meinem Mann zur Seite stand und mich glücklich schätzte, weil er gekommen war, um mit Weisheit und Kraft über sie zu herrschen. Ich durfte sie nicht anmerken lassen, wie niedergeschlagen ich war, weil mein Mann meinen Vater hatte vertreiben müssen, damit ich meine Pflicht ihnen gegenüber erfüllen konnte.

Ich trug einen orangefarbenen Samtrock, und mein Page stand mit einem gleichfarbigen Samtmantel daneben. Mein perlenbesticktes Mieder war tief ausgeschnitten, mein Haar mit perlenbesetzten orangefarbenen Bändern durchflochten.

Ich ging zu meinem prächtig aufgezäumten Pferd und schwang mich in den purpurnen Samtsattel.

Die Menschen jubelten mir zu, als ich mit meinem Gefolge zum Greenwich-Palast ritt.

Dort wurde ich von meiner Schwester Anne begrüßt, und ich konnte meine Freude über das Wiedersehen nicht zügeln. Alle Förmlichkeit außer acht lassend, umarmten wir uns, von Freude überwältigt.

»Du hast mir gefehlt, Schwester«, sagte ich.

»Ich bin ja so glücklich, daß du gekommen bist«, erwiderte Anne.

Sie konnte es kaum erwarten, mir ihren Mann vorzustellen, und ich sah sofort, daß sie in ihrer Ehe glücklich war und daß sie und Georg von Dänemark zueinander paßten. Sein offenes Gesicht ließ vermuten, daß die Berichte, die ich über ihn gehört hatte, auf Wahrheit beruhten. Er sah gut aus und war von gutmütigem und umgänglichem Naturell. Mein Vater hatte behauptet, er sei nicht redegewandt und neige dazu, gewisse Phrasen häufig zu wiederholen, was eine störende Angewohnheit sei. *Est-il possible?* War eine dieser von ihm bevorzugten Wendungen, weshalb mein Vater ihn *Est-il possible* genannt hatte.

Mir war klar, daß Georg von Dänemark den Hof wenig beeindruckte. Ich aber war bereit, ihn sympathisch zu finden, da er offenbar Annes Liebe gewonnen hatte – und sie die seine. Und zu sehen, wie glücklich sie miteinander waren, tat wohl.

Ich hatte Anne sehr viel zu sagen, und sie hörte zu. Wie korpulent sie war, hatte ich schon vergessen. Ich selbst hatte auch reichlich zugenommen, denn in diesem Punkt waren wir beide nach unserer Mutter geraten. Aber neben Anne, die zudem schwanger war, wirkte ich fast schlank.

Gemeinsam wollten wir mit dem königlichen Prunkboot nach Whitehall fahren.

Als ich an Bord ging, regten sich bei mir wieder Gewissensbisse. Es war nun mein... das königliche Prunkboot, aber noch vor kurzem hatte es meinem Vater gehört. Ich rief mich zur Ordnung; mit diesen dummen Gedanken mußte Schluß sein. Der alte Kehrreim hämmerte wieder in meinem Bewußtsein. Es hätte nicht dazu kommen müssen. Es war seine Schuld.

Mein Vater konnte die Herrschaft nicht wirklich gewollt haben. Wäre es so gewesen, hätte er seine Krone nicht weggeworfen. Er würde sich an einen stillen Ort zurückziehen, wo er seine Religion ausüben konnte. Das war es, was er eigentlich wollte.

Ich mußte Freude zeigen. William hatte gesiegt, und ich war heimgekehrt.

Die Menschen jubelten uns zu, als wir auf dem Fluß nach Whitehall fuhren.

Ich stieg die Whitehall Stairs hinauf und betrat den Palast. Wie vertraut mir alles war! Wie die Erinnerungen auf mich einstürmten! Ich lächelte strahlend. Ich durfte außer Freude kein Gefühl zeigen, denn ich wurde genau beobachtet. Deshalb gab ich Ausrufe des Entzückens von mir, als ich die vertrauten Räume durchschritt. Anne war lächelnd an meiner Seite.

»Du bist jetzt zu Hause, Schwester«, sagte sie.

»Und ich bin glücklich darüber.«

Da gewahrte ich Sarah Churchill. Sie hatte ihre Gefühle nie verbergen können, und jetzt lag kalte Kritik in ihrem Blick.

Wie kann sie es wagen! dachte ich, denn ich wußte, daß sie mich für herzlos hielt. Sie wußte, wie sehr mein Vater mich geliebt hatte; und da war ich nun und nahm mit Freuden sein Eigentum in Besitz, das jetzt mir gehörte, weil mein Gemahl mit mir an seiner Seite meinen Vater vom Thron gestoßen hatte.

Sie war es, die meine Schwester überredet hatte, sich von ihm loszusagen. Ihr Mann hatte die Armee angeführt, die sich gegen ihn gewandt hatte! Und Sarah Churchill wagte es nun, dazustehen und mich mit einem Blick anzusehen, aus dem ein Verdammungsurteil sprach!

Ich haßte Sarah Churchill. Mochte sie meine Schwester beherrschen, sie würde jetzt lernen müssen, daß ich Königin von England war.

So nahm ich die königlichen Gemächer in Besitz. Ich dachte daran, wie ich hier Maria Beatrice besucht hatte. Und ich wußte noch, wie gütig sie zu dem armen verschreckten Kind gewesen war, das verheiratet und fortgeschickt werden sollte. Maria Beatrice! Wie es ihr jetzt wohl ergehen mochte? Ich dachte an sie und ihr Kind – das Wärmepfannenbaby, wie boshafte Zungen es nannten – und an ihren schwachen Mann. Was sie jetzt wohl denken mochte? Ihre ›teure Limone‹, der sie Liebe und Vertrauen geschenkt hatte, prunkte mit orangefarbenen Röcken und war gekommen, um ihre Gemächer in Besitz zu nehmen.

Nun, da ich in Whitehall residierte, kam William mich besuchen. Es war das erste Wiedersehen, seitdem wir in Holland voneinander Abschied genommen hatten. Er wirkte müde und abgespannt und ging gebückter, als ich es in Erinnerung hatte. Aber so war es immer, wenn ich ihn nach längerer Zeit wiedersah. Ich glaube, in meiner Phantasie veränderte ich sein Bild – machte ihn größer, aufrechter, liebenswerter.

Nach unserem letzten Abschied erwartete ich mehr Zärtlichkeit von ihm, doch er schien sich in den Mann zurückverwandelt zu haben, der er gewesen war, eine Tatsache, auf die ich verletzt und enttäuscht reagierte.

In einer jener Anwandlungen von Illoyalität, wie ich sie schon in der Vergangenheit erlebt hatte, kam mir der Gedanke, er hätte es mit Absicht so eingerichtet, daß ich als erste nach Whitehall kommen sollte, weil er sich der allgemeinen Reaktion nicht sicher war und wollte, daß ich den Palast in Besitz nahm.

Unsinn, sagte ich mir. Es war ganz natürlich. Und doch hatte ich gehofft, er würde mich in Gravesend erwarten. Ich wollte ihm sagen, wie ich mich freute, ihn wiederzusehen, und wie ich mir wünschte, er würde dasselbe zu mir sagen. Er tat nichts dergleichen, sondern begrüßte mich mit einem kühlen Kuß.

»William, bist du wohlauf?« fragte ich. »Was macht dein Husten?«

Das war taktlos, da er Bemerkungen über seine Schwäche haßte.

»Mir geht es gut«, sagte er.

»Du fragst nicht nach meinem Befinden?« sagte ich ein wenig kokett.

»Ich sehe, daß du dich guter Gesundheit erfreust.«

»Es war eine angsterfüllte Zeit.«

»Das hatten wir erwartet.«

»Und jetzt ist alles gut, da du gesiegt hast.«

»Man kann nicht sagen, daß alles gut ist.«

»Aber das Volk will uns, William. Es weiß, daß wir gute Herrscher sein werden.«

»Die Begeisterung hielt sich in Grenzen. Dich will man als Königin, aber mich...« Es folgte ein abschätziges Hochziehen der Schultern.

»Ich weiß. Aber ich habe meinen Wünschen deutlich Ausdruck verliehen, oder etwa nicht?«

Er nickte. »Je eher wir vor dem Gesetz die Herrschaft antreten und zu König und Königin proklamiert werden, desto besser. Ich möchte fort aus dieser Stadt, die mich bedrückt. Ich glaube, in Hampton steht ein schöner Palast.«

»Hampton Court. Ja, ich kann mich gut erinnern.«

»Sobald die Sache geregelt ist, breche ich nach Hampton auf, und wenn der Palast meinen Vorstellungen entspricht – und er weit genug von der Stadt entfernt ist –, werden wir dort residieren.«

Die Zeremonie fand am nächsten Tag statt. Es war Aschermittwoch – nicht eben der passendste Tag für einen solchen Anlaß, aber William legte Wert darauf, daß alles ohne Verzögerung geschah –, und so begab ich mich mit ihm in den Festsaal von Whitehall, wo wir zu König und Königin proklamiert wurden.

In den Straßen herrschte Jubel. Kerzen wurden in die Fenster gestellt. Freudenfeuer brannten vor den Türen der Häuser. Einige dieser Freudenfeuer erreichten stattliche Größe, und man sagte mir, daß dies ein gutes Zeichen sei, denn die Größe des Feuers entspräche der der Treue zur Krone.

An jenem Abend hatte ich das Gefühl, daß das Volk uns haben wollte. William mochte nüchtern und ernst sein und sich von König Charles so unterscheiden, wie ein Mensch sich von einem anderen nur unterscheiden konnte, doch galt er als klug. Dazu kam, daß er Protestant war – der wichtigste Grund –, und ich war seine getreue Gattin, auch wenn ich, um meinen Mann zu unterstützen, Verrat an meinem Vater geübt hatte.

Die neue Regentschaft hatte begonnen. Das Land war befriedet, und wir konnten einen neuen Anfang setzen.

William machte sich mit Feuereifer daran, das Land zu regieren und überall dem protestantischen Glauben Geltung zu verschaffen. Pomp und Zeremonien, die ihm aufgezwungen wurden, erregten nur seine Ungeduld. Allmählich ging mir auf, daß es ihm an der körperlichen Widerstandskraft mangelte, dies alles über sich ergehen zu lassen. Langes Stehen ermüdete ihn. Ich wußte, daß ihn seine Knochen schmerzten und daß sein Körper zu schwach war, um auszuhalten, was seine Umgebung mühelos aushielt. Williams Verstand war aktiv, scharf und brillant, aber sein Körper war schwächlich.

Ich fand Entschuldigungen für sein Verhalten. Seine an Grobheit grenzende Schroffheit war auf Schmerz und Unbehagen zurückzuführen. Ich wünschte, ich hätte dies allen erklären können, doch wäre dies das allerletzte gewesen, was er gewünscht hätte.

Stand er neben mir, wirkte er, wegen meiner Fülle und da ich ihn um ein geringes überragte, noch dürrer. Und mein gesundes Aussehen betonte seine Blässe und Zerbrechlichkeit.

Er war oft verdrießlich und ließ es an Leutseligkeit fehlen, was ihm beim Volk nicht eben Sympathien einbrachte. Wo immer wir uns zeigten, hörte man den Ruf ›Lang lebe Königin Mary‹, während König William kaum erwähnt wurde.

Das war ihm allzu deutlich bewußt. Er beklagte sich bitter über die Londoner Luft, die er erstickend, übelriechend und gesundheitsschädlich fand, obwohl sie sich seit der Pest und dem Großen Brand dank der breiten neuen Straßen und der neuen, von Sir Christopher Wren erbauten Gebäude sehr gebessert hatte.

Hampton Court gefiel ihm auf den ersten Blick. Der Fluß und das offene Land erinnerten ihn an Holland, und sein großes Interesse galt – wie bei meinem Onkel Charles – der Architektur.

Bentinck war sehr besorgt, welche Wirkung Williams Auftreten auf seine neuen Untertanen haben mußte. Sie waren fröhliches Treiben bei Hof gewöhnt, und ich wußte noch, wie sich König Charles bei seinen Spaziergängen im Park zwanglos präsentiert hatte, mit einer seiner Geliebten am Arm, umgeben von geistreichen Höflingen, und wie die Bemerkungen des Königs kommentiert und weitergegeben wurden, damit alle sich darüber amüsieren konnten. Dieser neue König, den sie in ihr Land gerufen hatten, damit er den protestantischen Glauben bewahrte, war klein und ohne Charme und Anmut. Es war ein hoher Preis, den man bezahlt hatte, um das Land vom Katholizismus zu befreien.

Immerhin galt er als kluger Kopf, und es war noch zu früh, um sich ein endgültiges Urteil bilden zu können. William machte Bentinck mit Nachdruck klar, daß seine Gesundheit ihm kein Leben in der Öffentlichkeit gestattete. Aus diesem Grund schien Hampton überaus geeignet, da es nicht zu weit von London entfernt war und die Minister mit Leichtigkeit dorthin gelangen konnten. Die Luft sagte William zu, so daß er diesen Ort zumindest eine Zeitlang zu seiner Residenz machen wollte. Da der alte Tudor-Palast ihm Grund zu mancherlei Kritik bot, entschloß er sich bald, den Haupttrakt abzureißen und neu aufzubauen.

Auch die Gartenanlagen bedurften der Erneuerung, und er ließ mich an der Erstellung der Pläne teilhaben.

Wenn es ihm die Staatsgeschäfte erlaubten, verbrachten wir viel Zeit mit der Betrachtung dieser Pläne, und ich war entzückt, Vorschläge machen zu können, die gelegentlich berücksichtigt wurden. Den Gärten, deren Neuanlage in holländischem Stil unverzüglich in Angriff genommen wurde, sollte mein großes Interesse gelten.

Natürlich war zunächst die bevorstehende Krönung unser größtes Anliegen, da William sagte, daß das Herrscherpaar vom Volk erst nach der Krönung anerkannt würde.

Daher war es wichtig, daß diese Zeremonie ohne Verzögerung stattfand.

Die Krönung wurde auf Anfang April festgesetzt – auf den elften –, doch sollte sie nicht so problemlos ablaufen, wie wir gehofft hatten. So weigerte sich Erzbischof Sancroft, von dem wir erwartet hatten, er würde uns krönen, diese Handlung vorzunehmen.

Er erklärte, daß er König James II. den Treueeid geschworen hätte und keinesfalls eidbrüchig werden könne. Vier jener Bischöfe, die von James in den Tower geschickt worden waren, nahmen Sancrofts Standpunkt ein, wenngleich mein Vater ihnen nicht wohlgesinnt gewesen war und ihre Einkerkerung sowie die Geburt des kleinen Prinzen den Ausschlag dafür gegeben hatten, daß der König endgültig vom Thron gestoßen wurde.

William war schweigsamer als je zuvor. Die Engländer und ihre Art lagen ihm nicht. Er hatte sich nach der Krone verzehrt, man hatte ihn aufgefordert, nach ihr zu greifen; und jetzt machte man ihm nach Kräften das Leben schwer.

Compton, der Bischof von London, fand sich noch rechtzeitig bereit, die Krönung an Stelle des Erzbischofs von Canterbury zu vollziehen, aber ich glaube, Vorfälle wie dieser bewirkten, daß wir uns von allem Anfang an sehr unbehaglich fühlten.

Wir waren angekleidet und bereit, uns auf den Weg zur Westminster Hall zu machen, als der Bote eintraf.

William erschien ganz ohne Förmlichkeit in meinem Gemach, bleicher als sonst und sehr aufgebracht, ein Blatt Papier in seiner Hand schwenkend.

»Was ist geschehen?« rief ich voller Unruhe aus.

William sah mich einen Moment ausdruckslos an. Dann sagte er: »James ist in Irland gelandet.«

»Ist er in Sicherheit?« waren meine ersten Worte.

William schien ungeduldig. »Er hat die Insel in Besitz genommen und wurde von den Iren willkommen geheißen«, fuhr er fort. »Nur Londonderry und eine oder zwei kleinere Städte setzen ihm Widerstand entgegen.«

Ich starrte ihn fassungslos an. »Was bedeutet das?« fragte ich.

»Daß er eine Streitmacht gegen uns aufbieten wird. Das Ende ist noch nicht abzusehen.«

Mir wurde übel. Eine solche Nachricht zu diesem Zeitpunkt! Mir erschien es bezeichnend, daß es just jetzt geschah, während ich in meinem Krönungsornat dastand, im Begriff, die Krone zu empfangen, die sein war.

»Was müssen wir jetzt tun?« murmelte ich.

William sagte knapp: »Wir müssen uns schleunigst die Kronen aufsetzen, erst dann können wir überlegen.«

Er ließ mich allein, und kaum war er gegangen, als ein Bote mit einem Brief für mich eintraf. Ich war einer Ohnmacht nahe, denn ich erkannte die Handschrift meines Vaters.

Ich nahm den Brief in Empfang, setzte mich und fing zu lesen an. Die Worte verschwammen vor meinen Augen. Am liebsten hätte ich mir die Gewänder vom Leibe gerissen, mich aufs Bett geworfen und meinen Tränen hingegeben.

Er schrieb, daß er bislang väterliche Entschuldigungen für alles, was ich getan, gefunden und meinen Anteil an der Revolution dem meinem Mann zukommenden Gehorsam zugeschrieben hätte, doch die Krönung fände mit meiner Zustimmung statt, und wenn ich mich zu seinen und zu Lebzeiten des Prince of Wales krönen ließe, würde mich der Zorn eines empörten Vaters und der Zorn Gottes treffen, welcher Gehorsam den Eltern gegenüber zum Gebot gemacht hätte.

Ich las die Worte noch einmal und legte dann, um sie zu verdrängen, die Hände über meine Augen.

Unfähig, mich zu rühren, sah ich das Gesicht meines Vaters vor mir, wie er diese Sätze zu Papier brachte.

Er hatte recht. Es war Verrat. Krönte man mich zur Königin, würde ich die ganze Zeit über an meinen Vater denken müssen, der mich innig geliebt hatte und den ich durch diese Zeremonie hinterging.

Da saß ich nun mit dem Brief in der Hand. William mußte gehört haben, daß etwas passiert war, denn er kam abermals zu mir. Als er mich dasitzen sah, nahm er mir das Schreiben aus der Hand. Er erblaßte, als er es las.

»Uns ausgerechnet jetzt so etwas zu schicken!« murmelte er. »Komm, die Zeit vergeht«, sagte er knapp.

»Du hast gelesen, was er sagt?«

William zog matt seine Schultern hoch. »Eines steht fest – er möchte nicht, daß die Krönung stattfindet.«

»Ist es richtig… was er da sagt?«

»Man will ihn hier nicht«, sagte William mit Nachdruck. »Er ist beim Volk nicht gelitten. Die Engländer haben sich für uns entschieden.«

»Ich kann nicht…«

»Du wirst«, sagte er mit einem kühlen Blick.

»Ich werde es mir nie verzeihen… und nie vergessen.«

Ich schlug die Hände vors Gesicht. Sicher glaubte er, ich würde in Tränen ausbrechen, denn er ermahnte mich scharf: »Beherrsche dich. Man erwartet uns. Jetzt kannst du nicht mehr ablehnen. Du hast mir dein Wort gegeben, die Leute warten.«

»Mein Vater…«

»Dein Vater ist ein alter, besiegter Mann. Er ist nach Irland gegangen und zu diesem Zeitpunkt kommt das alles… nun, sehr ungelegen. Aber am heutigen Tag wirst du gekrönt.«

»Du, William, aber…«

Mir entging sein verächtliches Lächeln nicht.

»Was für eine Torheit«, sagte er, und in seinen Augen funkelte Zorn. Ich verstand – meine Anwesenheit war eine bloße Notwendigkeit. Ohne mich würde ihn das Volk nicht akzeptieren.

Ich war bitterlich getroffen, zutiefst verletzt, wütend über mich… und meinen Vater und William.

In diesem Moment hatte ich jegliche Angst vor meinem Mann verloren.

»Du hättest ihn nicht so gehen lassen dürfen«, rief ich aus. »Die Schuld liegt bei dir. Wenn er wieder an die Macht kommt, wird man dir die Schuld geben.«

Ich war selbst verblüfft, daß ich so zu William hatte sprechen können, aber erstaunlicherweise war er nicht wütend, sondern sah eher erfreut aus.

Und er nickte, als müsse er mir recht geben.

»Ja«, sagte er, »man hätte ihm nicht gestatten dürfen davonzukommen.« Er legte den Arm um mich. »Keine Angst. Es wird sich zeigen, wie wir vorgehen sollen. Jetzt ist es vor allem wichtig, daß wir umgehend als König und Königin eingesetzt werden. Komm, wir haben uns schon verspätet.«

In hermelinbesetzte Gewänder gehüllt, wurde ich in einer Sänfte über den Palace Yard zur Westminster Hall getragen. Dort wurde an die Versammelten die Frage gerichtet, ob sie William und Mary als ihren König und ihre Königin anerkennen wollten. Ich glaubte eine kleine Pause wahrzunehmen, doch das mag meiner Ungewißheit zuzuschreiben gewesen sein.

Die Zustimmung kam, wie erwartet, und es erhob niemand Einspruch gegen unsere Krönung.

Die Zeremonie nahm ihren Fortgang, und ich bemerkte,

daß weniger Menschen anwesend waren, als erwartet. Daran mochten die Nachrichten aus Irland schuld gewesen sein, denn es gab sicher etliche, die sich für den Fall, daß unsere Regentschaft nur von kurzer Dauer sein sollte, nicht bei unserer Krönung sehen lassen wollten, weil sich dies nachteilig für sie auswirken konnte.

Die Nachricht von der Ankunft meines Vaters in Irland hatte sich sicher schon verbreitet, und alle würden nun sagen, daß es etwas zu bedeuten hätte, daß sie am Krönungstag eingetroffen ist. Ich spürte das Unbehagen, das in der Luft lag.

Wir waren während der gesamten Zeremonie sehr unruhig, und als der Augenblick kam, am Altar unser Opfer an Goldstücken darzubringen, hatten weder William noch ich Geld dabei. Eine lange Pause trat ein, als man uns das Goldbecken reichte, in das die Münzen gelegt werden sollten. Ich spürte die Enttäuschung der Umstehenden. Wir hatten gewußt, was von uns erwartet wurde, doch hatte uns die Nachricht in so große Nervosität versetzt, daß wir diese Einzelheit vergessen hatten.

Der in unserer Nähe stehende Lord Danby förderte hastig zwanzig Guineen zutage, und die kleine Panne war behoben, aber bei Gelegenheiten wie diesen halten die Menschen nach einem Omen Ausschau.

Gilbert Burnet, als Belohnung für seine Dienste zum Bischof von Salisbury ernannt, fuhr in der Predigt fort. Seine Stimme hallte laut im Saal. William war befriedigt. Er konnte sich darauf verlassen, daß Gilbert Burnet die Fehler meines Vater geißelte, während er die Tugenden der neuen Herrscher pries, die mit Gottes Zustimmung nun die Stelle des vorangegangenen Königs einnahmen.
Seinen Predigttext hatte er einer Stelle bei Samuel entnommen: »Er, der über die Menschen gebietet, muß gerecht und gottesfürchtig herrschen.«

Es war ein Tag der Mißgeschicke, die meiner Meinung nach samt und sonders auf die Nachricht zurückzuführen waren, die uns an diesem Morgen erreicht und zutiefst getroffen hatte: Die Verzögerung beim Beginn der Zeremonie, das Fernbleiben der Kleinmütigen, die einen raschen Wechsel der Monarchen fürchteten und ihre Ergebenheit nicht den falschen Regenten bekunden wollten, und schließlich unser verspätetes Eintreffen an der Festtafel.

Es folgte die traditionelle Herausforderung, als Sir Charles Dymoke in den Saal geritten kam und seinen Handschuh hinwarf, um jeden zum Kampf zu fordern, der das Recht Williams und Marys auf die Krone bestritt. Es war Bestandteil des Krönungsrituals, und meines Wissens war diese Herausforderung noch niemals angenommen worden.

Inzwischen war die Dämmerung hereingebrochen, und von meinem Platz aus konnte ich das Ritual nicht sehen. Zur Verwunderung aller aber kam, kaum daß der Handschuh geworfen worden war, eine Alte dahergehumpelt, hob ihn auf und war auch schon verschwunden. Ihre Gebrechlichkeit mußte gespielt gewesen sein, denn nachdem sie den Handschuh an sich genommen hatte, waren ihre Bewegungen sehr rasch, und sie war verschwunden, ehe jemand sie aufhalten konnte. Anstelle von Charles Dymokes Handschuh lag nun ein Damenhandschuh da.

Die Herausforderung war angenommen worden.

Es konnte nur ein Anhänger meines Vaters gewesen sein.

Es war eine höchst ungewöhnliche und aufregende Sache, die jedoch keine Folgen zeitigte. Dymoke sah es nicht als echte Herausforderung an und ging nicht darauf ein. Freilich gab es einige, die behaupteten, am nächsten Morgen hätte man im Hyde Park auf dem Duellplatz einen Mann gesehen, bewaffnet mit einem Schwert, in Erwartung Sir Charles Dymokes.

Ob es wahr war oder nicht, kann ich nicht beurteilen, denn es waren Gerüchte ohne Zahl in Umlauf. Ich glaube, es war der unglücklichste Tag meines Lebens, und als er zu Ende ging, war ich völlig erschöpft.

## Ein Geschenk für Elizabeth

Die der Krönung folgenden Zeremonien waren für William eine harte Prüfung. Die alten Bräuche, die beachtet werden mußten, erregten seine Ungeduld, da er es kaum erwarten konnte, die Regierungsgeschäfte in die Hand zu nehmen. Trivialitäten langweilten ihn, und er war nicht der Mensch, der aus seiner Langeweile ein Hehl machte.

Für mich war es einfacher. Ich war von Natur aus anders und liebte es, fröhliche Menschen um mich zu haben. Langanhaltende Stille war für mich unerträglich. Ich hörte gern verschiedene Meinungen, und – ja, ich muß es eingestehen – ich hörte gern Klatsch.

Am Tag nach der Krönung mußten wir sämtliche Mitglieder des Unterhauses empfangen, die gemeinsam zu uns kamen, um uns ihre Glückwünsche auszusprechen. Ich wußte, daß William es für Zeitvergeudung halten würde. Die Krone saß sicher auf seinem Haupt, das vor allem war ihm wichtig. Auf alles andere konnte er verzichten.

Bei diesen Anlässen wurde mir mehr Aufmerksamkeit erwiesen, sei es, weil man in mir die rechtmäßige Thronerbin sah oder weil man mit mir leichter ins Gespräch kommen konnte. William merkte es, und es weckte seinen Zorn auf die Menschen und auch auf mich. Ich fragte mich, wieso er bei seiner Klugheit nicht imstande war, seinen Mißmut zu verbergen und sich einer herzlicheren Art zu befleißigen, die auf die Menschen ansprechender gewirkt hätte.

Er war sehr froh, als er sich endlich nach Hampton Court zurückziehen konnte. Der Umbau ging dort plangemäß vonstatten, und neuer Glanz trat an Stelle des alten Palastes. Ich war froh, daß ein Teil des alten Tudor-

Traktes belassen wurde, damit man den Kontrast sehen konnte.

Ich glaube, Hampton Court würde immer einer von Williams Lieblingsorten sein. Der meine ebenso.

Ich war sehr oft in Annes Gesellschaft, obwohl die Freude, die mich bei meiner Ankunft erfüllt hatte, ein wenig verblaßt war und sich bei mir in ihrer Gegenwart immer öfter ein gewisser Unmut meldete. Annes Trägheit hatte nämlich unglaubliche Dimensionen angenommen, was freilich nicht ganz unerklärlich war, da sie sich im letzten Stadium einer Schwangerschaft befand und mit der Entbindung täglich zu rechnen war.

Sie saß reglos da, trug ihr ein wenig leeres Lächeln zur Schau und sprach sehr wenig. Das Reden übernahm ich und erzählte ihr von den Menschen, denen ich begegnete, ob ich sie mochte oder nicht, über mein Leben in Holland und die Unterschiede zwischen Holländern und Engländern. Sie saß da und nickte liebenswürdig, wobei ich mich fragte, ob sie wirklich hörte, was ich sagte.

Sie wird sich ändern, wenn erst das Kind geboren ist, dachte ich bei mir.

Zuweilen machte ich mir Sorgen, weil ihr Umfang so enorm war, aber die Neigung zur Fettleibigkeit war bei ihr immer schon ausgeprägt gewesen. Ich wußte noch, wie sie mit unserer Mutter beisammengesessen und ständig Süßigkeiten genascht hatte, die immer in Griffweite waren. Daran hatte sich nichts geändert.

Tadelte ich sie, dann reagierte sie mit einem Achselzucken.

»Das macht das Baby«, sagte sie. »Dieses wird sicher ein Riese.«

Anne war sehr liebevoll zu ihrem Mann und er zu ihr. Welch ein Gegensatz zu William und mir! Natürlich war Georg willensschwach, aber wie liebenswürdig und nett betrug er sich zu jedermann. Es mangelte ihm an Williams Verstand, so daß er nie ein großer Herrscher hätte sein können, doch was für ein charmanter Mann war er! Und wie zufrieden Anne in ihrer Ehe und mit ihren Babys war, die in regelmäßigen Abständen kamen, wenngleich kein einziges am Leben blieb.

Und doch glaubte ich mitunter, daß ihr Sarah Churchill wichtiger war als Georg. Sie hatte sie immer gern in der Nähe, vielleicht aus dem Gefühl heraus, daß sie sich nicht mit dem Sprechen mühen mußte, wenn Sarah um sie war, da diese ununterbrochen redete. Sarah hatte sich inzwischen ziemliche Allüren zugelegt.

Es war Brauch, bei einer Krönung Ehrentitel zu vergeben. So war zum Beispiel Gilbert Burnet Bischof von Salisbury geworden, und William Bentinck war nun Duke of Portland, während man aus John Churchill einen Earl of Marlborough gemacht hatte. Sarah war hochbeglückt, daß sie sich nun Lady Marlborough nennen konnte, und Anne freute sich über Sarahs Triumph.

Es war in der Tat eine sehr enge Beziehung – beherrschend von Sarahs Seite, unterwürfig von Anne aus. Ich glaube, Sarah beherrschte Marlborough ebenso wie Anne.

Als Anne die Namen Mrs. Morley und Mrs. Freeman für sich und Sarah aussuchte, hatte sie Sarah aufgefordert zu wählen, welchen sie wollte, und Sarah hatte sich mit einem Anflug von Ironie, wie ich glaube, für Mrs. Freeman entschieden. Nichts hätte passender sein können.

Zwischen mir und Sarah herrschte eine gewisse Animosität. In unser beider Wesen lag etwas, das zu Reibungen führen mußte. Sarah mußte der Königin natürlich mit einem gewissen Respekt begegnen und konnte mich nicht offen brüskieren, aber ich argwöhnte, daß sie unter vier Augen versuchte, Anne gegen mich einzunehmen.

Ich führte ihre Abneigung auf jenen Zwischenfall mit den zwei Pagen zurück, der sich zugetragen hatte, als ich in Holland war. Es war zu der Zeit, als Anne im Cockpit residiert hatte, jenem Trakt, der mehr oder weniger zum

Palast von Whitehall gehörte und einst Lady Castlemaines Gemächer beherbergt hatte.

Die Haushaltung war neu geordnet worden, und Anne hatte zwei zusätzliche Pagen gebraucht.

Menschen in besonderen Positionen wie Sarah besaßen das Privileg, Stellungen in jenen Häusern zu verkaufen, in denen eine Anstellung Vorteile bringen konnte, und Sarah hatte es geschafft, diese Stellen für die Summe von 1200 Pfund zu verkaufen, für sie also sehr profitabel. Da es sich aber um Posten im Haus von Prinzessin Anne handelte, die eines Tages den Thron erben konnte, erschien der Preis den betreffenden Familien als angemessen.

Sie hatte sich kaum zu dem günstigen Geschäft beglückwünscht, als sich herausstellte, daß die zwei Pagen Katholiken waren. Dies konnten wir nicht dulden, da die Stimmung in der Öffentlichkeit für König James nicht die beste war. Und Anne war natürlich angeblich eine aufrechte Protestantin.

Ich schrieb Anne und teilte ihr mit, daß die zwei Pagen unverzüglich entlassen werden mußten. Dies schuf eine schwierige Situation, denn Anne wußte sicher von Sarahs profitbringendem Geschäft, und die Churchills, die ständig in finanziellen Nöten waren, trachteten, zu Geld zu kommen, wann immer sich eine Gelegenheit bot. Doch angesichts des aufziehenden Ungewitters war die Entlassung der Pagen die einzige Möglichkeit.

Sarah widerstrebte es gewaltig, sich von dem Geld zu trennen, das sie von Rechts wegen den Familien hätte zurückgeben müssen, die für die Posten bezahlt und diese nun nicht bekommen hatten. Nach einigem Feilschen kam man überein, daß Sarah 400 Pfund behalten und den Rest zurückgeben sollte.

So geschah es auch, und Sarah grollte. Sie gab William und mir die Schuld – erstens, weil wir die Religion der Pagen aufgedeckt hatten, und zweitens, weil wir auf deren Entlassung bestanden hatten.

Ich wußte, daß Geld für Sarah sehr wichtig war und daß sie mir den Verlust von 800 Pfund nie verzeihen würde.

Ihrer Feindseligkeit war ich mir stets bewußt und traute ihr deshalb nicht über den Weg.

Die Geburt von Annes Kind stand kurz bevor. Es war heiß geworden, und Anne war träger als je zuvor. Bei mir regte sich Besorgnis um sie. Das Kinderkriegen hatte sie wie alles andere im Leben genommen, das heißt mit großer Gelassenheit. Und jetzt lag sie in der Sommerhitze einfach herum und wartete in aller Ruhe. Ich war viel aufgeregter als sie selbst.

Sie hatte Quartier in Hampton Court bezogen, da sie den Palast so liebte wie ich, und ich freute mich, daß sie die Neuerungen zu schätzen wußte, die William angeregt hatte.

William hielt sich oft im Palast auf. Die Vorgänge in Irland beobachtete er sehr aufmerksam und war über die Unterstützung, die meinem Vater dort gewährt wurde, nicht erbaut. Er sprach mit mir darüber und sagte, wir müßten gefaßt sein, James gegenüberzutreten, wenn sich die Notwendigkeit ergäbe.

Oft unternahmen wir gemeinsam Spaziergänge im Garten, auf den ich sehr stolz war, weil ich bei seiner Anlage mitgeholfen hatte. William pflegte meinen Arm zu nehmen, nicht ich den seinen, und ich wußte, daß er es tat, weil er zuweilen eine Stütze brauchte. Er ermüdete leicht, wollte aber nicht zugeben, daß dies der Grund war.

Ich bemerkte die belustigten Mienen der Engländer, die an William so wenig Gefallen fanden wie er an ihnen. Ich war größer als William und neigte zur Korpulenz. Verglichen mit Anne mochte ich sylphidenhaft wirken, doch war es anders, wenn ich an Williams Seite ging.

Sarah sagte mit hämischem Lächeln: »Ich sah Euch und den König zusammen gehen… und er nahm Euren Arm. Was für ein schönes Beispiel für Eheleute!«

Sie wußte, warum er meinen Arm nahm, und sie wollte mich an seine Beziehung zu Elizabeth Villiers erinnern. Sarah durfte ich wahrlich nicht zu meinen Freundinnen zählen.

Annes Baby wurde an einem heißen Tag im Juli geboren. Ich bestand darauf, bei ihr zu sein, und verspürte große Erleichterung, als ich den Schrei des Kindes hörte. Es war ein Knabe. Die Freude würde groß sein!

Anne selbst befand sich in einem ekstatischen Zustand, und ich war überglücklich, sie endlich aus ihrer Gleichgültigkeit gerissen zu sehen. Ich hatte Anne als Mutter noch nicht kennengelernt, und der Zustand bekam ihr sichtlich.

Sie war fast schön zu nennen, als sie, ihr Kind mit ihren kurzsichtigen Augen betrachtend, wissen wollte: »Ist er gesund... jedes einzelne seiner Glieder?«

Man versicherte ihr, daß der Kleine völlig gesund sei, und die Lautstärke seiner Stimme war Musik in unseren Ohren. Ein Junge! Ein Thronerbe!

Menschen drängten herein. William kam, sodann Georg, der Vater, voll hochgestimmter Gefühle, stolz, entzückt, als er mit Anbetung im Blick auf Frau und Kind hinuntersah.

Es war eine bewegende, eine rührende Szene.

»Wir wollen ihn nach dem König William nennen«, sagte Anne.

William schien befriedigt. Ich wußte, daß er bei sich dachte, das Kind sei im richtigen Moment gekommen. Die Freude im Volk würde groß sein. Das Kind würde zum Protestanten erzogen werden und den Thron erben. Nun gab es endlich einen protestantischen männlichen Thronerben, und die Bedrohung durch König James, der sich nun bemühte, in Irland eine Armee aufzustellen, war ein wenig in den Hintergrund gerückt.

Der neugeborene Knabe war eine sehr wichtige Person.

Ich machte es mir zur Aufgabe, mich an der Pflege meines kleinen Neffen zu beteiligen. Anne, nach der Entbindung noch recht geschwächt, war es zufrieden, wieder in ihren Zustand der Lethargie zu verfallen. Für mich aber war es eine große Freude, den Kleinen in den Armen zu halten, der ein aufgewecktes Kerlchen zu sein schien. William hatte ihn bereits zum Duke of Gloucester gemacht, und ich bin sicher, daß noch nie einem Kind ein wärmerer Empfang auf der Welt bereitet wurde.

Es sollte jedoch nicht lange dauern, und wir mußten um seine Gesundheit bangen. Er nahm nicht zu und war unruhig. Sollte sich alles wiederholen? Der übliche Ablauf – Geburt, Hoffnung auf ein lebensfähiges Kind, bis sich allmählich die Schwächen zeigten?

Es war schier unerträglich, mitansehen zu müssen, wie der kleine William mit jedem Tag schwächer wurde. Allmorgendlich nach dem Aufstehen fragte ich meine Kammerfrauen: »Wie befindet sich der Duke of Gloucester?« Und sie hatten die Antwort parat, da sie auf die Frage gefaßt waren.

»Er befindet sich nicht wohl, Euer Majestät, aber er lebt.«

Als das Baby einen Monat alt war und man damit rechnete, daß es den September nicht überleben würde, wurde mir eines Tages gemeldet, eine Frau warte draußen und wünsche mich dringend zu sprechen.

»Eine Frau?« fragte ich. »Was für eine Frau?«

»Sie hat einen Säugling in den Armen, Euer Majestät. Eine ziemlich große und kräftige Frau.«

»Ich möchte sie sehen.«

Die schlicht gekleidete Frau, deren Gewand ich als Tracht der Quäker erkannte, wurde zu mir gebracht. Ihre frische Haut und die klaren Augen waren Anzeichen dafür, daß sie sich offensichtlich bester Gesundheit erfreute. Auf dem Arm hatte sie ein rundliches Baby, das etwa gleichalt mit William sein mochte. Doch was für ein Unterschied zwischen diesem Kind und dem kleinen Herzog! Es hatte runde Backen, und was mir vor allem auffiel, war sein Ausdruck wohlgenährter Zufriedenheit.

Sie verbeugte sich nicht vor mir, auch begegnete sie mir nicht mit dem mir gebührenden Respekt, ja sie schien auch gar nicht erstaunt, daß ich mich herabgelassen hatte, sie zu empfangen.

Tatsächlich behandelte sie mich wie ihresgleichen.

»Wer seid Ihr?« fragte ich.

»Ich bin Mrs. Pack«, sagte sie darauf. »Ich bin im Dienste der Barmherzigkeit gekommen, weil ich glaube, daß der kleine Herzog im Sterben liegt.«

Sie sprach ohne Umschweife, und ihre Art, die geradeheraus und aufrichtig war, gewann ihr auf der Stelle meinen Respekt. Diese Frau war so völlig anders als die Schmeichler, von denen ich umgeben war, und sie kam auch sofort zur Sache. »Ich glaube, ich kann das Leben des Knaben retten.«

»Wie denn? Er ist umgeben von Menschen, die eben dies versuchen.«

»Sie wissen vielleicht nicht, was mit ihm nicht stimmt.«

»Und Ihr, die Ihr ihn noch nie gesehen habt, wißt es?«

»Ich möchte ihm meine Brust geben und ihn die Milch trinken lassen, die mir der liebe Gott in solcher Fülle geschenkt hat, damit ich den Herzog rette. In der Nacht gab mir eine Stimme ein, was ich tun müßte.«

Ich war nicht sicher, ob sie ganz bei Verstand war, doch konnte ich mich dem Eindruck, den ihre schlichte Frömmigkeit auf mich machte, nicht entziehen. Zudem war meine Angst um das Kind so groß, daß ich auch nicht die leiseste Hoffnung auf seine Rettung außer acht lassen konnte.

»Kommt mit«, sagte ich zu Mrs. Pack.

Ich führte sie in den Raum, in dem das Kleine wimmernd in seiner Wiege lag, und sagte zur Verwunderung der Kinderfrauen: »Mrs. Pack, nehmt das Kind und zeigt mir, was ihr vermögt.«

Mit schlichter Würde legte Mrs. Pack nun ihr eigenes Kind in die Wiege neben den kleinen William. Diesen nahm sie sodann in die Arme, setzte sich, knöpfte ihr Mieder auf und gab ihm die Brust.

Im Raum herrschte Stille. Ich sah das Kind, dessen Lippen an ihrer Brust lagen, und ich hörte es. Der Kleine saugte begierig.

Mrs. Pack saß mit wohlwollendem Lächeln da, einen Eindruck von Heiligkeit verbreitend, in ihrem schlichten grauen Gewand, in einer Haltung, als sei es nicht weiter ungewöhnlich, daß sie sich in den königlichen Gemächern befand und den Duke of Gloucester stillte.

Was mich aber vor allem entzückte, war der Anblick des Kindes, das befriedigt schien und in tiefen Schlaf verfiel, nachdem es sich stattgetrunken hatte.

Ich ging zu Anne und berichtete ihr, was sich zugetragen hatte. Sie verlangte Mrs. Pack auf der Stelle zu sehen, und ich nahm sie mit in die Kinderstube des kleinen William. Er wirkte schwächlich, doch war es wunderbar, ihn ruhig schlafen zu sehen.

Anne befragte nun Mrs. Pack, die mit jener Würde antwortete, die schon mich in Erstaunen versetzt hatte. Sie gab sich völlig unbefangen und zeigte damit, daß sie nicht die geringste Scheu empfand.

Mrs. Pack sagte, daß das Baby nicht die Milch bekäme, die es benötigte, und dies sei die Ursache seiner Schwäche. Ihre Milch sei gut und gesund, und sie hätte genug für zwei. Sie war auf Gottes Geheiß gekommen und glaubte fest daran, den kleinen Herzog zu einem gesunden Kind machen zu können.

Anne fragte sofort, ob Mrs. Pack bleiben und den Herzog mit ihrem eigenen Kind stillen könne. Diesen Vorschlag nahm Mrs. Pack an.

Es war erstaunlich, aber von Stund an wurde William

kräftiger. Nun war es eine Tatsache, daß die unteren Stände sich mit der Aufzucht ihrer Kinder leichter taten als die königliche Familie. Es mußte an der Milch liegen. Mrs. Packs Kind war so gesund, wie ein Kind nur sein konnte, und Gott oder die Natur hatte sie mit so viel Milch ausgestattet, daß sie zwei Kinder stillen konnte. Fast war es ein Wunder.

So kam es, daß Mrs. Pack ein Mitglied des Haushalts wurde – und nicht immer ein einfaches. Wie ich hörte, war sie kein Mensch, der Respekt vor anderen zeigte, und ich bin sicher, daß sie manchen Zank mit Sarah Churchill hatte, doch nicht einmal die hochfahrende Art dieser Dame vermochte die Quäkerin zu erschüttern, die alle Menschen als gleich ansah, und nach Belieben schalten und walten durfte, da sie dem kleinen William das Leben gerettet hatte und ihn weiterhin gesund erhielt.

Ich war ihr ebenso dankbar wie Anne, und wir beide ließen nicht zu, daß jemand ihr Aufregung bereitete. Ich liebte meinen kleinen Neffen, der zu einem klugen Kind heranzuwachsen versprach, und bedauerte zutiefst, daß er nicht mein Sohn war. Anne betete ihn an, und sie und Georg waren sich einig in ihrem Stolz. Ich schickte ihm oft Spielsachen, froh, daß er in Hampton Court war, weil ich damit häufig Gelegenheit hatte, ihn zu sehen. Mrs. Pack führte weiterhin das Regiment in der Kinderstube, und unter ihrer Obhut wurde der kleine William mit jedem Tag kräftiger.

Zu meinem Leidwesen verschlechterte sich die Beziehung zu meiner Schwester. Anne gab mir immer öfter Anlaß zu Ärger. Ich liebte lebhafte Gespräche und wollte mit Menschen zusammen sein, die sich gern unterhielten. In Holland hatte ich in so großer Abgeschiedenheit gelebt, daß ich regelrecht ausgehungert war, aber hier würde ich es nicht soweit kommen lassen. Ich war Königin und würde mich nicht einsperren lassen wie als Prinzessin von Oranien. Hin und wieder rief ich mir in

Erinnerung, daß ich es war, die William gestattet hatte, König zu werden und nicht nur mein Prinzgemahl zu bleiben, was viele als angemessener erachtet hätten. Ich wollte, daß Anne meinen Rang beachtete – nicht zu förmlich natürlich, aber bei Gelegenheit hätte sie in meiner Gegenwart zumindest ein Bemühen an den Tag legen müssen.

Doch es war nicht ihre Trägheit allein. Ich hatte den Eindruck, daß sie mich zuweilen mit Absicht ärgerte, und ich vermutete, daß Sarah Churchill sie darin ermutigte. Sarah war meine Feindin, aber ich war nicht gewillt zuzulassen, daß sie die Zuneigung meiner Schwester zu mir vergiftete. Ich versuchte daher herauszubekommen, wie Sarah insgeheim über Menschen, mich eingeschlossen, sprach. Aber die in den meisten Dingen sorglose Anne konnte Schlauheit und Verschwiegenheit entwickeln, wenn etwas über Sarah gesagt wurde.

Ich war sicher, daß Annes Wunsch, Richmond Palace zu beziehen, auf Einflüsterungen Sarahs zurückging.

Richmond Palace nahm in unserer Erinnerung einen besonderen Platz als Heim unserer Kindheit ein – zu einer Zeit, als wir nichts vom Leben und nichts von Unglück ahnten und glaubten, wir würden für ewige Zeiten glücklich dahinleben.

Anne war auf der Suche nach einer Residenz, da sie nicht für immer in Hampton bleiben konnte. Als Prinzessin in direkter Thronfolge und Mutter eines Erben brauchte sie ein eigenes Heim, und Sarah hatte ihr eingeredet, sie sollte ihr Herz an Richmond hängen.

Es wäre wunderbar, dorthin zurückzukehren, beharrte sie.

»So bekömmlich für den kleinen William«, und sie war sicher, ihre teure Schwester würde ihr keine Hindernisse in den Weg legen, sich im Richmond-Palast häuslich einzurichten.

Kaum hatte ich mich mit der Sache näher befaßt, als ich

auch schon wußte, weshalb Sarah Richmond vorgeschlagen hatte.

Sarah hatte William nie ausstehen können. Sie war es gewesen, die vor Jahren den Namen Caliban für ihn gefunden hatte, und ihre Gefühle waren seither nicht milder geworden. William hatte mit seiner für ihn typischen Offenheit Marlborough charakterisiert: »Ein guter Soldat – einer der besten –, und deshalb hat er seinen Rang in der Armee inne. Aber als Mensch niederträchtig, nicht vertrauenswürdig und nicht ganz aufrichtig. Aber seiner militärischen Fähigkeit wegen wird er seine Stellung halten.« Und war dafür zum Earl gemacht worden.

Ich konnte mir Sarahs Bemerkungen Anne gegenüber vorstellen. Williams Meinung über John Churchill mochte nicht die beste sein, aber welche Meinung hatte Sarah über William? Mürrisch, linkisch, ohne Manieren, ein Tölpel... Caliban. Gewiß, Churchill war von James abgefallen, um William seine Unterstützung zu leihen, doch war der Grund hierfür darin zu suchen, daß er James Sache als hoffnungslos ansah. John Churchill war kein Dummkopf – und Sarah ebensowenig. Sie wußten, auf welche Seite sie sich zu schlagen hatten – auf die des Gewinners. Doch das hinderte sie nicht daran, an jenen Kritik zu üben, die die Churchills nicht so schätzten, wie es ihnen zukam.

Ich erkannte bald, daß Sarah Anne Richmond als ideale Residenz eingeredet hatte, weil sie wußte, daß eine peinliche Situation geschaffen würde, wenn Anne auf Richmond bestünde.

Madame Puisars, die Schwester von Elizabeth Villiers, besaß einen Pachtvertrag für Richmond, den sie von ihrer Mutter, Lady Frances Villiers, unserer ehemaligen Gouvernante, übernommen hatte. Gestattete man Anne, Richmond zu übernehmen, mußte man Madame Puisars vor die Tür setzen.

Ich erkannte, daß Sarah auf die der Familie Villiers erwiesene Gunst hinweisen wollte, um William zu beschämen und seine Affäre mit Elizabeth, die ohnehin kein Geheimnis war, in den Vordergrund zu rücken.

Ich war überzeugt, daß William von anderen Dingen in Anspruch genommen wurde. Die Nachrichten aus Irland wurden immer beunruhigender. Mein Vater sammelte seine Anhänger um sich, und es kam zu Gefechten zwischen ihnen und den Truppen, die William dort stationiert hatte. Und jetzt mußte Anne mit dieser trivialen Sache daherkommen und den Richmond-Palast fordern, obwohl es doch viele andere Residenzen gab, die sie hätte beziehen können.

»Nein«, sagte William, verärgert, daß er dieser Sache auch nur einen Moment der Überlegung schenken mußte. »Prinzessin Anne kann Richmond nicht bekommen. Madame Puisars besitzt bereits einen Pachtvertrag, und daran läßt sich nichts ändern.«

Das verdroß Anne. Niemand mache sich etwas aus ihr, sagte sie. Sie würde beiseite gestoßen... sei unwichtig. Andere hingegen... die Familie Villiers... die kämen vor ihr.

»Mich wundert nur, daß *du* dies zuläßt«, sagte sie zu mir.

Um ihre Lippen lag die Andeutung eines Lächelns. Was sagte Sarah Churchill während ihrer gemütlichen Plaudereien zu ihr? Sicher kam immer wieder die Rede auf die schwache Königin, die sich der Tyrannei ihres Gemahls unterwarf und sogar seine Untreue klaglos ertrug. Sie wußten sehr gut, wie viele andere Königinnen dies getan hatten. Anne hatte das Beispiel unseres eigenen Vaters und Onkels vor Augen. Ich konnte mir denken, daß Sarah sagte, dies sei etwas anderes. Deren Ehemänner hätten sie wenigstens mit Anstand behandelt. Sie hatten sich nicht wie holländische Bauern benommen. Und diese Königinnen waren keine Herrscherinnen aus eigenem Recht, nicht mit einem König verheiratet, der diesen Rang nur einnahm, weil seine Gemahlin ihm dies bereitwillig gewährte.

So wurde die Kluft zwischen mir und meiner Schwester größer, und bald ergab sich ein neuer Grund dafür. Diesmal ging es um Geld.

Bei unserer Ankunft in England hatte Anne ein jährliches Einkommen von 30 000 Pfund durch ihren Ehevertrag bezogen; nach der Geburt des Duke of Gloucester hatte Anne um eine Erhöhung der Summe auf 70 000 Pfund gebeten, doch daraus war nichts geworden.

Jetzt wurde diese Frage zu unserer Verwunderung vom Parlament behandelt. Das konnte nur geschehen, wenn Anne und ihre Freunde – die Marlboroughs, wie ich argwöhnte – dies angezettelt hatten.

Als ich Anne besuchte, konnte ich nicht umhin, ihr meine Mißbilligung zu zeigen.

»Wie hast du das nur tun können?« fragte ich sie. »Die Sache hinter unserem Rücken vors Parlament zu bringen. Weißt du nicht, welche Anforderungen an die Staatskasse gestellt werden? Weißt du nicht, daß in Irland ein Krieg droht? Und du benimmst dich so hinterhältig... bringst die Sache vors Parlament!«

Anne blinzelte mich an, hilflos, von dem Gefühl erfüllt, schlecht behandelt zu werden.

»Ich bin verschuldet«, sagte sie. »Ich muß leben können. Wenn ich nicht mehr Geld bekomme, muß ich mich ins Privatleben zurückziehen. So kann es nicht weitergehen.«

»Anne, sei nicht töricht!« rief ich aus. »Man hat dir das alles eingeredet, und ich weiß, wer es war. Es war Sarah Churchill, so ist es doch? Daß diese Frau auch immer Unruhe stiften muß!«

»Mein eigenes Bedürfnis ist es, das mich dazu zwingt. Man behandelt mich lieblos, so als wäre ich ohne jede Bedeutung.«

»Dann sag mir, wann der König oder ich zu dir lieblos waren.«

Da sagte sie, daß sie ein Beispiel wüßte. Es war kurz

vor der Geburt des kleinen William, und sie hatte eine große Vorliebe für grüne Erbsen entwickelt. Es war noch früh im Jahr, und auf dem Tisch stand nur ein kleiner Teller mit Erbsen. Ach, wie sie nach diesen grünen Erbsen gelechzt hatte! Natürlich nur wegen ihrer Schwangerschaft. Frauen entwickelten in diesem Zustand solche Vorlieben. Und was hatte William getan? Er hatte den Teller zu sich gezogen und vor ihren Augen die Erbsen verzehrt!

Ich hätte sie schütteln mögen. Manchmal konnte sie richtig dumm sein. Gleichviel, in ihrem Blick lag eine gewisse Habgier, und wenn ihr einfiel, daß sie Prinzessin war und einen Rang in der Thronfolge hatte, dann konnte sie sehr wohl die eigensinnige Egoistin hervorkehren.

Sie wiederholte, daß sie es sich nicht leisten könne, ihre jetzige Position zu halten, wenn sie nicht mehr Geld bekäme.

Ich sah sie durchdringend an. Dieser eigensinnige Wesenszug war mir nicht unbekannt. Nie werde ich einen Vorfall aus unserer Jugend vergessen, als wir zusammen in Richmond Park spazierengingen und sie in der Ferne etwas sah und ausrief: »Dort drüben ist ein Mann.«

Sie war, wie wir alle wußten, kurzsichtig, und verwechselte manchmal etwas. »Nein, Schwester, das ist kein Mann. Das ist ein Baum«, sagte ich damals.

Auf ihre halsstarrige Art beharrte sie darauf, daß es ein Mann sei, und als wir so nahe herangekommen waren, daß auch sie erkennen konnte, was es war, sagte sie trotzdem: »Es ist ein Mann. Ich sage noch immer, daß es ein Mann ist.«

Daran mußte ich jetzt denken, als ich den Eigensinn in ihrer Miene sah.

»Meine Freunde sind entschlossen, mir eine Apanage zu verschaffen«, sagte sie.

Zorn erfaßte mich. »Bitte, sage mir, welche Freunde du außer mir und dem König hast.«

Ich war so wütend, daß ich hinausging und sie allein ließ.

Es war die größte Kluft, die sich je zwischen uns aufgetan hatte, und ich wußte, daß es zwischen uns nie wieder so sein würde wie früher.

Ein finanzieller Kompromiß war die Lösung. Sie würde 50 000 Pfund jährlich bekommen, und William würde ihre Schulden bezahlen.

Ich war zu dieser Zeit sehr unglücklich. Mein Vater beherrschte ständig meine Gedanken. Und die Kluft zwischen mir und Anne machte mir zu schaffen. William war sehr beschäftigt, so daß ich ihn selten sah. Nichts war so, wie wir es erhofft hatten.

Wir waren auf Einladung des Volkes nach England gekommen – zumindest jenes Teiles, der meinen Vater loswerden wollte –, und trotz des herzlichen Willkommens, das mir bereitet wurde, stieß William auf wenig Sympathien. Es war unmöglich zu verhindern, daß sich zum Mißfallen der Engländer gewisse holländische Gebräuche einschlichen. Es versteht sich, daß Holländer in hohen Stellungen auf besondere Ablehnung stießen. In Gesellschaft zeigte William sich immer unzugänglich, doch hieß es, daß er in Gesellschaft seiner holländischen Freunde, mit denen er manchmal an den Abenden beim Schnaps beisammensaß, sehr gesprächig sein konnte.

Einmal sagte William zu mir: »Ich verstehe diese Menschen nicht. Am liebsten wäre ich wieder in Holland. Vielleicht sollte ich zurückkehren und dir das Regieren überlassen.«

Der Gedanke jagte mir Entsetzen ein, und noch entsetzter wäre ich gewesen, hätte ich geglaubt, daß es ihm ernst war. Er würde nie fortgehen. Er war nur desillusioniert und erschöpft. Der Besitz der drei Kronen war nicht das, was er sich vorgestellt hatte. Aber was entspricht im Leben schon den Vorstellungen?

Für mich war es eine Zeit höchster Unruhe. Ständige

Angst um meinen Vater, das Bestreben, William zu gefallen, das Bewußtsein seiner Unruhe und Unzufriedenheit machten mich eine Zeitlang unvorsichtig.

Die Jahre der Abgeschiedenheit in Holland hatten mich tief geprägt. Ich wollte die ganze Zeit über mit Menschen zusammensein. Ich brauchte lebhafte Konversation. Ich wollte an allen Vorgängen Anteil haben, kurzum, ich war wie ein Mensch, der zu lange enthaltsam gelebt hatte und nun dem Rausch verfällt.

Ich brauchte Fröhlichkeit wie nie zuvor. Ich hatte mich öffentlich von meinem Vater abgewandt, während ich mich innerlich danach sehnte, es solle zwischen uns wieder sein wie früher. Ich wollte wieder in die Zeit zurückversetzt werden, als am Hof noch Lebensfreude herrschte, als der König sich inmitten seiner Freunde im Park erging und die Menschen ihn sahen und lachten und das Gefühl hatten, das Leben sei schön.

Und nun sahen sie uns. Sie sahen Damen in holländischen Kostümen, so züchtig, daß es dem Betrachter ein boshaftes Lächeln entlockte. Die breite Allee von Hampton Court erhielt nicht umsonst den Namen Frow Walk. Wie ein Wechsel auf dem Thron den Stil einer ganzen Nation zu verändern vermochte!

Vielleicht benahm ich mich dumm. Ich wollte Leben um mich haben und ging ins Theater. König und Königin aber können nicht ins Theater gehen, ohne daß es Beachtung findet. Ich wählte eine Vorstellung von Drydens *Spanish Friar*. Es war eines der Lieblingsstücke meines Onkels, aber zu spät fiel mir ein, daß mein Vater es verboten hatte, weil darin die römische Kirche verunglimpft wurde. Meine Wahl war auch eine unglückliche, weil der Vergleich der Vorgänge auf der Bühne mit unserer eigenen Geschichte auf der Hand lag.

Alle Welt wußte, daß ich die Vorgänge in Irland mit Spannung verfolgte, daß englische Truppen dort standen und von den Anhängern meines Vaters bedrängt wurden. Als sich nun auf der Bühne die Königin von Aragonien, die den Thron usurpiert hatte, in die Kirche begab, um Gottes Segen für die Armee zu erbitten, die gegen den König marschierte, herrschte im Publikum angespannte Stille.

Alle Blicke ruhten auf mir, und ich fühlte mich höchst unbehaglich, weil ich während der ganzen Vorstellung beobachtet wurde.

Ehe ich wieder ins Theater ging, wollte ich zuerst das Stück, das zur Aufführung gelangte, lesen.

Es schmerzte mich, daß manche Menschen glaubten, der Sturz meines Vaters gereiche mir zur Freude. Wie wünschte ich mir, ich hätte ihnen meine wahren Gefühle erklären können!

In meiner Suche nach Zerstreuung besuchte ich die Indian Houses, elegante Läden, die vor nicht langer Zeit eingerichtet worden waren. Sie boten ungewöhnliche und originelle Waren an, und die Damen des Hofes waren dort häufig anzutreffen. Damals wußte ich nicht, daß sie auch als Ort für Stelldicheins dienten – eine Praxis, die sich unter der Regierung meines Onkels eingebürgert hatte.

Die Frauen, die diese Läden führten, waren welterfahren, und die bekannteste unter ihnen war eine Mrs. Graden, die zusätzlich zu ihren anderen Geschäften feine Bänder und verlockendes Zubehör für die feine Damengarderobe feilbot.

Ich kam in Gesellschaft einiger meiner Damen und verbrachte eine sehr angenehme Zeit. Mrs. Graden war so überwältigt von der Ehre des königlichen Besuches, daß sie darauf bestand, uns eine Erfrischung anzubieten.

Andere derselben Zunft waren ein wenig pikiert ob der Aufmerksamkeit, die Mrs. Graden erwiesen wurde, und daher mußte ich die anderen Läden ebenfalls aufsuchen und dort etwas kaufen. Ich wußte noch, wie gern und wie oft Maria Beatrice hier eingekauft hatte.

Als William von diesen Besuchen erfuhr, war er entsetzt und wollte seine Mißbilligung zum Ausdruck bringen. Es war beim gemeinsamen Abendessen, und wie so oft wartete er nicht ab, bis er unter vier Augen mit mir sprechen konnte, sondern fragte mich bei Tisch, ob ich ein solches Verhalten klug fände. Dies geschah in Gesellschaft einiger Tischgäste und wurde in sehr kritischem Ton vorgebracht.

»Wie ich höre, hast du es dir zur Gewohnheit gemacht, übelbeleumundete Häuser aufzusuchen«, lauteten seine Worte.

Erst war ich bestürzt, dann ging mir auf, was er meinte.

»Du meinst die Indian Houses?« sagte ich.

»Ich meine, was ich sage. Vielleicht sollte ich nächstes Mal mitkommen.«

Ich war erstaunt. »Viele besuchen diese Läden. Die Frau meines Vaters hat dort oft Einkäufe gemacht.«

»Willst du sie dir zum Vorbild nehmen?«

Nicht gewillt, mich mit ihm vor anderen auf eine Debatte einzulassen, murmelte ich etwas von sehr interessanten Einkäufen in diesen Läden.

Er sprach nicht mehr davon, und ich dachte bei mir, daß ich vielleicht unbedacht gewesen war, dorthin zu gehen, und als ich dann entdeckte, was sich dort abspielte, verstand ich, was William meinte.

Die Läden konnte ich nicht mehr aufsuchen, doch einem Besuch bei Mrs. Wise konnte ich nicht widerstehen.

Von Mrs. Wise war am ganzen Hof bekannt, daß sie ihrem Namen alle Ehre machte und sehr weise war. Sie besaß besondere ›Kräfte‹ und hatte schon des öfteren unter Beweis gestellt, daß sie in die Zukunft sehen konnte.

Von ihren Weissagungen hatte ich durch die Countess of Derby erfahren, die seit meiner Rückkehr nach England meine erste Kammerfrau war. Ich hatte ein, zwei Holländerinnen mitgebracht, und die einzigen anderen

Engländerinnen, die ich um mich hatte, waren Mrs. Foste und Mrs. Maudaunt.

Alle hatten sie miteinander etwas zu flüstern, und als ich sie fragte, was denn so aufregend sei, wollte die Countess nicht damit herausrücken.

Schließlich bestand ich darauf, und sie sagte: »Es ist nur Gerede, Euer Majestät – diese Dinge wird es immer geben.«

Sie zögerte noch immer, aber schließlich brachte ich sie dazu, daß sie es mir sagte.

»Mrs. Wise sagt, König James würde nach England zurückkehren, und es würden Köpfe rollen.«

»Ich verstehe«, sagte ich. »Glaubt man ihr?«

»Wenn so etwas gesagt wird, dann gibt es immer Gerede, Euer Majestät.«

»Und diese Mrs. Wise... besitzt sie den Ruf, die Zukunft genau voraussagen zu können?«

»Wie die meisten dieser Menschen kann sie Erfolge vorweisen«, sagte die Countess. »Sie weissagen etwas, das sich dann mit etwas Glück bewahrheitet. Aber sie irren sich oft.«

»Ich möchte diese Mrs. Wise aufsuchen«, sagte ich.

»Aber Madam«, stieß die Countess fassungslos hervor, »meint Ihr...?«

»Ich möchte sie allein besuchen«, sagte ich mit Nachdruck.

»Wenn davon etwas bekannt wird... man würde darüber reden. Man würde meinen, Ihr müßtet eine hohe Meinung von ihr haben, wenn Ihr sie besucht.«

»Ich möchte sie sehen. Ich möchte ihr Fragen stellen.«

»Euer Majestät... wollt Ihr denn ganz offen hingehen... wie zu den Indian Houses?«

Ich sah Williams kalte Augen, die mich strafend ansahen, und ich sah die verwunderten Blicke meiner Umgebung. Warum läßt die Königin zu, daß dieser Mann so mit ihr redet? fragten sie sich. Er ist König durch sie. Aber sie ist seine Frau, dachte ich, und ihm ist sie Gehorsam schuldig. Das hatte ich von Gilbert Burnet gelernt.

William würde meinen Besuch bei Mrs. Wise natürlich nicht billigen, dennoch wollte ich zu ihr.

Meine Damen genossen die Geheimniskrämerei, die damit verbunden war. Es verlieh dem Abenteuer, das mein Besuch bei Mrs. Wise darstellte, eine gewisse zusätzliche Würze.

Sie war eine Frau, die mir auf den ersten Blick kein Vertrauen einflößte. Ich sah ihr an, daß mein Besuch sie ziemlich aus der Ruhe brachte. Sie hatte eine Prophezeiung gemacht, die mich, wie sie wohl wußte, nicht freuen konnte, und jetzt war ihr mein Besuch nicht geheuer. Ich entdeckte bald, daß sie eine glühende Katholikin war, und ich vermutete, daß sie aus diesem Grund diese Prophezeiung geäußert hatte.

Sie war unterwürfig, überwältigt von der Ehre, wie sie sagte, und voller Angst, daß ihre bescheidenen Talente es nicht wert wären, mir zu dienen.

Und dies, so behauptete sie, hindere sie daran, in meine Zukunft zu blicken, so daß sie mir nichts zu sagen hatte. Sie sah als einziges, daß ich in Holland gelebt hatte und schon in frühen Jahren dorthin gegangen war. Darüberhinaus vermochte sie nichts zu sehen und versuchte den Eindruck zu erwecken, ihre Kräfte seien durch den Besuch der Majestät so überwältigt, daß sie es für ungehörig hielte, mir die Zukunft zu weissagen.

Diese törichte Person konnte ich nur belächeln, und als ich ging, tat ich es mit der Gewißheit, daß sie ihre Prophezeiungen jeweils der Gelegenheit anpaßte. Ich war erleichtert, daß William von meinem Besuch nichts erfuhr.

Das Jahr neigte sich dem Ende zu. Es hatte mit einem Triumph begonnen und endete in Melancholie. Ich konnte sein Ende kaum erwarten. Doch das neue Jahr schien noch größere Bedrohungen bereitzuhalten. Nun zeigte es sich nämlich, daß man die Lage in Irland nicht auf sich beruhen lassen konnte.

William mußte eine Armee gegen jene Truppen entsenden, die sich um meinen Vater scharten. Ein Kampf zwischen Katholiken und Protestanten war nun unvermeidlich. Seit Beginn des Konfliktes hatte ich gefürchtet, daß mein Mann und mein Vater sich im Feld gegenüberstehen würden.

Das schien nun unausweichlich auf uns zuzukommen, so daß während des ersten Monats des Jahres 1690 in mir der Wunsch Gestalt annahm, ich möge nicht mehr auf Erden sein, um den Ausgang dieser Begegnung nicht erleben zu müssen.

Es nützte nichts, daß ich mir sagte, mein Vater sei im Unrecht. Er war es wirklich – aber er war mein Vater, und ich konnte meine glückliche Kindheit und die Liebe, die zwischen uns gewesen war, nicht vergessen. Wie grausam war das Leben gewesen, indem es mir William zum Ehemann gegeben hatte, den Menschen, der meines Vaters Feind sein mußte. Und hier war ich... zwischen beiden gefangen.

Ja, es stimmte, zuweilen wünschte ich, sterben zu können, ehe es zu der Schlacht kam. Ich war zwischen den beiden hin und her gerissen. Meine Pflicht galt beiden, aber was konnte ich tun? Ich war mit William verheiratet, und die heilige Schrift sagt, daß eine Frau ihrem Mann anhangen und alle anderen vergessen muß.

Dr. Burnet hatte mich darin bestärkt, daß meine Pflicht bei meinem Mann lag. Das mußte ich mir vor Augen halten. Doch ich fürchtete die Konfrontation so sehr, daß ich lieber sterben wollte, als das Ergebnis zu erfahren.

Und während dieser unglücklichen Monate fuhr man mit den Kriegsvorbereitungen fort.

Ich gewann in dieser Zeit den Eindruck, William wünschte sich zuweilen, er wäre nie nach England gekommen, da das Volk ihn weiterhin Abneigung spüren ließ. In Holland war es anders gewesen, da die Holländer von ihren Herrschern etwas anderes erwarteten als die Engländer. In England aber war der Freudentaumel über die Restauration noch nicht vergessen. Man wollte lachen und fröhlich sein, wollte Vorwände für Festlichkeiten, wollte in den Straßen tanzen und von den amourösen Abenteuern des Königs köstlich schockiert werden. Und was hatte man statt dessen? Einen drohenden Krieg und einen König, der nie lächelte und sich kaum jemals in der Öffentlichkeit sehen ließ.

Ich hingegen war beliebt, so daß William einmal zu mir sagte: »Langsam glaube ich, es wäre besser, ich ginge zurück und du würdest an meiner Stelle regieren.« Er ließ sein verbittertes Lächeln sehen. »Aber das würde man nicht wollen. Lieber nimmt man mich in Kauf, als sich von einer Frau regieren zu lassen.«

Einer meiner seltenen Anfälle von Widerspruchsgeist erfaßte mich, und ich wandte ein: »Einer der siegreichsten Herrscher, die dieses Land je hatte, war eine Frau. Ich meine Königin Elizabeth.«

»Hm, ja, sie war von guten Ministern umgeben.«

»Die sie auswählte«, gab ich zu bedenken.

Anstatt mir zu antworten, bedachte er mich mit einem sonderbaren Blick; und in diesem Moment faßte ich einen Entschluß. Falls ich denn herrschen mußte – was sehr wohl der Fall sein konnte, wenn er nach Irland ging –, würde ich alles in meiner Macht Stehende tun, um meine Sache gut zu machen.

Der Gedanke war verflogen, kaum daß er gekommen war. Ich fürchtete die Möglichkeit, nicht nur weil William gegen meinen Vater in die Schlacht ziehen würde, sondern weil sie gleichbedeutend mit Alleinsein war.

Eines Tages suchte uns Dr. Burnet auf. Wir empfingen ihn gemeinsam, da wir ihn als einen unserer engsten Freunde ansahen, als einen, der uns von Anbeginn an unterstützt hatte.

Er hatte einen Plan, den er William vorlegen wollte, und er war der Meinung, wir sollten ihn überdenken.

»Ich kenne die Gefühle Eurer Majestäten in dieser Angelegenheit«, sagte er. »Der Königin bereitet der Konflikt mit ihrem Vater großes Unbehagen, und es sieht aus, als hofften Eure Majestäten, den Konflikt zu vermeiden.«

Ich lauschte begierig.

»Der Plan sieht so aus: Ein mit vertrauenswürdigen Leuten bemanntes Schiff soll Dublin anlaufen. Es soll kundgetan werden, sie hätten Absicht, sich König James anzuschließen, der eine Einladung erhält, an Bord zu kommen. Sobald er Schiffsplanken betritt, soll das Schiff auslaufen und irgend einen Hafen ansteuern... sagen wir in Italien oder Spanien. Nach Erreichen des Hafens soll der König eine Summe Geldes erhalten und dort an Land gesetzt werden. Ohne den König werden die Truppen in Irland sich bald auflösen, und der Konflikt wird vermieden.«

William überlegte. Ich konnte mir vorstellen, daß ihm dieser Plan zusagte, falle er sich als durchführbar erwies. Aber würde mein Vater so unvorsichtig sein und an Bord gehen? Noch dazu allein? Das war unwahrscheinlich. Doch Wagemut war das Leitthema seines Lebens gewesen. Er hatte ihn in die Lage gebracht, in der er sich jetzt befand.

Mir kam noch ein Gedanke. Angenommen, man brachte ihn nach Holland? Was für Gefühle würden die Holländer einem Admiral entgegenbringen, der sie so oft geschlagen hatte?

»Ich möchte keinen Anteil daran«, sagte ich, obschon ich wußte, daß die Alternative der Konflikt mit William und seiner Armee war.

Ich war erleichtert zu sehen, daß William mit mir einer Meinung war. Ich hätte gern geglaubt, ihm sei dieselbe Möglichkeit in den Sinn gekommen, doch ich argwöhnte, daß er den Plan als nicht durchführbar ansah, und selbst wenn er glücken sollte, hätte dies nur einen Aufschub bedeutet. Mein Vater wäre noch immer imstande, zu einem späteren Zeitpunkt den Kampf aufzunehmen.

Deshalb lehnten wir den Plan ab und bereiteten Gilbert Burnet damit vermutlich eine herbe Enttäuschung.

Wir näherten uns dem Zeitpunkt der Trennung, denn William würde sehr bald nach Irland ins Feld ziehen, und ich sollte in seiner Abwesenheit die Regierungsgeschäfte führen.

Ich spürte in mir eine Kraft, von der ich nicht gewußt hatte, daß ich sie besaß, und die bewirkte, daß die Aufgabe mir nicht so beängstigend erschien wie in Williams Gegenwart. Vermutlich war es so, daß ich in dem Bestreben, mich von den Sorgen um Williams Sicherheit und der Angst um meinen Vater abzulenken, mein ganzes Sinnen und Trachten der großen, vor mir liegenden Herausforderung widmete.

Freilich war ich von Ministern umgeben, die mir dabei halfen. Der wichtigste war Lord Caermarthen, der ehemalige Lord Dandy, sowie die Lords Devonshire und Nottingham, Admiral Russell und Lord Monmouth, der nicht mit Jemmy verwandt war. Der Titel stammte von seiner Mutter, einer Nachkommin des Earl of Monmouth, und William hatte ihn damit ausgezeichnet, um dem Sohn Jemmys nachdrücklich zu verstehen zu geben, daß er ihn nie tragen würde.

Ich hatte für keinen dieser Männer viel übrig. Die meisten waren ehrgeizig und eigensüchtig. Was Lord Monmouth betraf, so hatte ich ihn immer für einen etwas verrückten, wenn auch gutartigen Menschen gehalten, der wahrscheinlich aufrichtiger war als manch einer, aber leider nicht zuverlässig.

Ich sah sehr wohl, daß eine schwere Aufgabe vor mir lag, und dennoch begrüßte ich sie.

Daß ich nicht das schwache Weib war, das William in

mir sah und als das er mich behandelte, sollte ich sehr rasch entdecken. Weder meine Schwester Anne noch ich hatten eine gute Bildung mitbekommen, aber während Anne den Mangel an Anleitung gern akzeptiert hatte und sich kaum je anstrengte, war ich immer lernbegierig gewesen. Jetzt sah ich, wie gut mir die Zeit der Abgeschiedenheit in Holland getan hatte, denn ich hatte damals sehr viel gelesen, wenn ich nicht Dispute mit Leuten wie Gilbert Burnet und Dr. Hooper führte. Obwohl unsere Diskussionen meist Theologie zum Thema hatten, war es auch oft um Politik gegangen. So war es jetzt für mich eine angenehme Überraschung, daß ich für die Aufgabe nicht so schlecht gerüstet war, wie ich befürchtet hatte.

Als William fortging, bezog ich den Palast von Whitehall. Georg, Anne und der kleine William kamen mit. Ich glaube, wir hätten unsere Mißstimmigkeiten vergessen und so wie früher miteinander umgehen können, wäre da nicht Sarah Churchill gewesen.

Der kleine William war für mich eine große Freude. Mrs. Pack herrschte noch immer über die Kinderstube, in der sie sich als oberste Kinderfrau des Jungen etabliert hatte, der sehr an ihr hing und keine andere haben wollte. Sarah jedoch, für die es unerträglich war, daß jemand anders einen Teil von Annes Haushalt beherrschte, wäre Mrs. Pack zu gern losgeworden. Aber wenn es um etwas ging, das ihren Sohn betraf, meldete sich Annes Eigensinn. Und die schlaue Sarah gelangte zu der Einsicht, daß es unklug gewesen wäre, auch nur zu versuchen, Anne in diesem Punkt zu einer Meinungsänderung zu bewegen.

Ich fand es amüsant, Mrs. Pack und Sarah zu beobachten, denn Mrs. Pack konnte auf ihre Art ebensoviel Energie entwickeln wie Sarah.

Das ständige Warten auf Nachrichten zeitigte bei mir gesundheitliche Folgen und führte zu einem starken Anschwellen des Gesichts, so daß ich mich am liebsten eingeschlossen und versteckt hätte. Ich mußte meine Ärzte konsultieren, die mir Blutegel an den Ohren ansetzten.

Unter den gegebenen Umständen war es mir natürlich nicht möglich, mich gänzlich zurückzuziehen, und so kam es, daß ich oft im Bett liegend Menschen empfangen mußte.

Dann kamen schlimme Nachrichten.

Die französische Flotte war vor Plymouth aufgetaucht.

Das konnte nur bedeuten, daß ein Angriff unmittelbar bevorstand. Über siebzig französische Schlachtschiffe waren zum Kampf bereit, und Gerüchte wollten wissen, daß noch mehr unterwegs waren.

Meines aufgedunsenen Gesichts nicht achtend, raffte ich mich von meinem Krankenlager auf. Eine Anzahl unserer Schiffe war vor Irland, andere befanden sich im Mittelmeer. Einschließlich der im Kanal kreuzenden holländischen Geschwader verfügte unsere Seite nur über etwa fünfzig Schlachtschiffe.

Der Earl of Torrington, Admiral der Flotte, hatte von Anfang an zu jenen gehört, die William und mich unterstützen. Aus diesem Grund hatte er seinen Rang behalten. Er war ein recht guter Seemann, aber nicht so gut, wie mein Vater gewesen war, und damals war er ein wenig verstimmt, weil er nicht zu jenen Auserwählten gehörte, die während Williams Abwesenheit an den Regierungsgeschäften teilnahmen.

Torrington hatte sich den Spitznamen Tarry-in-Town erworben, der andeutete, daß er ein Zauderer war und es ihm an Tatkraft mangelte.

Es waren schreckliche Tage. Daß die Franzosen sich unsere schwache Position zunutze machen würden, war zu erwarten. Unter dem Volk erhob sich Murren gegen William. Warum war er in Irland, wenn England Schutz benötigte? Die Franzosen waren immer schon unsere größten Feinde gewesen, und sie waren es auch jetzt. Wir mußten gegen sie stets auf der Hut sein. Ich gewann den

Eindruck, daß es Aufruhr geben könnte. William hätte nie fortgehen dürfen, dachte ich. Dies alles wäre nicht geschehen, wenn er zur Stelle gewesen wäre.

Doch die Tatsache, daß die Franzosen sich unseren Küsten genähert hatten, tat ihre Wirkung auf unser Volk. In Augenblicken wie diesen konnte man sich darauf verlassen, daß die Engländer zusammenstanden.

Die Regierung war konsterniert. War Torrington der Mann, der in diesen gefährlichen Zeiten die Flotte befehligen sollte? Der hitzköpfige Monmouth bot an, das Kommando von Torrington zu übernehmen. Ich verweigerte meine Zustimmung, da ich überzeugt war, eine Einmischung von seiten Monmouths wäre eine Katastrophe gewesen. Caermarthen wiederum war der Meinung, man sollte Torrington durch Admiral Russell ersetzen.

Ich ließ mir die Sache durch den Kopf gehen, gelangte dann aber zu dem Schluß, daß es unklug gewesen wäre, zu diesem Zeitpunkt Torrington als Flottenadmiral abzulösen.

»Torrington behält den Posten«, sagte ich. »Ich bin sicher, daß er seine Pflicht tun wird. Er ist ein redlicher Mann.«

Verzweifelt über die Situation, die ihn völlig unvorbereitet traf, rief Torrington uns in Erinnerung, daß er uns schon wiederholt vor der wachsenden Stärke der französischen Flotte gewarnt hatte.

Auch jetzt noch ist es mir unerträglich, an die Schmach jener Schlacht zu denken, bei der sich von Anfang an eine Katastrophe abzeichnete. Torrington überließ die Isle of Wight dem Feind und zog sich den Kanal hinauf zurück. Kaum sichtete er die Franzosen, gab er den Befehl zum Angriff. Die holländische Flotte bildete das Vorgeschwader. Weniger als sechzig Schiffe unserer Seite sahen sich achtzig französischen gegenüber. Unter diesen Umständen hätte allein ein Francis Drake siegen können, und Torrington mangelte es an dessen Genius. Die Holländer schlugen sich ohne viel Unterstützung Torringtons und seiner Schiffe sehr tapfer, mußten aber hinnehmen, daß ihre Flotte vernichtet wurde, während sich die Engländer fluchtartig themseaufwärts zurückzogen.

Das einzig Gute dieses Vorgehens war der Umstand, daß die Franzosen ihren Sieg nicht nützten und sich damit begnügten, die Stadt Teignmouth niederzubrennen.

Aber welche Schmach diese Niederlage war! Man hörte sagen, England sei seit der Ankunft des neuen Königs vom Glück verlassen. Sie gaben William mehr als mir die Schuld. Er hatte das Land in gefährlichen Zeiten verlassen. Schiffe, die England hätten verteidigen sollen, waren in Irland. Es hieß, sollte König James wiederkehren, würde er den Oranier ebenso leicht besiegen, wie es die Franzosen getan hatten.

Ich wußte, daß es nutzlos war, eine Niederlage zu beklagen. Ich mußte aktiv werden. Die beschädigten Schiffe mußten unverzüglich wieder instand gesetzt werden. Wer konnte wissen, wann wir sie wieder brauchen würden? Ich gab Befehl, unverzüglich mit dem Bau zwölf neuer Schiffe zu beginnen.

Ich fand es schmählich, daß Torrington die Holländer der vollen Wucht des Angriffs ausgesetzt hatte, und schickte deshalb einen Gesandten nach Den Haag, der meinem Bedauern Ausdruck verleihen sollte. Und ich ordnete an, daß man den verwundeten Holländern die beste Pflege angedeihen ließ und sie für ihre Verluste entschädigte.

Jede Unzufriedenheit, die etwa hätte folgen können, wurde durch die Angst vergessen gemacht, die Franzosen könnten ihre Stärke auf See erneut unter Beweis stellen und eine Invasion versuchen.

Und dann wendete sich plötzlich das Blatt.

Aus Irland kam Nachricht. William hatte einen Sieg errungen. Mein Vater war in der Schlacht am Boyne besiegt worden.

In meine Erleichterung mischte sich Angst, da William verwundet worden war. In Frankreich kursierte sogar das Gerücht, er sei gefallen. Daraufhin verfielen die Franzosen in einen Freudentaumel und feierten in den Straßen von Paris mit respektlosen und grausamen Karikaturen meines Mannes ein Siegesfest. Inzwischen hatte ich aber schon gehört, daß William nur eine leichte Streifwunde an der Schulter davongetragen hatte. Mein Vater war nach Dublin entkommen, für mich eine zusätzliche Erleichterung.

In Anbetracht der Bedeutung der Schlacht waren die Verluste nicht groß. Unsere Seite hatte fünfhundert Mann verloren, unser Gegner tausendfünfhundert. Aber wie bedeutsam war diese Schlacht! Mein Vater befand sich auf der Flucht. Was würde er tun? Nach Frankreich zurückkehren? Auf eine andere Chance warten? Er war nicht mehr der Jüngste und konnte sich nicht mehr viel Hoffnungen machen, deshalb war damit vielleicht das Ende des Konflikts erreicht.

Ich hoffte es jedenfalls und freute mich, daß er entkommen war. Was ich am meisten gefürchtet hatte, war vermieden worden. Es tat gut, den Jubel in den Straßen zu hören. William war fast ein Held geworden. Seine finstere Art würde man ihm nie verzeihen, aber er hatte wenigstens einen großen Sieg errungen, und das rechnete man ihm hoch an.

Die Katholiken lagen darnieder. Es folgten Ergebenheitserklärungen von verschiedenen Seiten. Die Niederlage von Beachy Head war nach dem überwältigenden Sieg am Boyne vergessen.

Mein Gesicht schwoll nicht weiter an. William kam zurück. Und mein Vater war in Sicherheit. Ich war glücklicher, als ich es noch vor kurzer Zeit für möglich gehalten hätte.

Aber es tat mir leid, daß Torrington vor ein Kriegsgericht gestellt wurde – doch das war später, erst gegen Ende des Jahres. Ich habe es immer für ungerecht gehalten, daß man ihm die Niederlage anlastete, wie William es tat. Aber er hatte ihn nie ausstehen können, und diese Abneigung beruhte auf Gegenseitigkeit. Torrington verteidigte sich würdevoll und brachte vor, er hätte nicht über die Kräfte verfügt, sich mit den Franzosen in einen Kampf einzulassen, da die englische Flotte sich nicht in heimischen Gewässern befand. Hätte er versucht, es den Holländern an Wagemut gleichzutun, wäre das Ergebnis nicht nur eine verlorene Seeschlacht, sondern eine Katastrophe für England gewesen.

Sein Freispruch war für mich eine Erleichterung. Er übernahm jedoch kein anderes Kommando, sondern zog sich aufs Land zurück.

Unterdessen war William nach Hause zurückgekehrt. Bereit, ihn als Sieger vom Boyne willkommen zu heißen, erwarteten die Menschen einen Triumphzug durch die Straßen Londons und strömten zusammen. Und da kam er nun, in seiner Karosse anstatt hoch zu Roß, vermutlich weil er erschöpft war und sich von seiner Verwundung erholen mußte. Ihm stand der Sinn einzig und allein nach dem friedlichen Leben in Hampton Court. Kein einziges Mal winkte er oder nahm den Jubel auf andere Weise zur Kenntnis. Wie ich mir wünschte, er würde für die Bedürfnisse und Wünsche des Volkes mehr Verständnis aufbringen!

Die Freude über seine Heimkehr wurde noch durch einen weiteren Umstand getrübt.

Ich erfuhr kurz vor Williams Ankunft durch Caermarthen davon, und ich hatte den Eindruck, in Caermarthens Lächeln läge eine Spur Hinterhältigkeit, als er es mir sagte.

»Euer Majestät müssen wissen, daß irische Ländereien beträchtlichen Ausmaßes an den König gefallen sind«, fing er an. »Etwa 90 000 Morgen der Güter von König James befinden sich nun in König Williams Hand.«

»Das stellt einen großen Geldwert dar.«

»Ganz recht, aber König James hat die Pachterträge an verschiedene Damen vergeben.« Caermarthen hüstelte. »Von 26 000 Pfund sind nur 5000 übrig.«

»Noch immer eine stattliche Summe.«

»Gewiß, Majestät. Der König hat sich der 90 000 Morgen bereits entledigt.«

»Darf ich fragen, an wen sie gefallen sind?«

Wieder ein leises Hüsteln. »An... hm... Lady Elizabeth Villiers.«

Ich spürte, wie mir die Röte ins Gesicht stieg, als ich mich abwandte und sagte: »Ich verstehe. Es stünde uns besser an, einen Teil der gewonnenen Ländereien zum Wohl der irischen Armen zu verwenden.«

»Zweifellos wird es andere Möglichkeiten geben, dies zu bewerkstelligen, Majestät. Es ist ein großer Sieg.«

»Ein sehr großer Sieg.«

Als er ging, setzte ich mich und starrte vor mich hin.

Wie hatte er das nur tun können! Ihm mußte doch bewußt sein, daß es mir nicht verborgen bleiben konnte. Und doch hatte er es getan, mit geradezu empörender Lieblosigkeit mir gegenüber. Neunzigtausend Morgen für Elizabeth Villiers!

Da ich wußte, daß ich es nicht fertigbringen würde, mit ihm darüber zu sprechen, griff ich zur Feder und schrieb:

›Man ist an mich herangetreten, Dich zu bitten, Dich von konfiszierten Gütern nicht zu rasch zu trennen, sondern zu bedenken, ob Du einige Schulen für die Armen Irlands einrichten könntest. Ich für meinen Teil muß sagen, daß Du gut daran tätest, das Wohl des armen Volkes dort zu bedenken. Der glanzvolle Sieg, den Du errungen, sollte Dich bewegen, alles in Deiner Kraft Stehende für die Förderung der wahren Religion und der Verbreitung der heiligen Schrift zu tun.‹

Würde er die Zurechtweisung verstehen? Ich war meiner Sache sicher. Noch nie war ich einer Kritik an seiner Vorgehensweise so nahe gekommen.

Ich war außer mir über sein Verhalten. Nach all den Jahren lag ihm noch etwas an ihr! Ich war seine Frau, seine Königin. Ich hatte ihm meinen Gehorsam geschenkt und das, was er am meisten begehrte – die Krone. Das alles hatte ich ihm gegeben – und er hatte die irischen Ländereien Elizabeth Villiers vermacht!

## Verrat

Trotz meiner diplomatisch formulierten Rüge ließ William die Angelegenheit der irischen Ländereien unerwähnt, so daß sie wie geplant an Elizabeth Villiers fielen. Dies war gleichbedeutend mit einer öffentlichen Kundmachung ihrer Beziehung und für mich schier unerträglich.

Ich kämpfte gegen das Gefühl der Demütigung an. Ich mußte mir vor Augen halten, daß ich die Königin war und eine Zeitlang die Regierungsgeschäfte geführt hatte – nicht ohne Erfolg, wie ich mir schmeicheln durfte, denn für die Niederlage bei Beachy Head konnte man mich nicht verantwortlich machen.

Ich mied fortan die Gesellschaft Elizabeth Villiers', die sich sehr selbstsicher zeigte, eine Frau, die mit ihrem Verstand den Mangel an äußeren Reizen wettmachte. Sie stand mit Bentinck auf sehr gutem Fuß, hatte ein aufmerksames Auge auf sämtliche Vorgänge bei Hof, war imstande, Wichtiges von Unwichtigem zu unterscheiden und es mit William zu besprechen. Ich war sicher, daß er ihr politisches Gespür schätzte, und ihr – da ihre Interessen auch die seinen waren – völlig vertraute, so wie er sonst nur Bentinck vertraute.

Bald nach seiner Rückkehr erwarb William vom Earl of Nottingham einen Herrensitz in Kensington. Es war ein schönes Anwesen, von etwa sechs Morgen Parkgelände umgeben.

War William mit dem Umbau eines Hauses befaßt, wurde aus ihm ein anderer Mensch. Und ich konnte an seiner Begeisterung teilhaben. So machten wir uns daran, den Kensington-Palast neu zu schaffen.

Wir besprachen die Pläne; wir engagierten Architekten,

und bald ging es mit den Arbeiten voran. Grinling Gibbons wurde mit Aufträgen betraut und schuf einige sehr kunstvolle Schnitzereien, während ich mich mit meinen Damen an das Sticken der Gobelins und Sesselbezüge in Williams Privatkabinett machte.

Anne, die um Richmond betrogen worden war, wie sie es formulierte, war ins Cockpit gezogen. Ich war über den Verfall unserer Freundschaft noch immer tief bekümmert und dachte oft an früher, als sie immer das tun wollte, was ich tat, und ich die bewunderte und nachgeahmte ältere Schwester war.

Der kleine William wuchs zu einem aufgeweckten, vergnügten und intelligenten Kind heran, dessen Gesundheit allerdings noch immer Anlaß zur Sorge gab. Aber Mrs. Pack blieb bei ihm, und seine Liebe zu ihr wuchs. Anne widerstand Sarahs Drängen, man solle die Frau endlich fortschicken. Annes größte Fürsorge galt noch immer ihrem Sohn und seinem Wohlergehen. Ging es um ihn, dann konnte der ganze Eigensinn ihres Wesens zum Vorschein kommen, und sie war sogar bereit, sich mit Sarah auf einen Kampf einzulassen.

Es hatte daher nicht ausbleiben können, daß Mrs. Pack und Sarah zu erbitterten Feindinnen wurden. Ich fand es amüsant, die beiden zu beobachten, und freute mich, daß es in diesem Fall nicht nach Sarahs Kopf ging.

Ich brachte dem Knaben, der großes Interesse an mir zeigte, oft Geschenke, wobei mir klar war, daß er mich vor allem deshalb interessant fand, weil er wußte, daß ich die Königin war.

Wollte er mir ein Bild oder eine Burg aus Bauklötzen zeigen, dann rief er mich gebieterisch zu sich.

»Königin«, rief er dann. »Hier, Königin, sieh her.«

Ging es darum, seine Klugheit zu loben, zeigte Anne sich ungewöhnlich redselig. Da nützte es nichts, wenn Sarah Zeichen der Ungeduld erkennen ließ, Anne ließ sich nicht unterbrechen.

Der Junge hatte ein Wägelchen, das eigens für ihn gemacht worden war. Dazu hatte er winzige Pferde – die kleinsten, die man hatte auftreiben können; sie wurden seiner kleinen Kutsche vorgespannt und von Georgs Kutscher geführt.

Die Menschen kamen zum Park, um den kleinen Jungen in seiner Kutsche zu sehen, und sie ließen ihn hochleben, wenn er vorüberfuhr. Er wiederum pflegte ihnen mit ernster Miene zuzuwinken. Das brachte die Leute zum Lachen und sie jubelten noch mehr, was ihn wiederum in Erregung versetzte, denn er hüpfte freudig auf seinem Sitz auf und ab.

Der kleine Herzog erfreute sich wachsender Beliebtheit, und Anne ebenso. Man merkte ihr an, wie lieb sie ihn hatte, und das rührte an die Herzen. Wo immer Anne sich zeigte, zeigten ihr die Menschen, wie hoch sie in ihrer Gunst stand. Auch mir bewies man Freundlichkeit. Nur William wurde mit Schweigen empfangen.

Marlborough war nach Irland gegangen, wo es im Süden Unruhen gab. Dort behauptete er sich sehr gut, und als er zurückkehrte, kam mir zu Ohren, Sarah sei der Ansicht, ihm gebühre eine Ehrung.

Anne führte mit mir darüber ein Gespräch. »Sarah ist der Meinung, die Dienste Marlboroughs sollten eine Anerkennung erfahren. Er sollte den Hosenbandorden oder ein Herzogtum bekommen.«

»Er wurde bereits zum Earl gemacht.«

»Bedenke, was er seither geleistet hat.«

»Ja, er hat seine soldatische Pflicht getan.«

»Sarah meint, gute Dienste bedürften der Belohnung.«

Ich sagte darauf knapp: »Sarah hat die Gesetze dieses Landes nicht gemacht, obwohl sie es zweifellos gern getan hätte.«

Da Anne daraufhin in ihre brütende Schweigsamkeit verfiel, fing ich vom kleinen William zu sprechen an – ein Thema, dem sie nie widerstehen konnte.

Ich erwähnte William gegenüber, was sie gesagt hatte. »Marlborough meint, er solle belohnt werden«, sagte ich. »Er möchte den Hosenbandorden haben.«

»Der Hosenbandorden! Marlborough!« rief William aus. »Kommt nicht in Frage.«

»Ich dachte mir, daß du das sagen würdest. Sicher ist es die Idee seiner Frau.«

»Diese Person mischt sich zuviel ein.«

In diesem Punkt pflichtete ich ihm voll und ganz bei.

Daraufhin eröffnete er mir, daß er bald nach Holland gehen wollte und ich wieder die Regierungsgeschäfte übernehmen sollte.

Dies war für mich längst nicht mehr so furchteinflößend wie früher. Die Aussicht, den ersten Platz einzunehmen und Entscheidungen zu treffen, wirkte auf mich jetzt geradezu belebend, denn ich wußte inzwischen, daß es trotz aller damit verbundenen Schwierigkeiten sehr aufregend ist, Macht auszuüben.

»Ich muß an dem Kongreß teilnehmen«, sagte er. »Die Franzosen stellen für uns eine größere Bedrohung dar als James, und jetzt, da er in Frankreich ist, können wir ihn gut im Auge behalten. Er ist schwach, aber die Franzosen sind stark, und die Nationen, die gegen Frankreich sind, müssen zusammenhalten. Auf dem Kongreß wollen wir dafür Pläne erarbeiten.«

Wenige Tage vor Williams Aufbruch wurde das Komplott aufgedeckt. Es war absolut aberwitzig. Die Verschwörer wollten sich meinem Vater mit einem Vorschlag nähern: Gelobte er feierlich, England als protestantisches Land zu regieren, waren sie gewillt, ihn zurückzuholen. Er sollte eine französische Streitmacht aufbieten, die ihn nach England brachte, wo man eine geheime Landung arrangieren würde. Die französischen Truppen sollten anschließend zurück nach Frankreich geschickt werden. Seine Freunde würden sich um ihn scharen und ihn wieder als König einsetzen.

Die Verschwörer mußten sehr naiv sein, wenn sie glaubten, mein Vater würde ein solches Versprechen, mochte er es ihnen zuerst auch geben, einhalten.

Drei der Verschwörer, nämlich Lord Preston, Major Elliot und ein Mr. Ashton wurden erkoren, die Vorschläge nach Frankreich zu bringen. Da sie aber bereits Verdacht erregt hatten, wurde ihr kleines Schiff aufgehalten, noch ehe es die Themse hinter sich gelassen hatte, und die für meinen Vater bestimmten Papiere wurden gefunden.
Als Folge davon saßen die drei nun im Tower.

William sagte zu mir, er sei froh, daß die Sache aufgedeckt worden sei, ehe er England verließ.

Nun aber tauchte ein neues Problem auf. Prinz Georg wollte zur See.

»Wäre das nicht möglich?« fragte ich William.

Mein Gemahl bedachte mich mit einem verächtlichen Blick. »Wir können es uns nicht leisten, die Marine mit Taugenichtsen zu belasten.«

»Aber man könnte doch gewiß irgendeine Position für ihn finden?«

»Das müßte aufgrund seines Ranges eine Position von einiger Bedeutung sein. Und das ist die Schwierigkeit. Denk an Torrington.«

»Torrington war ein guter Mann. Er hatte nur zu wenige Schiffe.«

»Ein guter Mann findet sich mit Schwierigkeiten ab und überwindet sie.«

William wollte über Torrington nicht diskutieren, soviel stand fest. Er mußte sich vielmehr mit Georg befassen, den er verabscheute, da dieser alles das war, was er selbst nicht sein konnte. Sein Entschluß, Georg nicht zur See gehen zu lassen, stand fest. Aber wie konnte er es verhindern? Es mußte sich ein Weg finden.

»Ich bin entschlossen, ihm kein Kommando zu geben«, fuhr er nun fort. »Aber es wäre besser, er würde es sich ausreden lassen, als daß man es ihm verbieten müßte.«

»Verbieten?« rief ich aus.

Williams Miene verhärtete sich. »Nötigenfalls ja. Er darf keinesfalls zur Marine, da dort nur Platz für die Besten ist. Noch mehr Unfähigkeit können wir uns nicht leisten.«

»Wer soll ihn umstimmen?«

»Anne, nehme ich an.«

»Das würde sie nie.«

»Nun, dann mußt du sie überreden, es zu tun. Bring dieses Churchill-Frauenzimmer auf deine Seite. Wie ich höre, kannst du mit Menschen umgehen.«

»Das wird nicht einfach sein.«

»Der Umgang mit dummen Menschen ist es nie.«

Damit war die Sache für ihn abgetan, und er brach am nächsten Tag nach Holland auf.

Ich bangte um ihn, denn das Wetter war nicht günstig, doch er wollte von Aufschub nichts wissen, da es ihn mit unwiderstehlicher Macht in jenes Land zog, wo die Menschen sich vernünftig benahmen, wo sie ihn verstanden und er sie.

Der arme William! Wie schon etliche Male fragte ich mich, ob er nicht glücklicher gewesen wäre, wenn er seinen Traum nicht wahrgemacht und die Krone nicht übernommen hätte.

Als ich hörte, daß er bis auf eine Erkältung wohlbehalten angekommen war, war es für mich eine Erleichterung. Die Holländer hatten ihm einen herzlichen Empfang bereitet – auf jene zurückhaltende Weise, die so nach seinem Geschmack war.

Vor mir lag nun die Schwierigkeit, Georg zu ›überreden‹, daß die See nichts für ihn sei.

Ich unternahm verschiedene Vorstöße bei Anne, doch sie kehrte immer ihren Eigensinn heraus, wenn ich die Rede auf Georgs Pläne brachte und Zweifel an der Klugheit seiner Absichten äußerte.

»Ach, man will ihm also keinen Posten geben!« rief sie aus. »Man erwartet von ihm, daß er seine Tage mit Schlafen, Trinken und Herumhocken zubringt. Der König behandelt ihn wie einen Lakaien... als wäre er ein Niemand.«

Anne zeigte sich unzugänglich. Als einziger Ausweg blieb mir, Williams Vorschlag folgend, Sarah dafür zu gewinnen, ihre Überredungskunst bei Anne spielen zu lassen.

Mir war nicht geheuer zumute, als ich mich an Sarah wandte.

»Lady Marlborough, ich weiß, daß Euer Einfluß auf meine Schwester groß ist«, sagte ich. »Aus diesem Grund möchte ich mit Euch sprechen.«

»Euer Majestät, die Prinzessin beehrt mich mit einer Freundschaft ganz besonderer Art«, erwiderte sie selbstgefällig.

»Nun, ich weiß, daß sie stets mit großer Aufmerksamkeit auf das hört, was Ihr sagt. Es geht um eine heikle Sache. Prinz Georg hat sich ein Kommando auf See in den Kopf gesetzt.«

»Ja, ich glaube, das schwebt ihm vor, Euer Majestät.«

»Es ist ganz ausgeschlossen, und ich möchte, daß ihr der Prinzessin vor Augen führt, daß es für ihn nicht günstig wäre.«

»Ach?« Sarah sah mich mit großen, erstaunten Augen an.

Ich versuchte es mit Schmeichelei, weil ich argwöhnte, daß Sarah dagegen nicht immun war.

»Wenn jemand die Prinzessin zur Einsicht bringen kann, dann seid Ihr es. Und wenn die Prinzessin es einsieht, vermag sie den Prinzen umzustimmen. Mehr verlange ich nicht von Euch, Lady Marlborough.«

Sie zögerte kurz, und ich sah, wie Berechnung in ihren Blick trat.

»Madam, Euer Majestät, ich bitte um Vergebung für meine Offenheit, aber ich stehe in Diensten von Prinzessin Anne und schulde ihr deshalb Treue. Ich will ihr sagen, daß es Eurer Ansicht nach unklug vom Prinzen wäre, wenn er ein Kommando auf See übernähme, und ich werde nicht verschweigen, daß Ihr mich gebeten habt, sie umzustimmen, denn es ist meine Pflicht, ihr zu sagen, woher das Ersuchen kommt. Gewiß verstehen Euer Majestät meine Absichten.«

»Ich verstehe Euch sehr gut, Lady Marlborough«, sagte ich, schon im Aufstehen begriffen. Sie erhob sich gleichfalls, da sie nicht sitzen bleiben konnte, wenn ich mich erhob. »Ich bitte Euch, sagt nichts davon der Prinzessin, da ich sehe, daß dabei nichts Gutes herauskommen kann.«

Damit ließ ich die unverschämte Person stehen. Ich sah, daß mehr Schaden als Nutzen entstanden war. Jetzt blieb als letzter Ausweg, Prinz Georg eine offene Abfuhr zu erteilen, etwas, das von allem Anfang an die beste Lösung gewesen wäre.

Zu meinen unangenehmsten Pflichten gehörte damals die Unterzeichnung von Todesurteilen. Der Gedanke, daß jemand sein Leben hatte beenden müssen, nur weil ich meinen Namen auf ein Schriftstück gesetzt und damit den Befehl gegeben hatte, war mir verhaßt.

Natürlich mußte ich dem Gesetz gehorchen, und die drei Eingekerkerten waren des Hochverrats angeklagt worden. Es fiel mit umso schwerer, weil das Komplott aus Treue zu meinem Vater geschmiedet worden war. Man hatte bei Ashton, Lord Preston und Major Elliot Dokumente gefunden, die sie eindeutig des Hochverrats überführten. Es gab keinen Ausweg. Sie mußten mit dem Leben büßen.

Dies lastete schwer auf meine Seele. Ich wünschte, William wäre bei mir gewesen. Er hätte die Todesurteile unterzeichnet, ohne mit der Wimper zu zucken. Meine Weichherzigkeit hätte nur seine Verachtung erregt.

Ich hatte sehr viel über meine Vorgängerin, Königin Elizabeth, gelesen, für die ich große Bewunderung hegte.

Als starke Frau und Herrscherin aus eigenem Recht, die ihre Macht despotisch ausübte, hätte sie nie zugelassen, daß ein Mann ihr auch nur den kleinsten Teil ihrer Macht streitig machte.

Und da war ich nun – Königin dieses Reiches, neben einem Ehemann, dem ich den Vorrang einräumte. Elizabeth hätte mich verachtet, vielleicht zu Recht.

Mir war zwar bekannt, daß sie unter Gewissensbissen gelitten hatte, als sie das Todesurteil für die schottische Königin Mary unterzeichnete. Die drei Männer standen mir nicht nahe. Ich kannte sie nicht, aber ich beklagte, was ich zu tun hatte, und hätte viel darum gegeben, wenn mir diese Bürde abgenommen worden wäre.

Ich glaube, meine Gefühle wurden vom Volk verstanden. Man mochte mich für schwach halten, aber man empfand Sympathie für mich, die man William nie entgegenbringen würde.

Während ich von diesen Gewissensbissen geplagt wurde, hatte ich ein Erlebnis, das mich noch trauriger stimmte. Es geschah im Kensington-Palast, der mittlerweile sehr schön geworden war. Als William und ich das Haus kauften, hatte in der großen Halle ein großes Bild meines Vaters gehangen, prächtig anzusehen mit allen Insignien seiner Würde. Es hing noch immer da.

Als ich eines Tages die Treppe hinunterschritt, sah ich ein junges Mädchen auf einer der unteren Stufen sitzen und das Porträt meines Vaters unverwandt anstarren.

»Kind, was machst du hier?« sagte ich. »Und warum siehst du das Gemälde so eindringlich an?«

Sie stand auf und knickste.

»Euer Majestät, das ist Euer Vater«, sagte sie. Ihren melancholischen Blick auf mich richtend, fuhr sie fort: »Mein Vater, Lord Preston, befindet sich im Tower. Man wird ihn hinrichten. Man sagt, er büßt mit dem Leben dafür, daß er Euren Vater zu sehr liebte.«

Ich war wie vor den Kopf geschlagen. Das Kind knickste abermals und lief davon. Ich wollte ihm nachrufen, es zurückholen, ihm sagen, sein Vater würde nicht hingerichtet. Statt dessen ging ich in meine Gemächer und betete wie immer in Augenblicken tiefen Kummers. Ich fand wenig Trost.

Als ich später über den Vorfall nachdachte, regte sich in mir die Vermutung, jemand hätte das Kind veranlaßt, dort zu warten, wo ich vorübergehen würde, und hätte ihm auch die Worte, die es zu mir sagte, eingegeben, da man von mir wußte, daß ich nicht so hart wie William war. Wie wünschte ich mir, ich hätte diesen Männern ihre Freiheit schenken können, aber es stand nicht in meiner Macht, die Gesetze zu ändern.

Wie erleichtert war ich, als Lord Preston die Namen seiner Mitverschwörer preisgab – keine edle Tat, doch rettete sie ihm das Leben und erleichterte bis zu einem gewissen Grad mein Gewissen.

Aus Holland kamen schlechte Nachrichten. Die Franzosen errangen Sieg um Sieg. Und zu Hause wuchs die Unzufriedenheit immer mehr. Man wollte von Siegen hören und nicht von Niederlagen. Waren die Nachrichten schlecht, dann fragten sich die Menschen sofort, warum sie einen unzulänglichen Herrscher gegen den anderen ausgetauscht hatten.

Man dachte an die gute alte Zeit unter Charles. Wie hatte er es geschafft? fragte ich mich oft. Ich dachte an die Art und Weise, wie er Schwierigkeiten abgewendet hatte. Mit seiner Aufrichtigkeit war es nicht weit her gewesen, doch hatte er immer die Gunst des Volkes besessen, und darin bestand die Kunst des Regierens.

In der Staatskasse herrschte wegen des Krieges seit geraumer Zeit Leere, so daß fällige Zahlungen vorübergehend ausgesetzt wurden, Grund für einige Seemannsfrauen aus Wapping, ihrem Unmut Luft zu machen und dem Parlament eine Petition vorzulegen.

Dieser Zustand durfte nicht mehr länger anhalten, entschied ich. Diese Schulden mußten beglichen werden, wenn nötig aus der Privatschatulle. Die Armen durften nicht leiden. Es war von größter Wichtigkeit, daß jene, die nur wenig Geld hatten, es als erste erhielten.

Als die aufgebrachten Seemannsfrauen mitten in eine Kabinettssitzung platzten, herrschte Bestürzung. Dies war eine jener Situationen, die sich rasch zu einem Aufruhr ausweiten konnten, und wenn einer entstanden war, konnten andere folgen. Die Angelegenheit mußte sofort bereinigt werden.

»Ich werde mit ihnen sprechen«, sagte ich ohne zu zögern.

»Euer Majestät...« riefen einige Minister entsetzt.

Mein Entschluß stand fest.

»Dort unten wartet ein Mob aufgebrachter Frauen«, erwiderte ich. »Geht hinunter und sagt ihnen, sie sollen vier Sprecherinnen wählen. Diese bringt zu mir.«

Mann wollte mich umstimmen. Da stand ich nun in meinen Staatsroben, die ich zu Kabinettssitzungen trug, und wollte in dieser Aufmachung die Frauen empfangen!

Ich tat ihre Proteste ab und bestand darauf, daß man die Frauen zu mir schickte.

Sie kamen in angriffslustiger Stimmung, wütend und entschlossen, ihre Rechte einzufordern. Mein Anblick, prächtig gekleidet und dank meiner Fülle von wahrhaft königlichem Format, wirkte auf sie einschüchternd. Daß der Kontrast, den sie in ihren armseligen geflickten Kleidern boten, nicht dazu angetan war, sie friedlich zu stimmen, war zu erwarten.

Es heißt, daß ich eine leise und sanfte Stimme besitze, und als ich zu sprechen anfing und ihnen sagte, es täte mir leid, daß ihre Ehemänner kein Geld bekommen hätten, und daß es ihr gutes Recht wäre, sich an mich zu wenden, sah ich, daß ihre Mienen sich veränderten.

»Berichtet mir mehr«, fuhr ich fort.

Ihre Überraschung hätte nicht größer sein können. Sanfte Worte hatten sie nicht erwartet.

Eine der Frauen, kühner als die übrigen, trat vor. Sie schilderte das Elend, das sie erduldet hatten, und klagte, wie schwer es war, mit dem Geld auszukommen. Wenn dann aber für treue Dienste kein Lohn mehr bezahlt wurde, dann wurde das Los unerträglich. Deshalb waren sie gekommen, um den Sold einzufordern.

Ich gab ihnen recht, daß die Sache sofort bereinigt werden müsse. Sie sollten bekommen, was ihnen zustand. Ich würde dafür sorgen, daß es geschähe.

Sie zögerten. Man hatte ihnen die Bezahlung geleisteter Arbeit nur versprochen. Sie wollten Taten sehen, denn Versprechungen wurden vielleicht nicht eingehalten.

»Ihr dürft mir glauben«, sagte ich. »Ich werde dafür sorgen, daß euch das Geld unverzüglich ausbezahlt wird.«

Plötzlich wurde mir klar, daß ich das Vertrauen dieser Frauen gewonnen hatte. Sie glaubten mir. In mir mischten sich Rührung und Befriedigung, als die Sprecherin sich auf die Knie fallen ließ und sagte: »Ich glaube Euch. Ihr seid eine gute Frau.«

Da knieten auch die anderen nieder.

»Gott segne Eure Majestät«, sagten sie.

Ich ging zurück in die Kabinettssitzung, zurück zu den entsetzt dreinblickenden Ministern, die bereitgestanden hatten, um mir zu Hilfe zu eilen, falls ich angegriffen würde. Wie erstaunt waren sie, als ich sagte: »Was wir den Seemannsfrauen schulden, muß sofort bezahlt werden. Ich habe es versprochen, und ich halte mein Versprechen.«

Meine Anordnungen wurden sofort ausgeführt, und ich glaube, daß mein Vorgehen eine Gefahr abgewendet hatte.

Danach stieg meine Beliebtheit. Leider war damit William nicht geholfen.

Die Londoner drücken sich gern in Versen aus, und wenn jemand einen Spottvers schreibt – meist anonym und alles andere als schmeichelhaft –, findet man eine Melodie dazu und singt ihn in den Straßen.

Das Volk sah in William den Herrscher, während ich, obschon die eigentliche Thronerbin, als zurückgezogen lebende, mit Handarbeiten beschäftigte Frau galt. Das hatte sich geändert. In Williams Abwesenheit war ich in den Vordergrund getreten und hatte die Herzen der Seemannsfrauen gewonnen.

Das Couplet, das man nun überall hörte, ging so:

Weh uns, daß wir zum Kommandanten
wählten keinen andern.
Er sollte sich trollen,
und sie sollte nach Flandern.

Ich war froh, daß William nicht in England war und sich das nicht anhören mußte; ich hoffte sehr, man würde andere Verse singen, wenn er zurückkehrte.

Da Williams Weigerung, Prinz Georg ein Kommando auf See zu bewilligen, nicht diskret weitergegeben worden war, mußte Georg offiziell von Lord Nottingham davon unterrichtet werden.

Ich konnte mir Annes Wut vorstellen, und Georg... nun, er würde ein wenig enttäuscht sein. Ich konnte mir vorstellen, wie er mit nach oben verdrehten Augen murmelte: ›*Est-il possible?*‹ Natürlich würden sie William die Schuld geben, und Sarah würde alles tun, um die Wut zu schüren.

Es war anzunehmen, daß Anne und Sarah die Sache ausgiebig erörterten. Caliban war das Scheusal, das die Verdienste Marlboroughs nicht anerkennen wollte und nun so tat, als sei Georg ein Nichts – und dabei war er doch der Vater des männlichen Thronerben.

William kehrte nach England zurück. Der Krieg auf dem Kontinent war seine Hauptsorge gewesen, nachdem James nach Frankreich vertrieben worden war. Dafür waren die Engländer mit Kriegssteuern belegt worden, und jetzt gab es keine Erfolge zu vermelden.

Es war klar, daß sie mit ihrem König nicht zufrieden waren. Ich vermutete, daß im Cockpit darüber ein gewisser Grad an Genugtuung herrschte.

Mein Kummer über die Disharmonie zwischen meiner Schwester und mir wurde durch meinen kleinen Neffen ein wenig gemildert. Ich besuchte ihn gern und ließ ihn oft nach Kensington bringen. Er genoß diese Besuche und sah im Park gern den Soldaten zu, auf die er aufgeregt deutete und rief: »Soldaten, Königin, sieh doch!«

Ich gab ihm Spielzeugsoldaten, die ihm Freude machten, sich aber nicht mit den echten Soldaten messen konnten, die marschierten und salutierten.

Solange Sarah das Haus beherrschte, würde es zwischen Anne und mir nie Harmonie geben. Sarah aber besaß zwei Feindinnen, die sie dank der besonderen Umstände nicht einfach loswerden konnte.

Die erste war natürlich Mrs. Pack. Zwischen einer Amme und dem von ihr genährten Kind gibt es eine besondere Beziehung, und auf William und Mrs. Pack traf dies mit Sicherheit zu. Und weil er so an ihr hing, mußte Mrs. Pack bleiben.

Bei der anderen und vielleicht gefährlicheren handelte es sich um Lady Fitzharding, Gouvernante des kleinen William und eine der Villiers-Schwestern, deren Zusammenhalt geradezu legendär war. Vorteile, die eine errang, kamen allen zugute, da sie zusammenhielten wie eh und je.

Zweifellos hielt Lady Fitzharding ihre Schwester über die Vorgänge im Cockpit auf dem laufenden, und es versteht sich von selbst, daß Elizabeth diese Informationen an William weitergab.

Lady Fitzhardings Stellung hätte für Elizabeth und meinen Mann nicht idealer sein können.

Sarah würde sehr vorsichtig taktieren, soviel stand fest, denn sie war zu gewitzt, um sich über den Ausgang nicht im klaren zu sein. Gewiß suchte sie verzweifelt nach einer Möglichkeit, Lady Fitzharding loszuwerden, ein Sieg über die Familie Villiers aber würde nicht leicht zu erringen sein, wie sie – und auch Anne – im Verlauf der Kontroverse um den Richmond-Palast hatten entdecken müssen.

William ließ mir gegenüber nichts von den Informationen verlauten, die er über Elizabeth von Lady Fitzharding erhielt, doch hatte ich meine eigene Quelle, die es mir ermöglichte, mir ein gutes Bild von den Vorgängen zu machen.

Daß Sarah die mangelnde Anerkennung der genialen Fähigkeiten ihres Mannes nicht verwunden hatte, stand für mich fest, und durch Mrs. Pack hörte ich, daß sie ständig über ›Calibans Undankbarkeit‹ und über die Behandlung Prinz Georgs Klage führte. Laut Mrs. Pack war Sarah der Meinung, Caliban sei eifersüchtig auf Anne und Marlborough.

Das war für mich nicht neu. Ich hätte Mrs. Pack sagen können, daß dies genau der Ton war, den Sarah anschlug. Ähnliches hatte ich von Anne selbst zu hören bekommen.

Mrs. Pack war mir dankbar, und ich wiederum war ihr dankbar, da ich überzeugt war, daß sie dem kleinen William das Leben gerettet hatte. Mit ihren Methoden war ich sehr einverstanden. Sie verhätschelte William nicht, obwohl er ein sehr zartes Kind war, und bestand darauf, daß er bei jedem Wetter ins Freie ging, achtete aber darauf, daß er warm angezogen war.

Ich hatte ihrem Mann Arbeit bei der Zollbehörde verschafft, und obwohl sie eigentlich in Annes Diensten stand, glaubte sie, daß ich es sei, der sie Treue schulde. Als vernünftige, praktisch veranlagte und ehrliche Frau hatte sie mit Anne wenig Geduld. Die Beziehung zwischen Anne und Sarah Churchill fand sie unbegreiflich, so daß die zwischen ihr und Sarah herrschende Antipathie nicht verwunderlich war. Sie wußte, Sarah würde alles in ihrer Macht Stehende tun, um sie zu entfernen, ebenso wie sie wußte, daß Anne sich ganz leicht hätte überreden lassen, wäre da nicht der kleine William gewesen.

Mrs. Pack suchte mich im Kensington-Palast auf, weil sie mir etwas mitzuteilen hatte, das sie für wichtig hielt.

Als ich mit ihr allein war, sagte sie: »Prinzessin Anne und die Churchills schreiben an König James.«

»Die Churchills! Das kann nicht sein!«

»Ich habe sie darüber reden gehört. Der Earl of Marlborough ist daran beteiligt. Ich hörte, wie Lady Marlborough zur Prinzessin sagte, was sie dem König schreiben sollte, nämlich, daß sie tiefe Reue empfände. Sie hätte einen großen Fehler begangen und erflehe seine Vergebung. Sie wollen, daß er zurückkehrt.«

»Mein Schwester... ihre Reue kann ich verstehen. Ich weiß, wie ihr zumute ist. Aber Marlborough...«

»Sie sind voller Groll, Euer Majestät. Sie sagen, Lord Marlborough würde nicht entsprechend gewürdigt, und die Holländer bekämen alle guten Posten. Sie wollten nicht von Holländern regiert werden. Deswegen wollen sie König James zurückholen.«

Ich wunderte mich so sehr, daß ich es zunächst nicht glauben konnte. Mrs. Pack mußte sich verhört haben. Wie konnte sie diese Dinge nur durch Horchen an der Tür erfahren? Wäre es wirklich so, dann hätte Lady Fitzharding es längst entdeckt und William würde davon wissen.

»Es sieht aus, als würden sie König James' Rückkehr planen«, fuhr Mrs. Pack fort, »obwohl sie ihn nicht als Herrscher wollen. Sie würden Prinzessin Anne auf den Thron setzen – und dann würden die Marlboroughs durch sie regieren, wie Ihr Euch denken könnt.«

Es erstaunte mich, aber die Beweggründe leuchteten mir ein. Typisch ſür die Marlboroughs.

Als Mrs. Pack gegangen war, fragte ich mich abermals, ob es plausibel war. Hatte sie richtig gehört? Ich war dessen nicht sicher.

Aber die Marlboroughs waren verstimmt, und sie hatten Anne am Gängelband. Marlborough mochte zur Einsicht gelangt sein, daß es unter William für ihn keine Hoffnung gab. Als Mann von übertriebenem Ehrgeiz würde er sich von niemandem beiseite schieben lassen, auch nicht von einem Monarchen, dem er selbst auf den Thron verholfen hatte. Mein Vater hatte ihm vertraut, und seine Niederlage war im hohen Maße Marlborough zuzuschreiben, da er, als er von ihm abfiel, einen großen Teil der Armee mit sich nahm. Mein Vater würde ihm doch gewiß nie wieder trauen?

Nein, meinen Vater wollte man nicht wieder auf dem Thron. Aber Anne... das war etwas ganz anderes. Sarah hatte Anne völlig in ihren Bann geschlagen. Ja, es war plausibel. Die beiden würden England durch Anne regieren, weil keine Aussicht bestand, dies durch James tun zu können.

Noch ehe ich William von Mrs. Packs Entdeckung etwas sagen konnte, kam er zu mir, sehr ernst, wie ich sogleich sah.

»Ich möchte, daß dieses Churchill-Weibsbild aus dem Cockpit verschwindet«, sagte er ohne Umschweife.

»Du hast also davon gehört?«

Er nickte. »Und ich möchte, daß sie unverzüglich aus Prinzessin Annes Diensten ausscheidet.«

Er schien erschrocken, und ich konnte mir nicht versagen, hinzuzufügen, daß Lady Fitzharding ihre Schwester doch gewiß davon unterrichtet hatte.

William schien ein wenig verlegen. Es war selten, daß ich so offen mit ihm sprach. Die Anerkennung der Menschen und die Tatsache, daß sie mich diese auch fühlen ließen, hatte mich kühn gemacht.

Rasch fuhr ich fort: »Mrs. Pack, die Amme, kann Lady Marlborough nicht ausstehen. Sie hat mir gesagt, was sie gehört zu haben glaubt.«

Wieder nickte er, nicht gewillt, seine Informationsquelle preiszugeben.

»Du mußt mit deiner Schwester ein ernstes Wort reden«, sagte er. »Sag ihr, daß Lady Marlborough aus ihren Diensten ausscheiden muß.«

»Und Marlborough?«

»Den werde ich mir vornehmen.«

»Glaubst du, er steht mit meinem Vater in Verbindung?«

»Ja.«

»Mein Vater würde doch Marlborough nicht mehr vertrauen.«

»Wenn er es täte, wäre er ein Narr, aber er hat sich ja schon genug Narrheiten geleistet. Doch in diesem Fall glaube ich, daß er den Plan, der vorsieht, daß Anne auf den Thron gelangt, durchschauen würde.«

»Das Volk liebt sie und den kleinen William«, sagte ich.

»Mir scheint aber, daß auch du nicht unbeliebt bist.«

Ich wünschte, ich hätte dasselbe von ihm sagen können, doch ich konnte es nicht. Ich schwieg eine Weile still, ehe ich sagte: »Ich kann mir nicht vorstellen, daß sie auf mich hören wird.«

»Du bist die Königin«, sagte er darauf.

»Sie wird Sarah Churchill nie aufgeben.«

»Dann muß man sie dazu zwingen. Aber erkläre ihr erst alles. Sprich mit ihr. Du bist ihre Schwester.«

»Das wird nichts nützen.«

»Versuch es.«

Es war wie ein Befehl.

Es war einige Zeit vergangen, seit ich im Cockpit gewesen war. Und wenn ich hinging, dann war es meist, um den kleinen William zu besuchen.

Anne empfing mich einigermaßen erstaunt.

»Welch Ehre, Euer Majestät«, sagte sie mit gespielter Ehrerbietung. »Welchem Umstand verdanke ich sie?«

»Ich hoffe, du bist wohlauf«, sagte ich.

»So wie du wohlauf bist, Schwester.«

Sie lehnte sich in ihrem Sessel zurück. Immer wenn ich sie sah, hatte ich den Eindruck, sie sei noch korpulenter geworden. Das gleiche mochte auch auf mich zutreffen, aber neben Anne kam ich mir fast schlank vor.

»Ich bin gekommen, um mit dir über eine sehr wichtige Angelegenheit zu sprechen«, sagte ich.

»Das hätte ich mir denken können. Du kommst in letzter Zeit sehr selten.«

»Und der liebe kleine William?«

Annes Miene wurde weich. »Er ist entzückend. Heute morgen hat er im Park den Soldaten zugesehen. Wenn sie vorübermarschieren, salutiert er, und sie salutieren vor ihm. Er jauchzte vor Freude, und du hättest hören sollen, wie die Menschen jubelten.«

»Er ist sehr gescheit«, meinte ich darauf. Wie gern hätte ich weiter über unseren drolligen kleinen Liebling geplaudert. »Ich bin gekommen, um mit dir über Lady Marlborough zu sprechen«, sagte ich statt dessen.

Anne schien ein wenig erschrocken – nicht beunruhigt, aber wachsam und nicht mehr so friedlich.

»Ich hielte es für besser, wenn sie aus deinen Diensten ausscheidet.«

»Aus meinen Diensten ausscheiden? Sarah? Sarah war immer schon bei mir, ganz von Anfang an. Du weißt sicher noch, wie wir damals in Richmond zueinander standen… als wir noch klein waren.«

»Ja, ich weiß es, aber mir scheint, es wäre besser, wenn du nun ohne ihre Dienste auskämest.«

»Warum?«

Ich konnte ihr nicht sagen, was aufgedeckt worden war. Damit mußte ich warten, bis William sich Marlborough vorgenommen hatte. Dann würde Anne es begreifen. Vielleicht hätte ich mit meiner Aussprache überhaupt warten sollen.

»Ich bin der Meinung, daß ich am besten beurteilen kann, wer meiner Haushaltung angehören soll oder nicht«, sagte Anne darauf kühl.

»Du läßt zu, daß sie dich gängelt. Sie ist hier die Herrin… nicht du.«

»Sie vergißt nie, daß ich die Prinzessin bin.«

»Mrs. Morley und Mrs. Freeman«, rief ich ihr ins Gedächtnis.

»Wir hatten immer eine Vorliebe für Namen. Und wie war das damals mit dir und Frances Apsley?«

»Wir waren jung. Das hier ist etwas anderes. Denk an deinen Rang.«

»Mein Rang sagt mir, daß ich über mein Haus selbst zu bestimmen habe.«

»Es ist nicht zu übersehen, daß diese Frau dich völlig beherrscht. Sie ist so anmaßend, wie ich es noch nie erlebt habe, und benimmt sich, als sei sie die Herrin.«

»Ach, herrje«, sagte Anne, »du regst mich auf. In meinem Zustand…«

Sie ließ den Satz unvollendet, nicht ohne mich wachsam im Auge zu behalten. Natürlich war sie wieder *enceinte.* Wann war sie es denn nicht?

»Die Ärzte sagen, daß ich Aufregungen meiden soll«, äußerte sie nun wehleidig. »Ich soll mehr ruhen.«

»Mehr ruhen? Wie wäre das möglich? Du gibst dich ständig der Ruhe hin. Damit du mehr ruhen kannst, müßte der Tag für dich mehr Stunden haben.«

Nach ihrem Fächer greifend, fächelte sie sich matt Kühlung zu.

»O Gott«, ließ sie sich leise vernehmen.

Ich war der Meinung, daß sie nur schauspielerte, aber sicher konnte ich nicht sein, und da das einzige Ergebnis ihrer zahlreichen Versuche, Nachkommenschaft zu bekommen, bislang der kleine William war, wagte ich nicht, sie in Aufregung zu versetzen.

»Laß es dir durch den Kopf gehen«, sagte ich abschließend zu ihr.

»Das ist nicht nötig. Sarah ist meine beste Freundin. Ich kann doch nicht meine beste Freundin aufgeben.«

»Du hast andere gute Freunde. William und ich waren dir immer sehr freundschaftlich gesinnt.«

»Aber meine Busenfreundin war immer Sarah.«

»Du bist undankbar.«

Mich traf ein kalter Blick. »Wir beide könnten der Undankbarkeit geziehen werden… von einem gewissen Jemand.«

Sie hatte ein frommes Gesicht aufgesetzt. Jetzt war ich sicher, daß sie an unseren Vater geschrieben hatte. Ich fragte mich, ob sie von dem großartigen Plan wußte, sie auf den Thron zu setzen.

Wenn ja, beunruhigte er sie nicht. Sie würde immer in ihrem Sessel ruhen, Süßigkeiten naschen und die ganze Macht den Marlboroughs überlassen.

Sie mußte mir meine Hoffnungslosigkeit vom Gesicht abgelesen haben, denn sie sagte: »Ich werde Sarah nie aufgeben.«

Es gab nichts, was ich in der Sache noch tun konnte.

Ich empfahl mich und fuhr zurück nach Kensington.

Als Marlborough am nächsten Tag erschien, um seinen Verpflichtungen als Kammerherr nachzukommen, zog Lord Nottingham ihn beiseite und eröffnete ihm, daß man seiner Dienste bei Hofe nicht mehr bedürfe.

In der Hauptstadt herrschte Bestürzung. Der große Marlborough bei Hofe entlassen, seiner Ämter entkleidet! Was hatte dies zu bedeuten?

Die am weitesten verbreitete Theorie besagte, daß er sich des Betruges schuldig gemacht hätte. Es wurde gemunkelt, daß es mit seinen Skrupeln nicht weit her war, und seine Liebe zum Geld – und zur Macht – waren wohlbekannt.

Was man wohl gesagt hätte, wenn ruchbar geworden wäre, daß er verdächtigt wurde, gegen uns konspiriert zu haben und mit meinem Vater in Verbindung zu stehen.

Das alles war so bedrückend. Ich war voller Sorgen, war es, seitdem ich Königin geworden war.

Vor allem um William war ich in Sorge. Wenn er es nur geschafft hätte, die Sympathie der Menschen zu gewinnen! Mein Onkel hatte über die Eigenschaft im Übermaß verfügt, mein Vater bis zu einem gewissen Grad. Wenn *er* nur nicht Katholik geworden wäre... ich war wieder beim alten Thema.

Die Sache mit Glencoe war noch nicht vergessen, und man gab William die Schuld daran. William hatte zweifellos fahrlässig gehandelt, da er damals mit gewichtigeren Angelegenheiten beschäftigt war. Tatsache war, daß er den Befehl in aller Eile unterzeichnet hatte, ohne sich im klaren darüber zu sein, welche Wirkung dies zeitigen würde. Und nun war man nur allzu bereit, ihm die Schuld zu geben.

Der Bürgerkrieg in Schottland war auch nach dem Tod von John Graham of Claverhouse weitergegangen, des Viscount Dundee, der bei seinen Bewunderern als Bonnie Dundei bekannt war. Vor einigen Monaten nun war ein Erlaß ergangen, daß all jene begnadigt würden, die bis Ende des Jahres eine eidesstattliche Erklärung unterschrieben, in Frieden unter der Regierung leben zu wollen. MacIan of Glencoe, Oberhaupt des Clans der MacDonalds, begab sich nach Fort William, um den schriftlichen Eid zu leisten, traf dort aber keinen Beamten an und zog weiter nach Inverary. Es war eine lange Fahrt über verschneite Straßen, so daß er erst am sechsten Januar ankam. Und ehe er den Eid unterschreiben konnte, ließen die Campbells, geschworene Feinde der MacDonalds, die sich die Tatsache zunutze machten, daß die eidesstattliche Erklärung noch nicht unterzeichnet war, William wissen, daß es nur recht und billig wäre, dieses ›Diebespack‹ unschädlich zu machen, das sich dem Gesetz nicht unterstellen wollte. William, der von den Gründen für die Verzögerung der Eidesleistung nichts ahnte, war einverstanden und gab die Erlaubnis zum Massaker von Glencoe.

Als dies durch diejenigen, die entkommen und davon berichten konnten, bekannt wurde, gab man William ebensoviel Schuld wie den blutrünstigen Campbells, den eigentlichen Schuldigen. Doch die Menschen ergriffen jede Gelegenheit, etwas gegen den unbeliebten König vorzubringen.

Aber der Marlborough-Skandal war das Thema, das nun die öffentliche Aufmerksamkeit gefangenhielt, und es gab Skrupellose, die aus der Affäre Nutzen zu ziehen versuchten. Ich wußte noch, wie Königin Catherine durch das von Titus Oates angeblich aufgedeckte Papistenkomplott gelitten hatte, und daß Oates damit zu Vermögen gekommen war. Gewiß, er hatte es wieder verloren, aber Menschen, die solche Pläne ausklügeln, halten sich für klüger, als sie sind, und glauben, aus den Erfahrungen ihrer Vorgänger Nutzen zu ziehen.

Nun redete alle Welt von einem Mann mit Namen Robert Young, der eine Verschwörung aufgedeckt hätte. Es hätte ein Komplott gegeben, König und Königin zu töten und James wieder auf den Thron zu setzen, behauptete er. Führende Männer des Landes seien daran beteiligt. Er wüßte von einem bestimmten, von allen unterzeichneten Schriftstück, das im Haus eines der Verschwörer versteckt worden sei – bei Thomas Sprat, Bischof von Rochester.

Bei einer Durchsuchung würde man das belastende Schriftstück in einem Blumentopf versteckt finden – da Gärtnerei zu den Liebhabereien des Bischofs gehörte, war dies nicht so unwahrscheinlich, wie es sich anhörte.

Obschon alles sehr unglaublich war, mußte man einer

solchen Anschuldigung nachgehen und leitete deshalb eine Untersuchung ein.

Zum Erstaunen aller wurde das von Young beschriebene Dokument zusammengerollt in einem Blumentopf aufgefunden. Wie Young gesagt hatte, beinhaltete es die Absichtserklärung, William und mich zu ermorden und meinen Vater zurückzuholen. Unterzeichnet war es von einer Reihe sehr bekannter Persönlichkeiten – unter ihnen Sprat selbst, sowie Lord Salisbury, der Erzbischof von Canterbury, Lord Cornbury und Marlborough.

Hätte William nicht auf eine Gelegenheit gewartet, Marlborough festnehmen zu lassen, man hätte sich über den Wahrheitsgehalt der Verschwörung nicht viel Gedanken gemacht, so aber nutzte William die Chance.

Marlborough kam in den Tower.

Ich konnte mir vorstellen, daß die Wogen im Cockpit hochschlugen. Sarah würde außer sich sein, und Anne würde ihre Wut und ihren Kummer teilen.

William erklärte, Anne könne Lady Marlborough nicht länger in ihrem Haus behalten, diese müsse das Cockpit unverzüglich verlassen.

Ich schrieb an Anne und sagte ihr, daß sie Sarah fortschicken müsse. Es zieme sich nicht, daß die Frau eines im Tower Eingekerkerten in ihren Diensten stünde.

Anne erwiderte mir brieflich: »Euer Majestät müßte wissen, wie nahe mir Lady Marlborough steht, ebenso wie Ihr wissen müßt, daß der Befehl, mich von ihr zu trennen, für mich das Schlimmste auf der Welt darstellt und mich so tief träfe, daß ich gehofft hatte, Eure mir immer erwiesene Güte würde dies verhindern. Für mich gibt es keinen größeren Kummer, als mich von Lady Marlborough trennen zu müssen.«

Ich war außer mir, als ich das las. Wenn Lady Marlborough das Cockpit nicht verließ, dann konnte Anne auch nicht bleiben, und meine Aufgabe war es, ihr zu sagen, sie möge gehen – ganz so, wie William es vorausgesagt hatte.

Anne traf alle Vorbereitungen zum Verlassen des Hauses, und zum Glück bot ihr die Duchess of Somerset an, ihr Sion House zu überlassen.

Damals wohnte der kleine William in Kensington, für mich eine große Freude, aber Anne ordnete an, ihr Sohn müsse Kensington sofort verlassen und sie nach Sion House begleiten. Ich war verzweifelt, und William wütend. Er sandte eine Nachricht nach Sion House, und verlangte, Lady Marlborough möge auf der Stelle ausziehen.

Nun kam Annes Eigensinn ins Spiel. Sie würde Sarah *nicht* aufgeben. William schwankte. Was konnte er tun? Sollte er Gardisten nach Sion House entsenden? Sollte er Sarah mit Gewalt entfernen lassen? Wie würde Anne darauf reagieren? Wir alle kannten ihren Eigensinn und fragten uns, zu welch irrwitzigen Vorgehen sie mit Sarah an ihrer Seite imstande sein würde.

Das Volk liebte Anne. Und es liebte auch den kleinen Duke of Gloucester. Arme Anne, würde es heißen. Sie darf sich nicht einmal diejenigen aussuchen, die sie in ihren Diensten haben möchte. Der Holländer bestimmt sogar über ihr Gefolge. Das konnte in eine gefährliche Situation ausarten.

Deshalb ließen wir alles auf sich beruhen, und Sarah blieb auch in Sion House bei Anne.

## Die Prophezeiung

Das Geheimnis der Blumentopf-Komplott genannten Verschwörung konnte relativ mühelos gelüftet werden. Es zeigte sich, daß das Komplott lächerlich und einer Farce noch ähnlicher war als das Papisten-Komplott von Titus Oates.

Robert Young, der Anstifter, hatte sich den berühmten Oates zum Vorbild genommen. Alles hatte angefangen, als er sich wegen Bigamie im Newgat-Gefängnis befand. Er gab sich als Geistlicher aus und besaß auch Dokumente, um es zu beweisen, doch bereitete es Robert Young keine Mühe, Dokumente zu beschaffen, um alles mögliche zu beweisen, da er ein Meisterfälscher war.

So war es für ihn nicht weiter schwierig, belastendes Material gegen einige der wichtigsten Persönlichkeiten des Landes zu fabrizieren, gegen Personen, denen nachgesagt wurde, William feindselig gegenüberzustehen. Für Young war es ein leichtes, sich die Unterschriften dieser Männer zu verschaffen, sie zu studieren, sie sich einzuprägen und dann Kopien herzustellen.

Die Fälschung stellte also kein Problem dar, doch mußte das Dokument gefunden werden, ehe es seine Wirkung tun konnte.

Robert Young hatte einen Mitgefangenen, Stephen Blackhead, ein Mann, der mit der Obrigkeit eine Rechnung zu begleichen hatte. Als er am Pranger hatte stehen müssen, war ihm so übel mitgespielt worden, daß er dabei ein Ohr verlor. Kein Wunder, daß er nach Rache lechzte – an jemandem, der reich und bedeutend war, an jemandem, der alles besaß, während er, der arme Blackhead, ein Habenichts war.

Young wußte, daß Blackhead ein Einfaltspinsel war, aber einen anderen Komplizen hatte er nicht zur Hand. Außerdem hatte Blackhead seine Strafe abgesessen und befand sich in Freiheit. Er konnte also für Robert Young tätig werden, der ihm für seine Mühe eine Belohnung versprach, wie sie der Ärmste noch nie zuvor bekommen hatte.

Es war ganz einfach. Blackhead sollte nur einen Brief im Haus des Bischofs von Rochester in Bromley abgeben. Er hätte Anweisung, den Brief nur dem Bischof persönlich zu übergeben, sollte er sagen. Young wollte ihm zusätzlich ein Schriftstück mitgeben, eines, das er versteckt halten mußte und niemandem zeigen durfte. Befolgte er die Anweisungen nicht, dann gab es für ihn kein Geld – dafür um so mehr Ärger. Alles hing davon ab, daß er genau das tat, was Robert Young ihm eintrichterte.

Nach seinem Eintreffen würde er in einem Empfangssalon geführt werden und dort sollte er sich umsehen. Da der Bischof als Pflanzenliebhaber bekannt war, konnte man davon ausgehen, daß im ganzen Haus zahlreiche Topfpflanzen verteilt standen.

Blackhead mußte nun eine Möglichkeit finden, das Schriftstück in einen Blumentopf gleiten zu lassen und dafür zu sorgen, daß es gut versteckt war. Anschließend sollte er dem Bischof den Brief aushändigen und das Haus verlassen.

Blackhead war kein großes Licht, aber er brauchte das Geld dringend, außerdem hatte Robert Young angedeutet, daß diese Tat Schmach über sehr hochgestellte Personen bringen würde – und das war in seinem Sinn.

Sonderbar genug, aber bis zu einem gewissen Punkt glückte alles. Der Brief an den Bischof – natürlich von Youngs Expertenhand geschrieben und angeblich von einem nicht existierenden Diakon einer fernen Pfarrei verfaßt – erfüllte seinen Zweck, denn der Bischof bekam viele solcher Briefe, von denen die meisten nicht beantwortet wurden. Und da man ihn in einem Raum mit vielen Blumentöpfen warten ließ, fiel es Blackhead nicht schwer, das als Beweis gedachte Schriftstück loszuwerden.

Als Young erfuhr, daß das Papier im Haus des Bischofs ein Versteck gefunden hatte, war für ihn die Zeit zum Handeln gekommen.

Er verbreitete nun, er hätte Kenntnis von einer Verschwörung gegen das Leben des Königspaares, deren Ziel es sei, James wieder auf den Thron zu bringen. Weiter behauptete er, im Haus des Bischofs von Rochester, der am Komplott beteiligt sei, würde man ein belastendes, von allen Verschwörern unterzeichnetes Dokument finden.

Als sich bei einer Durchsuchung des Hauses nichts fand, sagte Robert Young, er sei ganz sicher, daß das Schriftstück sich im Haus befände, worauf man ihm erlaubte, sich an der Suche zu beteiligen. Er wußte natürlich genau, in welchen Blumentopf Blackhead das Dokument gesteckt hatte.

Nun war Vorsicht angebracht, aber Young hatte sich seines Fingerspitzengefühls immer gerühmt. Da es unklug gewesen wäre, wenn er selbst das Dokument gefunden hätte, überließ er dies einem anderen und begnügte sich damit, die Aufmerksamkeit auf die um den Blumentopf verstreute Erde zu lenken.

Und tatsächlich, da war es denn auch.

Als Folge davon wurden die Unterzeichner des Dokumentes – Marlborough eingeschlossen – in den Tower gebracht.

Daß Anne Sarah weiterhin bei sich behielt, war nun so gut wie ausgeschlossen. Wurde Marlborough des Hochverrats angeklagt, dann waren Sarahs Tage bei Anne gezählt.

Von Anne kam ein Brief.

Die traurige Nachricht von ihrer Entbindung hatte ich schon gehört, und ich hatte einen Besuch bei ihr erwogen. Das Töchterchen, dem sie das Leben geschenkt hatte, war, wie schon einige Neugeborene vor ihm, wenige Stunden nach der Geburt gestorben.

Mein Mitgefühl war so groß, daß mir ganz elend zumute war. Wie traurig das alles war! Sogar in Holland war ich glücklicher gewesen.

William sagte, wir sollten jede Verbindung zu Anne abbrechen, solange diese Lady Marlborough nicht entlassen hätte, doch in einer Zeit wie dieser mußte ich sie einfach besuchen.

Sie hütete das Bett und war über mein Kommen sichtlich erfreut.

»Es tut mir leid«, sagte ich.

Sie lächelte matt. »Ich hatte es befürchtet. Es ist immer wieder das gleiche.«

»Du hast den lieben kleinen William.«

»Meinen Schatz! Aber ich bange um ihn und lasse ihn keinen Moment aus den Augen.«

»Er wird weiterhin gedeihen. Es sind so viele um ihn bemüht. Denke an die gute Mrs. Pack.«

Anne machte ein verdrossenes Gesicht, so daß ich vermutete, daß Sarah sie bestürmte, die Frau zu entlassen.

»Ich habe den ersten Schritt getan, indem ich dich besuche«, gab ich ihr zu bedenken. »Unsere Zwistigkeiten mißfallen mir. Es sollte sie nicht geben. Und es gäbe sie nicht, wäre da nicht Lady Marlborough. Sie muß jetzt gehen.«

»Die Anschuldigungen gegen Lord Marlborough sind falsch.«

»Wer sagt das? Lady Marlborough etwa?«

Sie gab keine Antwort.

»Den nächsten Schritt mußt du tun«, beharrte ich. »Du mußt Lady Marlborough entlassen.«

»Ich habe dir in meinem Leben nur in einem Punkt den Gehorsam verweigert, und ich glaube, dies wird dir mit der Zeit ebenso vernünftig erscheinen wie mir.«

»Du willst damit sagen, daß du Lady Marlborough trotz allem nicht fortschicken wirst?«

»Genau das will ich damit sagen«, antwortete Anne,

um deren Mund sich der mir vertraute eigensinnige Ausdruck legte.

Ich ging, zutiefst bekümmert.

William war außer sich, weil ich sie besucht hatte, mehr aber noch, weil ich sie nicht hatte umstimmen können.

Kurz danach wurde Annes Garde fortgeschickt, und sie zog von Sion House nach Berkeley House um. Sarah blieb weiterhin bei ihr.

Als Robert Youngs Dokumente von Experten untersucht wurden, entpuppten die Unterschriften sich als Fälschungen. Marlborough und seine Mitgefangenen wurden aus dem Tower entlassen.

William aber verdächtigte ihn auch weiterhin des Verrates.

Mrs. Pack war auf eigenen Wunsch aus Annes Diensten ausgeschieden. Lady Derby, eine meiner Vertrauten, berichtete mir, was sich zugetragen hatte.

»Euer Majestät, es scheint, daß Lady Marlborough Mrs. Pack ertappte, als diese die Briefe der Prinzessin las«, sagte sie. »Mrs. Pack hat dies auch gar nicht geleugnet. Sie sagte, es sei ihre Pflicht, sich zu vergewissern, daß die Königin nicht von Verrätern umgeben sei.«

»Sie war mir immer eine treue Dienerin«, erwiderte ich befriedigt. »Was geschah dann?«

»Lady Marlborough ging direkt zur Prinzessin.«

»Im Triumph, selbstverständlich.«

Lady Derby lächelte zustimmend.

»Die Prinzessin war außer sich. Natürlich mußte sie an den kleinen Herzog denken. Er hängt an Mrs. Pack, und ihm zuliebe hat Lady Marlborough die ganze Zeit über diese Frau ertragen. Die Prinzessin war sehr unglücklich, da das heimliche Lesen der Briefe ein ernstes Vergehen war. Mrs. Pack bat dann selbst um eine Audienz, und ehe die Prinzessin auch nur ein Wort äußern konnte – Euer Majestät kennen ja Mrs. Packs Art –, sagte sie, sie könne nicht länger in den Diensten der Prinzessin bleiben.«

»Die Prinzessin muß sehr erleichtert gewesen sein«, sagte ich. »Ich nehme an, Mrs. Pack war klar, daß sie nicht bleiben konnte, nachdem entdeckt worden war, was sie getan hatte.«

»Gut möglich, daß sie glaubte, sie sei nicht mehr von Nutzen. Aber dabei durfte man den kleinen Herzog nicht vergessen. Mrs. Pack begründete ihren Entschluß damit, daß es um ihre Gesundheit nicht zum Besten stünde, und könnte mir denken, daß es stimmt, da sie nie eine Lüge äußern würde. Sie bestand jedenfalls darauf zu gehen. Lady Marlborough ist entzückt, und die Prinzessin freut sich, daß sie ihrer Freundin endlich den Gefallen tun konnte.«

»Und was ist mit dem kleinen William?«

»Er hat sich sonderbar still verhalten und nicht wie erwartet heftig protestiert.«

»Er ist ein sonderbares Kind – so ungewöhnlich. Einem Kind wie ihm bin ich noch nie begegnet. Zuweilen kommt es mir vor, er sei weit über seine Jahre hinaus weise.«

Das Kind hatte etwas Merkwürdiges an sich. Manchmal sprach er wie ein junger Mann, und Sekunden später war er wieder ganz Kind.

Nach dem Abgang von Mrs. Pack war er betrübt, aber er hatte nicht geweint und schien sich damit zufriedenzugeben, daß sie sich aus gesundheitlichen Gründen nach Deptford zurückziehen müsse.

»Es geht ihr nicht gut«, soll er gesagt haben. »Ich möchte nicht, daß sie erkrankt.«

In seiner erwachsenen Art schickte er Tag für Tag jemanden nach Deptford, um sich nach ihrem Befinden zu erkundigen.

An seinem täglichen Leben änderte sich nicht viel, seine geliebten Soldatenspiele nahmen nach wie vor den größten Raum ein. Er hatte ein paar Buben um sich geschart, ein, zwei Jahre älter als er, die er ›seine Männer‹ nannte. Seine Mutter, die ihm jeden Wunsch erfüllte, ließ sie mit Miniatur-Uniformen ausstatten, und William exerzierte mit ihnen im Park. Die Leute kamen und sahen zu, da die kleinen Soldaten zu einer beliebten Attraktion geworden waren.

William befehligte seine Truppe – ein kleiner Junge von etwa vier Jahren, der wie ein General herumkommandierte und seine Spielgefährten nach seinem Gutdünken marschieren ließ.

Ich hatte immer schon gespürt, daß etwas Sonderbares um ihn war.

Sein Kopf war länglich, und sein Blick altklug. Anne erzählte mir stolz, seine Hutgröße sei die eines Erwachsenen. Sein Gesicht war oval, die Haare, zweifellos ein Erbe seines Vaters, ganz hell, sein Teint strahlend rosig und weiß. Sein wohlgeformter Körper schien kräftig, obwohl er mit gewissen Bewegungen Schwierigkeiten hatte. Er benötigte immer ein Geländer, wenn er treppauf ging, und man mußte ihm beim Aufstehen helfen, wenn er auf einem niedrigen Hocker saß. Dazu kam, daß er gewisse Bemerkungen immer mit großer Ernsthaftigkeit vorbrachte, einem Erwachsenen ähnlicher als einem Kind.

Die Geschichte, die man mir nach einiger Zeit von ihm berichtete, erschütterte mich, setzte mich aber nicht in Erstaunen.

Lady Derby sagte, bei Hof sei sie in aller Munde.

»Es ist so sonderbar, Majestät. Aber… wie kann er es gewußt haben?«

Ich wartete auf die Erklärung, und Lady Scarborough, die ebenfalls erschienen war, sagte: »Euer Majestät wissen, wie lieb er Mrs. Pack hatte.«

»Das weiß ich allerdings.«

»Alles wunderte sich, wie gelassen er ihren Abschied nahm. Die Prinzessin hatte erwartet, er würde Mrs. Pack nicht gehen lassen, und in diesem Fall hätte sie bleiben müssen.«

Lady Derby warf ein: »Aber er schickte täglich jemanden hin, der sich nach ihrem Befinden erkundigen mußte.«

»Ja, das hörte ich.«

»Und das ist nun das Merkwürdigste, Majestät. Als der Bote vor zwei Tagen wie immer gehen und nach ihrem Befinden fragen wollte, sagte der Herzog, das sei nicht nötig. Mrs. Wanner – Majestät erinnern sich vielleicht an sie, sie gehört zur Hofhaltung – fragte ihn nach dem Grund. Da blickte er an ihr vorüber, als starre er ins Nichts, und sagte: ›Es ist nicht mehr nötig. Sie wird tot sein, ehe der Bote ankommt.‹«

»Wie merkwürdig, daß ein Kind dergleichen sagt!«

»Noch merkwürdiger, Euer Majestät, denn er hatte recht. Es stellte sich heraus, daß Mrs. Pack gestorben ist.«

»Er muß von ihrem Tod gehört haben.«

»Nein, Majestät. Es scheint so zu sein, daß sie in dem Moment starb, als er es sagte.«

»Wie kann er es gewußt haben?«

Die Antwort war Schweigen.

Ich dachte an den kleinen Jungen und Mrs. Pack. Zwischen ihnen hatte eine ganz besondere Bindung bestanden. Ich glaubte, daß er ohne sie nicht am Leben geblieben wäre.

Er war in der Tat ein sehr merkwürdiger kleiner Junge.

Schon seit Monaten fühlte ich mich nicht wohl und führte dies auf die Anspannung durch den fortwährenden Krieg zurück, auf Williams ständiges Kommen und Gehen, auf die Last größerer Verantwortung, die mir aufgebürdet und wieder abgenommen wurde. Das alles blieb auf mich nicht ohne Wirkung, so daß ich mich zuweilen alt und müde fühlte, obwohl ich erst dreißig war. Dazu kam das ständige schlechte Gewissen meinem Vater gegenüber.

Ich litt unter dauernden Angstzuständen. Immer wenn ein Bote kam, fing ich aus Angst vor schlechten Nachrichten zu zittern an. Wenn nur die Kälte zwischen mir und meiner Schwester nicht gewesen wäre! Mein größter Trost war der kleine William, der als einziger meine Lebensgeister zu heben vermochte und mich sehr oft besuchte. Seine Drolligkeit konnte mich stets aus meiner Melancholie reißen und mir ein Lächeln entlocken.

Blickte ich auf die vergangenen Monate zurück, mußte ich unweigerlich an die Leiden denken, die das Grandval-Komplott mir beschert hatte.

Grandval war ein für ein Attentat auf William gedungener französischer Offizier. Zum Glück war seine Absicht rechtzeitig entdeckt worden, und Grandval konnte von den Engländern festgenommen werden.

Beim Prozeß wurde enthüllt, daß Grandval sich mit meinem Vater und meiner Stiefmutter getroffen hatte, ehe er Paris verließ, und daß mein Vater ihm versprach, es solle ihm für den Rest seines Lebens an nichts fehlen, wenn er seinen Plan erfolgreich durchführte.

Nun... während ich frohlockte, daß William davongekommen war, überkam mich zugleich großer Kummer, weil mein Vater diesem Mordkomplott seinen Segen gegeben hatte.

Das alles machte mich lebensmüde.

Ich litt am Fieber, an schweren Erkältungen, an Augenschwäche und an Schwellungen im Gesicht. Ich sehnte mich nach einer Beendigung des Krieges auf dem Kontinent. Ich wollte, daß William nach Hause käme. Zuweilen spürte ich, wie ich in Phantastereien verfiel, und glaubte, unsere Schwierigkeiten seien bewältigt. William würde als Held heimkehren, das Volk würde ihm in den Straßen zujubeln, mein Vater würde nach England zurückkehren und erklären, da er wisse, daß er als Katholik nicht König sein könne, hätte William zu Recht seinen Platz eingenommen. Weiter phantasierte ich, William liebte *mich,* und Elizabeth Villiers hätte geheiratet und wäre fortgezogen, weit weg, und wir alle würden glücklich und in Frieden zusammen leben. Was für ein Hirngespinst! Was für ein Traum! Aber wenn die Realität schwer zu ertragen ist, können Träume sehr nützlich sein.

Die Katastrophen wollten kein Ende nehmen.

Im Juni ereignete sich eine der größten. Es handelte sich um die Expedition nach Brest, einen Überraschungsschlag, der scheiterte, da die Franzosen gewarnt wurden, ihre Verteidigungskräfte verdoppelten und die Engländer bei der Landung gebührend empfinden. General Tollemache wurde tödlich verwundet, vierhundert Soldaten fielen.

Es war ein verheerender Schlag. Doch das Erschreckendste an der Sache war, daß die Franzosen gewarnt worden waren. Der Verdacht richtete sich sofort gegen eine bestimmte Person. Lady Tyrconnel, Sarah Churchills Schwester, befand sich mit meinem Vater und dessen Frau in Frankreich. Allem Anschein nach hatte Sarah ihr geschrieben und von den in London getroffenen Vorbereitungen für den Angriff in Brest berichtet.

Das war Verrat, und für mich stand fest, wer die Niederlage herbeigeführt hatte.

Als William Marlborough dazu befragte, schwor dieser, er hätte damit nichts zu tun. Und seine Frau? Nun ja, Frauen waren schwatzhaft. Gut möglich, daß sie ihrer Schwester beiläufig berichtet hatte, daß sich allerhand täte. Dergleichen käme immer wieder vor.

Ich wußte, daß William Marlborough am liebsten wieder in den Tower geschickt und ihm den Prozeß gemacht hätte. Aber Marlborough hatte viele Freunde, und Beweise gab es nicht.

Die Situation hätte nicht schlimmer sein können. So viele Tote, so viele Katastrophen, Verrat allenthalben, und was das Schlimmste war, der Konflikt innerhalb der Familie. Meine Müdigkeit nahm zu. Daran mochte auch mein gesundheitlicher Zustand schuld gewesen sein, der sich ständig verschlechterte. Und ein Ende der Leiden war nicht abzusehen.

Denke ich an meine idyllische Jugend, dann sehe ich jetzt, daß diejenigen, die mir mein Leben lang Kummer bereiten sollten, schon damals um mich waren. Ja, merkwürdig, daß sie sozusagen einen Teil meiner Kindheit darstellten. Elizabeth Villiers und Sarah Churchill, die beide das Ihre getan hatten, um mich unglücklich zu machen.

Wie raffiniert sie waren, diese Marlboroughs. Wie konnten sie so offenkundig Verrat betreiben und dennoch davonkommen? Sie waren sehr gewitzt, und Marlborough besaß große Macht, weshalb William Vorsicht walten lassen mußte, andernfalls Marlborough längst im Tower gelandet wäre und man ihn für schuldig befunden hätte – was er zweifellos war, und seine Frau mit ihm.

Sie war eine boshafte Person, und ich war sicher, daß sie den Skandal entfacht hatte, der sich um mich und Shrewsbury rankte.

Ein Skandal, dem jede Grundlage fehlte.

Charles Talbot, Duke of Shrewsbury, etwa zwei Jahre älter als ich, sehr charmant, hochgewachsen, wohlgestaltet, galt als einer der umworbensten Kavaliere bei Hof. Er sah sehr gut aus, trotz eines Augenfehlers, der seinem Charme keinen Abbruch tat, sondern ihn noch auffallender aussehen ließ.

Seine Jugend war vom Verhalten seiner Eltern überschattet worden. Seine Mutter, damals Countess of Shrewsbury, war die Geliebte des berüchtigten Duke of Buckingham, der unter der Regierung meines Onkels Charles für einen Riesenskandal gesorgt hatte. Die Countess lebte ganz ungeniert mit Buckingham zusammen, nachdem dieser ihren Mann in einem Duell getötet hatte.

Es war einer der großen Skandale eines skandalösen Zeitalters gewesen.

Mir gefiel Shrewsbury, weil er ein guter, aufrichtiger Mensch war, der sich nicht scheute, offen seine Meinung zu sagen. Als er nach der verheerenden Niederlage von Beachy Head ohne Amt war, kam er zu mir und bot mir seine Dienste an. Im März jenes Jahres hatte er den Posten eines Staatssekretärs angenommen, und es konnte daher nicht ausbleiben, daß ich ihn in Ausübung meiner Regierungsgeschäfte oft sah.

Es gab immer viel zu besprechen, Staatsgeschäfte in erster Linie, daneben aber sprach er gern von seiner Gesundheit und war sehr an meinem Befinden interessiert. Da ich damals von allen möglichen Leiden geplagt wurde, fand ich dies sehr tröstlich.

So kam es, daß Sarah Churchill Gerüchte in Umlauf setzte, ich sei in Shrewsbury verliebt. Es sei nicht unbemerkt geblieben, daß ich erbleiche und zu zittern anfinge, wenn er in meine Nähe käme. Wenn dem so war, dann sicher nur deshalb, weil ich die Nachrichten fürchtete, deren Überbringer er war.

Es war eine höchst belanglose Angelegenheit. Doch um Personen von Rang werden sich immer falsche Gerüchte ranken, dafür sorgen schon die Feinde dieser Personen, und daß Sarah Churchill meine Feindin war, stand fest.

Natürlich war nicht durchwegs alles dunkle Kümmernis. Es gab Zeiten, da fühlte ich mich fast glücklich. Ich spürte, daß ich meiner Rolle gerecht wurde und daß meine Beliebtheit wuchs. Ich gewann sogar den Eindruck, das Volk verübelte es dem König nicht mehr, daß er so häufig abwesend war und auf dem Kontinent Schlachten ausfocht. Königin Mary war ja im Lande, eine gute Protestantin, Engländerin und zudem die rechtmäßige Herrscherin. Einen Holländer hatte ohnehin niemand als König gewollt. Wäre William anders gewesen, die Leute hätten sich mit ihm abfinden können. Nur ich wußte, welche Rolle seine Schmerzen in Rücken und Armen spielten. Dennoch – hoch zu Roß machte er eine blendende Figur, da sein kleiner Wuchs dann nicht so auffiel. Wenn er sich nur ein wenig Mühe gegeben hätte, sich gefälliger zu präsentieren, wäre alles anders gewesen, aber etwas so Frivoles und Unwichtiges zog er erst gar nicht in Betracht. Ich wußte, daß er sich im Irrtum befand.

Allmählich merkte ich, daß ich eine gute Königin hätte sein können. Ich verstand das Volk, ich hatte die Regierungsgeschäfte erfolgreich geführt, und die Menschen riefen: ›Gott segne Königin Mary, lang lebe die Königin!‹ William hingegen wurde mit Schweigen begrüßt. Wäre ich meinen Weg gegangen und hätte, selbstverständlich mit Hilfe meiner Minister, getan, was ich für das Beste hielt, das Volk hätte die Monarchie vielleicht nicht nur geduldet, sondern geliebt.

Nach dem Sieg bei La Hogue, der für meinen Vater ein vernichtender Schlag gewesen sein mußte, hatte ich dafür gesorgt, daß den Menschen deutlich vor Augen geführt wurde, was für ein großer Sieg es war.

Wir hatten so viele Niederlagen hinnehmen müssen, so viele Tiefpunkte, daß ich, als sich schließlich ein Anlaß zum Feiern ergab, entschlossen war, dies aus ganzem Herzen zu tun.

Als die Schiffe mit den siegreichen Truppen Spithead erreichten, sorgte ich dafür, daß es ein großer Tag wurde. Ich ließ 30 000 Pfund unter den gemeinen Soldaten verteilen, während die Offiziere Goldmedaillen bekamen. Sie sollten wissen, daß Treue und Tapferkeit gewürdigt wurden. William wollte ich davon überzeugen, daß das Geld für eine gute Sache ausgegeben worden war, obwohl ich sicher sein konnte, daß er mir nicht recht geben würde.

Ich organisierte Feiern in den Straßen von London und ritt, angetan mit meinen königlichen Insignien, durch die Menschenmenge.

Man ließ mich hochleben. Alles Wehklagen war vergessen.

Während Williams Abwesenheit stellte sich die Frage

nach neuen Münzen. Sie sollten unsere Köpfe – meinen und Williams – tragen.

Es gab einen ausgezeichneten Graveur namens Rotier, der unter der Regierung meines Vaters die Entwürfe für die letzten Münzen geliefert hatte, doch als man bei ihm anfragte, erklärte er, daß er für den König tätig sei, da dieser aber jenseits des Kanals weile, könnte er nicht für ihn arbeiten. Sein Sohn Norbert bot an, die Arbeit anstelle seines Vaters zu tun, und da ich Verdruß mit dem Vater voraussah, entschloß ich mich, den Sohn mit der Aufgabe zu betreuen. Wie erschrocken aber war ich, als ich das Ergebnis sah. Williams Konterfei war alles andere als schmeichelhaft ausgefallen. Er sah geradezu satanisch aus. Meine Unruhe meldete sich wieder, nicht nur wegen des Profils auf der Münze, sondern wegen der Feindseligkeit, die William entgegengebracht wurde.

Wenig später hörte ich, daß Rotier aus Angst vor Vergeltung nach Frankreich geflohen war.

William kehrte heim, und ich überließ ihm wieder die Zügel der Regierung. Trotz der Zuversicht, mit der mich meine Regierungstätigkeit erfüllte, tat ich es ohne Bedauern, da ich mich krank und erschöpft fühlte.

Ich hatte gehofft, William würde meine Arbeit loben, denn ich wußte, daß es viele gab, die mit meiner Regierung sehr zufrieden waren, doch er tat es nicht. Als ich ihm einige meiner Entscheidungen erläuterte, nickte er nur kommentarlos und erwartete, daß ich mich auf meine alte Position als Gemahlin des Königs zurückzog.

Es gab einen glücklichen Anlaß, der mir viel Vergnügen bereitete. Der kleine William ›befehligte‹ seine Soldaten nun schon eine ganze Weile, Knaben in seinem Alter, mit denen er seine Soldatenspiele spielte und die er täglich im Park exerzieren ließ.

Er hatte seine Mutter überredet, für ihn eine Uniform anfertigen zu lassen – und es versteht sich, daß seine Bitte erfüllt wurde. Mr. Hughers, sein Schneider, wurde gerufen, und William bekam eine weiße Uniform aus feinem Tuch, geziert mit Silberknöpfen und Tressen aus Silberfäden.

Der kleine William selbst war es, der mir von dem Vorfall mit den Korsettstangen berichtete. Mr. Hughes hatte gesagt, er müsse steife Korsettstangen einarbeiten, wenn William wie ein General aussehen wolle. Das verlange die Uniform. William war nicht begeistert, aber gewillt, alles zu versuchen, um wie ein Soldat auszusehen.

Er trug auch die Korsettstangen, die ihm sehr unangenehm waren. William ließ den Schneider kommen. Die Knaben umringten diesen und drohten ihm mit schweren Strafen, da er schuld sei, daß ihr Kommandant sich unbehaglich fühle. Sie bestanden darauf, daß er auf den Knien gelobe, die Stangen weniger steif zu machen.

Die Streiche des kleinen Herzogs boten Anlaß zur allgemeinen Belustigung. Als ich nun hörte, daß er ein Manöver plane und kundtat, er würde sich sehr geehrt fühlen, wenn der König persönlich anwesend wäre, legte ich William die Frage schüchtern vor, in der Hoffnung, er würde den Wunsch des Herzogs erfüllen.

Wie begeistert und amüsiert war ich, als William sich einverstanden erklärte! Er hatte Zuneigung zu seinem kleinen Namensvetter gefaßt, und ich wußte, daß er sich oft wünschte, es wäre unser Sohn.

Der Tag war gekommen. Nie werde ich die kleinen Jungen vergessen, die in ihren Uniformen so komisch aussahen und vor dem König exerzierten und marschierten. William machte sich sehr gut, als er die Parade abnahm, neben sich den kleinen William.

Die Spielzeugkanone wurde abgefeuert, alles lief mit militärischer Präzision ab, und William erklärte, er sei von der Loyalität der Truppe des Herzogs hinlänglich befriedigt. Und dem kleinen Trommler gab er zwei Guineen, weil er so laut getrommelt hatte.

Nach der Parade nahm William vor dem König Haltung an und sagte: »Mein lieber König, meine zwei Kompanien sollen Euch in Flandern dienen.«

Der König dankte ihm und nahm das Angebot mit ernster Miene an.

So entspannt und gutgelaunt hatte ich William selten erlebt. Der kleine William besaß die Gabe, uns alle zu bezaubern.

Es war ein düsterer November voller Vorahnungen. Ich war teilnahmslos und fühlte mich schlechter als je zuvor.

Ich war in der Kapelle von Whitehall, als John Tillotson, der Erzbischof von Canterbury, predigte. Ich hatte Tillotson als liebenswürdigen, toleranten Mann immer geschätzt. Seine Ernennung zum Erzbischof lag noch nicht lange zurück – etwas drei Jahre, wenn ich nicht irre –, und in dieser Zeit waren er und ich gute Freunde geworden.

Es war daher ein großer Schock, als er mitten in seiner Predigt plötzlich innehielt, obwohl klar ersichtlich war, daß er sich bemühte weiterzusprechen, denn Gesicht und Lippen verzerrten sich furchterregend. Als der Erzbischof zu Boden glitt, herrschte in der Kapelle beklommene Stille.

Er hatte einen Schlaganfall erlitten und starb binnen vier Tagen.

Nun mußte ein neuer Erzbischof von Canterbury ernannt werden, und die Wahl oblag mir. Ich dachte sofort an Stillingfleet, den Bischof von Worcester, einen der aktivsten Kirchenmänner, stattlich und lebhaft, obschon seine gesundheitliche Verfassung zu wünschen übrig ließ.

William erhob Einwände gegen Stillingfleet. Er behauptete, er sei der großen Verantwortung und den anstrengenden Verpflichtungen, die auf ihn zukämen, gesundheitlich nicht gewachsen. Er zöge Thomas Tenison vor, und natürlich setzte er sich durch.

Ich war enttäuscht, jedoch zu kraftlos, um zu protestieren, doch kann man annehmen, daß William in jedem Fall den Mann seiner Wahl durchgesetzt hätte.

Tenison war zudem ein guter Mann, dessen großes Anliegen immer schon die Verbreitung der wahren Lehre war. Mein Vater hatte von ihm behauptet, er sei langweilig, ein Mensch, der vor Leichtfertigkeit jeglicher Art zurückschrecke. Aber das war bei einem Geistlichen wahrhaftig kein Fehler.

Tenison war eine populäre Entscheidung, aber ich glaube, Stillingfleet wäre noch beliebter gewesen. Viele erinnerten sich noch daran, daß Tenison nach Nell Gwynnes Tod ihr zu Ehren einen Gottesdienst abgehalten hatte, was in Anbetracht des Lebens, das sie geführt hatte, nicht ganz passend gewesen sein mochte. Später sickerte durch, daß sei in ihrem Testament fünfzig Pfund demjenigen hinterlassen hatte, der sie nach ihrem Hinscheiden zum Gegenstand eines Gedächtnisgottesdienstes machen würde.

Ich wage zu behaupten, daß die fünfzig Pfund bei Tenisons Bereitschaft, den Gottesdienst abzuhalten, eine Rolle gespielt haben mochten, bin aber auch der Meinung, daß er von ihrer Bußfertigkeit gewußt haben mußte, andernfalls er sich dazu nicht bereit gefunden hätte.

Es war Weihnachten anno 1694, und William weilte in England. Wir wollten die Feiertage im Kensington-Palast verbringen, der Williams bevorzugte Residenz geworden war.

Die Festlichkeiten würden sich auf ein Minimum beschränken, für mich eine Erleichterung, da ich mich elend fühlte. Ich fieberte ständig und wußte insgeheim, daß mehr dahintersteckte. Meine Teilnahmslosigkeit war so groß, daß ich mich zwingen mußte, die Vorgänge um mich herum wahrzunehmen.

Dabei war ich darauf bedacht, niemanden merken zu lassen, wie ich mich fühlte, doch fiel mir dies immer schwerer.

An meinem Alter konnte es nicht liegen, da ich erst meinen zweiunddreißigsten Geburtstag gefeiert hatte. Aber Tillotsons plötzlicher Tod wollte mir nicht aus dem Sinn. Wie er auf der Kanzel gestanden hatte... das Entsetzen, als sein Mund sich verzerrte, sein unzusammenhängendes Gestammel, das alles verfolgte mich bis in die Träume. Und ich dachte an die Verwirrung, die darauf folgte.

Mir erschien es schrecklich, daß der Tod so plötzlich und ohne Vorwarnung kommen sollte.

Meinen Gesundheitszustand zu verbergen, fiel mir zunehmend schwerer. Als ich für einige Tage meine Gemächer nicht verlassen konnte, kursierten sofort Gerüchte.

Wie war ich erleichtert, als ich mich wieder kräftig genug fühlte, um mich hinauszuwagen, und ich staunte über den stürmischen Beifall, der mich auf den Straßen empfing.

Der kleine William besuchte mich. Ich war immer entzückt über sein Kommen, da sich dann meine Lebensgeister sofort regten.

Er sprach eine Weile von seinen Soldaten, und dann sagte er unvermittelt: »Königin, die Menschen haben dich sehr lieb. Mein Diener Lewis Jenkins war sehr betrübt wegen deiner Krankheit.«

»Die Menschen waren immer gut zu mir«, sagte ich.

»Er hat dich bei der Ausfahrt im Park gesehen. Und als er zurückkam, sah er so froh aus, daß ich fragte, welches Glück ihm begegnet wäre. Er lachte und sagte: ›Euer Durchlaucht, ich habe die Königin gesehen. Sie ist wieder wohlauf.‹ Und ich sagte: ›Das freut mich aus ganzem Herzen.‹ Da zog Lewis seinen Hut und rief: ›Die Königin ist wieder wohlauf! Freut euch alle!‹«

Daraufhin sah der Kleine mich so sonderbar an, daß er mir plötzlich ganz unkindlich erschien – eher wie ein weiser alter Seher. Seine Augen blickten durch mich hindurch, als sähe er mich nicht. Es war ein merkwürdiger Augenblick.

Dann fuhr er fort: »Ich sagte zu Lewis Jenkins: ›Heute sagst du noch: Freut euch alle! Aber bald wirst du vielleicht sagen: O, klagt und trauert!‹«

Im Raum herrschte Totenstille, und ich glaubte Flügelschlag zu hören, als zöge der Engel des Todes über uns hinweg.

William war wieder er selbst – altklug, gewiß, aber wieder Kind.

Er unternahm auch nicht den Versuch, seine merkwürdigen Worte zu erklären. Es war vielmehr so, als sei ihm gar nicht bewußt, daß er sie geäußert hatte.

Er sprach von seinen ›Männern‹ und einer neuen Parade, die er plante. Er hoffte sehr, der König würde kommen, um die für ihn vorgesehenen Ehrenbezeugungen entgegenzunehmen.

Ich saß reglos da.

Ich wußte, daß der Tod nahte.

## Die letzte Bitte

Meine Genesung war nur von kurzer Dauer. Binnen weniger Tage mußte ich wieder das Bett hüten. Es herrschte so große Besorgnis, daß in den Kirchen für mich gebetet wurde.

Erzbischof Tenison war oft bei mir. Er war ein guter Mensch und für mich in jenen Tagen ein großer Trost.

Von dem Augenblick an, als der kleine William seine merkwürdige Äußerung getan hatte, wußte ich, daß ich nicht mehr lange leben würde. Ein Gefühl der Unwirklichkeit hüllte mich ein.

Mein Vater war in meinen Gedanken ständig präsent. Immer wieder dachte ich an die glücklichen Tage der Kindheit. Und manchmal machte ich mir Vorwürfe. Ich hatte mich zwischen meinem Mann und meinem Vater entscheiden müssen. Dr. Ken, Dr. Hooper, alle jene, die mich geleitet hatten, die mir das Verlangen nach einem protestantischen Leben eingegeben hatten, die mir die Tugenden einer guten, gehorsamen Ehefrau eingeimpft hatten, waren die Wegbereiter gewesen. Aber es heißt auch: ›Ehre deinen Vater.‹ Ich hatte eine gute Ehefrau sein wollen, aber auch eine gute Tochter… dem besten aller Väter eine gute Tochter.

Doch das Leben hatte mir auferlegt, daß meine Pflicht dem einen gegenüber gleichbedeutend mit Verrat am anderen war.

Hatte man jemals einen Menschen in eine solche Lage gedrängt?

Ich wünschte, ich hätte zu meinem Vater gehen und ihm erklären können, wie es gekommen war. Ich glaube, ein wenig verstand er mich, doch seine Briefe hatten mir gezeigt, wie tief die Kränkung war. Und William? Was hatte ich ihm bedeutet? Den leichten Weg zur Krone. Und was hatte ihm die Erfüllung seines Wunsches gebracht? Glücklich war er nicht geworden. Er konnte mir leid tun.

Heißer Zorn erfaßte mich. Ich hatte ihm die Krone gebracht, ich, die vom Volk geliebte Königin, hatte mich einem Mann untergeordnet, der mir während all der Jahre unserer Ehe nie treu gewesen war.

Und dafür hatte ich meinen Vater verraten, um eines Mannes willen, der mich nie geliebt hatte, der mich auch nur gewollt hatte, weil ich ihm etwas brachte, der mich während der ganzen Zeit meiner Ehe betrogen hatte.

Wenn es wenigstens so gewesen wäre wie bei meinem Onkel Charles oder meinem Vater... Liebesabenteuer hatten für sie zum Leben gehört, und dabei waren sie zu ihren Ehefrauen immer lieb und gut gewesen und hatten nur diese eine Freiheit in Anspruch genommen. Aber Elizabeth Villiers war Williams einzige Geliebte geblieben. Gerüchte hatten wissen wollen, daß er mit Anne Bentinck getändelt hatte, aber das glaubte ich nicht. Die vier, Elizabeth, William und die Bentincks waren eng befreundet, weil Anne Bentincks Frau war und Bentinck Williams bester Freund.

Es schmerzte um so mehr, weil er treu sein konnte, aber nicht mir. Ich war das dumme Kind, das er um eines Vertrages willen hatte heiraten müssen, die verweinte Braut, die anfangs ihren Ekel und ihren Widerwillen gegen die Verbindung nicht hatte verbergen können. Deswegen hatte er sich Elizabeth Villiers zugewandt.

Man hatte mich verkauft. Mein Vater hatte dies nicht gewollt und versucht, es zu verhindern, doch hatte es nicht in seiner Macht gestanden.

Konnte ich William die ganze Schuld geben? Ja, ich tat es. Nie war er gütig und verständnisvoll gewesen, immer nur schroff, darauf bedacht zu dominieren. Und ich war die Königin, diejenige, die das Volk haben wollte, die es liebte. »Freut euch!« – »Klagt und trauert!«

Ich setzte mich hin, um ihm zu schreiben.

Ich teilte ihm mit, daß ich dem Tod nahe sei, und klagte ihn an, daß er mir durch seine Verbindung mit einer meiner Damen sehr viel Kummer und Schmerz bereitet hätte. Gutmachen könne er es nicht mehr, aber um seiner unsterblichen Seele willen wollte ich, daß er seinen Ehebruch bereue und Elizabeth Villiers aufgäbe. Ich würde nicht mehr da sein, um zu erfahren, ob er meinen letzten Wunsch respektierte, doch hoffte ich, daß er es tun würde, um Erlösung zu finden.

Ich versiegelte den Brief.

Dann saß ich da und dachte an Elizabeth Villiers – an ihr anmaßendes Auftreten, an ihre Verachtung für mich, an ihren verschlagenen Schielblick und an all das, was ich durch sie erlitten hatte.

Ich wünschte, ich hätte sie nicht so gehaßt und mehr an meine eigenen Sünden als an jene anderer gedacht.

Hätte ich in die Vergangenheit zurückgehen können, wie hätte ich gehandelt? Ich weiß es nicht. Aber man kann im Leben nicht umkehren und sagen: ›Das war der Wendepunkt.‹ Es gibt keinen plötzlichen Wendepunkt an dem Weg, den das Schicksal uns zugedacht hat.

Erzbischof Tenison suchte mich auf. Ich sah ihm an, daß ihm die Verschlechterung meines Zustandes nicht entging.

»Ich habe einen Brief an den König geschrieben«, sagte ich.

Er schien erstaunt und fragte sich zweifellos, weshalb ich zur Feder griff, wenn der König doch da war und ich mit ihm sprechen konnte.

»Ich vertraue das Schreiben Euch an«, fuhr ich fort. »Ihr sollt es ihm nach meinem Tod geben.«

»Majestät«, protestierte er mit jener gespielten Ungläubigkeit, deren sich die Menschen bedienen, wenn sie nicht zugeben wollen, etwas zu sehen, was offenkundig ist.

Ich hob die Hand. »Wollt ihr das für mich tun, Erzbischof?«

»Ich bin Euer Majestät zu Diensten. Wollt Ihr mit mir beten?«

Wir beteten, und ich bat um Vergebung meiner Sünden.

Heute am frühen Morgen sah ich die Flecken, die sich an meinem Körper zeigten. Die gefürchteten Pocken haben Kensington erreicht. Nun bin ich sicher, daß der Tod nahe ist.

Ich lege meine Feder aus der Hand. Es gibt gewisse Dinge, die es noch zu ordnen gilt, da mir nur mehr wenig Zeit gegeben ist.